Halve waarheden

Van Lisa Unger is eveneens verschenen

Mooie leugens

Lisa Unger

Halve waarheden

SIRENE

Oorspronkelijke titel *Sliver of truth*
Published in the United States by Shaye Areheart Books, an imprint of the
Crown Publishing Group, a division of Random House, Inc., New York
© 2007 Lisa Unger
© 2007 Nederlandse vertaling Uitgeverij Sirene bv, Amsterdam
Vertaald door Mary Bresser
Omslagontwerp Studio Eric Wondergem BNO
Foto voorzijde omslag Arcangel Images / Hollandse Hoogte
Foto achterzijde omslag © Kelly Campbell
Uitgave in Sirene juni 2007
Alle rechten voorbehouden

www.sirene.nl
www.lisaunger.com

ISBN 978 90 5831 457 4
NUR 305

Voor Ocean Rae

Die me al voor haar komst op meer manieren heeft veranderd dan ik voor mogelijk had gehouden...
Die meer vreugde en liefde in het leven van Jeffrey en mij heeft gebracht dan we ooit konden bevroeden
...zelfs toen ze nog niet meer was dan de gloed van de zon op het water, was het wachten op haar al een schitterend geschenk.
Wij zijn gezegend met haar aanwezigheid in ons leven.

25 december 2005

DEEL EEN

Pappa's lieveling

Proloog

Ze vroeg zich af, is het mogelijk, is het misschien wel normaal, om twintig jaar van je leven met iemand door te brengen en soms meer van die persoon te houden dan je van jezelf houdt, maar hem soms ook echt te haten, zo erg dat je erover fantaseert om hem met je nieuwe gietijzeren grillpan een dreun op zijn hoofd te geven? Of waren dat soort gedachten alleen maar het gevolg van de stemmingswisselingen die je in de overgang op willekeurige momenten totaal buiten jezelf konden brengen? Of van het feit dat die ellendige airconditioner geen partij was voor een keuken waar drie pannen op het vuur stonden en een varkensbraadstuk in de oven lag, terwijl ze hem al twee zomers had gesmeekt dat ding te vervangen?

De hitte leek hém niet te storen; hij zat vlak voor het apparaat, met de Times *in zijn handen, zijn voeten op de poef en een glas merlot naast zich op tafel. Hij had weliswaar aangeboden te helpen, maar op de niet behulpzame manier die typisch voor hem was: 'Heb je hulp nodig?' (zonder op te kijken uit het sportkatern), en niet 'Wat kan ik doen?' (terwijl hij zijn mouwen oprolde) of 'Ga jij maar even zitten, dan hak ik de knoflook' (terwijl hij haar een glas wijn inschonk). Dat was volgens haar pas echt hulp aanbieden. Ze wilde dat hij aandrong. Vooral omdat ze wist dat zij nooit zou kunnen gaan zitten lezen met een glas wijn erbij, terwijl hij zich uit de naad werkte om een maaltijd op tafel te zetten voor vrienden (zíjn vrienden, tussen twee haakjes), of hij nu wel of niet haar hulp had afgeslagen.*

Ze wierp een blik op de klok en voelde haar stress toenemen. Nog maar een uur voor de gasten kwamen en ze had nog niet eens gedoucht. Ze slaakte een zucht en zette met zo'n klap een pan in de gootsteen dat haar man opkeek van zijn krant.

'Gaat het?' vroeg Allen, terwijl hij opstond.

'Nee,' zei ze stuurs. 'Het is hier heet en ik moet nog douchen.'

'Oké,' zei hij. Hij liep naar haar toe en pakte de houten lepel uit haar hand. Hij sloeg zijn armen om haar middel en glimlachte op die typische ondeugende manier van hem die haar ook altijd deed glimlachen, hoe boos ze ook was.

'Rustig aan,' zei hij en kuste haar hals. Even trok ze zich terug om moeilijk te doen en boosheid te veinzen, maar al gauw smolt ze weg.

'Waarom vraag je niet om hulp als je die nodig hebt?' fluisterde hij in haar oor, wat haar een opwindende rilling in haar hals bezorgde.

'Omdat je dat moet aanvoelen,' zei ze, nog steeds pruilerig.

'Je hebt gelijk,' zei hij tegen het gebied tussen haar keel en haar sleutelbeen. 'Het spijt me. Wat kan ik doen?'

'Ach,' zei ze en voelde zich plotseling kinderachtig. 'Het is eigenlijk al bijna klaar.'

Hij liet haar los, pakte een glas uit de kast en schonk haar wat wijn in. 'Wat denk je hiervan? Ga jij lekker douchen, dan begin ik vast met opruimen. Ik stort me wel op de pannen.'

Ze nam het glas aan en kuste hem op de mond. Na twintig jaar vond ze hem nog steeds lekker smaken (behalve dan op de momenten dat ze zich voorstelde hoe ze hem met een grillpan te lijf ging). Ze keek haar West Village-appartement rond. Vanaf de bar die de keuken scheidde van het eet- en woongedeelte, kon je het bijna helemaal zien. Het was klein en benauwd, maar stond vol met mooie voorwerpen en boeken en foto's die ze tijdens hun leven samen hadden verzameld. De divan en de bijpassende tweezitsbank waren oud en verschoten, maar van goede kwaliteit en zaten zacht als een omhelzing. De salontafel was een oude deur uit een antiekwinkel in New Hope, Pennsylvania. Hun televisie was, evenals de in het raam geplaatste airconditioning, prehistorisch en moest hoognodig vervangen worden. Hun slaapkamer was zo klein dat er nauwelijks ruimte was voor hun queen-size bed en twee nachtkastjes volgestapeld met boeken. Ze konden zich best iets beters, iets veel groters veroorloven... in Brooklyn misschien, of Hoboken. Maar ze waren met hart en ziel aan Manhattan verknocht en konden het idee niet verdragen door een brug of een tunnel van de stad gescheiden te zijn. Misschien was het gek, maar om die reden en vanwege de huur van maar zeshonderd dollar per maand (onveranderd sinds 1970), en omdat het appartement door Allens broer aan hem was overgedaan toen deze naar een prachtig koetshuis in Park Slope was verhuisd, zaten ze er nog steeds. De kinderen die ze gewild hadden waren nooit gekomen; ze hadden nooit aan-

leiding gehad om iets groters te zoeken. Maar de laatste tijd voelden ze zich hier niet meer zo op hun gemak.

De nieuwe huisbaas wist dat hij zo'n twee- of drieduizend dollar per maand voor hun appartement kon vangen, dus stelde hij het repareren van dingen die kapotgingen lang uit, in de hoop hen zo te dwingen om op te stappen. En in een oud appartement in een oud gebouw was er altijd wel iets kapot, er was altijd wel een stop doorgeslagen, het lekte altijd wel ergens.

Ze spraken tegenwoordig vaker over verhuizen, maar de prijzen in de stad waren exorbitant. In hun leven waren avontuur en reizen veel belangrijker geweest dan een chic appartement of een flatscreen televisie. Met haar als misdaadverslaggeefster voor verschillende stadskranten en nu, uiteindelijk, voor de Times, en hem als commercieel fotograaf, hadden ze het niet slecht gehad, maar toch moesten er gaandeweg keuzes worden gemaakt. Goed leven, mooie reizen maken en sparen voor hun pensioen, en beknibbelen op de woonkosten. De keuze was nooit moeilijk geweest. Ze hadden de hele wereld gezien en waren diep in hun hart nog steeds ontdekkingsreizigers. Ze waren begin vijftig en hadden hun zaakjes zo goed voor elkaar dat ze binnen tien jaar met pensioen konden gaan, ondanks het feit dat ze nooit een eigen huis hadden gehad.

Over al deze dingen dacht ze na onder de douche, en ze had er een goed gevoel over. Gelukkig werkte de boiler vandaag. Als Ella en Rick, vrienden uit Allens studietijd, straks kwamen, zouden ze een fles wijn van honderd dollar meenemen; Ella zou iets extreem chics en duurs dragen en Rick zou het over zijn nieuwe speeltje hebben, wat dat deze keer ook mocht zijn. Het waren geen snobs, ze waren pretentieloos en aardig. Maar ze waren erg rijk en dat straalden ze aan alle kanten uit, zodat je het wel moest opmerken en met je eigen situatie vergelijken. Als ze niet goed in haar vel zat, stoorde haar dat op een manier die niet goed was. Allen zou het niet begrepen hebben, zo werkte dat niet bij hem. Hij genoot van het succes van zijn vrienden, hun speeltjes, hun vakantiehuizen, alsof hij degene was die ermee was begenadigd. Hij geloofde niet in vergelijken.

Daarover dacht ze na, terwijl ze de conditioner uit haar haren spoelde. Ergens in het appartement, of ergens boven of onder hen, klonk een luid gebonk, hard genoeg om haar uit haar gedachten te doen opschrikken. Misschien was het de boiler, of iets op een andere verdieping. Ze hoopte vurig dat het niet hun gasten waren die vroeg arriveerden. Of de huisbaas, die de ruzie wilde voortzetten die ze met hem hadden gehad over de verschrikkelijke lekkage in de badkamer als er boven hen iemand onder de douche stond. Vandaag hadden ze gedreigd hun huur aan derden in pand te geven, totdat hij het deugdelijk had gerepareerd. De ruzie was zo hoog opgelopen dat hij in zijn moedertaal was vervallen, iets rauws en Oost-Europees, en iets onbegrijpelijks tegen hen had staan brullen. Ze hadden de deur voor zijn neus dichtgegooid en hij was weggestormd, aan één stuk door schreeuwend tot hij beneden was.

'Die Oost-Europeanen zijn nogal heetgebakerd,' had Allen onverstoorbaar opgemerkt.

'Misschien moesten we maar eens opstappen. De rente staat laag. We hebben geld voor een fikse aanbetaling. Jack zegt ook steeds dat we in onroerend goed moeten investeren als we het na ons pensioen echt goed willen hebben,' zei ze, doelend op hun accountant.

'Maar de onderhoudskosten... En wie garandeert ons dat de prijzen niet zullen dalen in de komende tien jaar?' Hij was even stil en schudde het hoofd. 'We kunnen ons niets in Manhattan veroorloven.'

Ze haalde haar schouders op. Dit gesprek voerden ze vaker en voor geen van beiden was het een heet hangijzer. Ze was er verder niet op ingegaan en naar de boerenmarkt op Union Square getogen om boodschappen voor het avondeten te doen. Op de terugweg was ze hun huisbaas tegengekomen en had ze geprobeerd te glimlachen. Hij was haar nors voorbijgelopen, terwijl hij luidkeels in zijn mobieltje blafte in die taal vol keelklanken.

Ze stapte onder de douche vandaan en sloeg een handdoek om zich heen, wond een andere handdoek om haar lange rode haar en poetste haar tanden. Ze kon de geluidsinstallatie horen in de woonkamer en bedacht dat die harder stond dan haar man gewoonlijk prettig vond. Maar ze hoorde geen stemmen en daar was ze dankbaar voor – geen vroege gasten, geen schreeuwende huisbaas. De douche had haar goedgedaan en ze glimlachte zichzelf toe in de spiegel. Ze vond zichzelf nog best knap, met haar grote groene ogen en sproetige huid, die er nog behoorlijk jong uitzag als je de rimpeltjes rond haar ogen en mond even wegdacht.

Ze neuriede mee met de radio, een pakkend deuntje van een van die American Idol-jochies, en vond het vreemd dat Allen voor dit radioprogramma had gekozen en geen cd van Mozart of Chopin had opgezet, wat toch meer zijn smaak was. Soms probeerde hij 'hip' te zijn, vooral als Rick op bezoek kwam. Want Rick was hip – dat beweerde hij tenminste. Ze wilde tegen geen van beiden zeggen dat iemand die het woord hip gebruikte, het *meestal niet was. Zij en Ella lachten altijd even heimelijk naar elkaar als Allen en Rick zich als ware trendvolgers voordeden.*

Daar was het weer, dat gebonk. Deze keer leek het echter meer op een doffe dreun die uit de woonkamer kwam. Ze deed de deur van de badkamer open en riep de naam van haar man. Er kwam geen reactie en de muziek stond wel erg hard nu, met de deur open. Ze liep langs de slaapkamer naar de keuken. Haar hart sloeg over, terwijl ze nog een keer zijn naam riep.

Er lag iets op de vloer voor haar. Een handschoen? Nee, een hand. De hand van haar man op de vloer. Daarna leek alles te vertragen. Hartaanval! was haar eerste gedachte, toen ze de hoek om ging en hem zag liggen. Ze knielde naast hem neer en hij knipperde met zijn ogen, terwijl hij iets probeerde te zeggen.

'Allen, liever, alles komt goed,' zei ze, verbaasd over haar eigen kalmte. Haar stem klonk rustig en vastberaden. 'Ik bel een ambulance. Houd vol, lieverd. Maak je geen zorgen.'

Het zou ook goed komen, verzekerde ze zichzelf met een vreemde berusting. Tegenwoordig kon je een hartaanval best overleven. Hij slikte aspirine. Ze zou hem overeind helpen en hem een tabletje geven tijdens het wachten op de ambulance.

Maar toen zag ze het bloed dat onder hem vandaan stroomde en merkte ze de panische angst in zijn ogen op. En zag ze de mannen bij de deur staan.

Ze waren helemaal in het zwart. Een van hen had een pistool in zijn hand, en de ander een akelig gekarteld mes dat rood was van het bloed. Ze droegen allebei een bivakmuts. Ze versperden haar de weg naar de telefoon.

'Wat willen jullie?' vroeg ze, terwijl haar kalmte omsloeg in paniek. 'Pak alles wat jullie willen.' Ze keek de kamer rond en besefte dat ze niets van enige echte waarde hadden. Zelfs haar trouwring was niets bijzonders; wel van goud, maar glad. Ze had twintig dollar in haar portemonnee en Allen waarschijnlijk minder. Ze voelde een klamme warmte aan haar voeten en besefte dat het bloed dat onder haar man vandaan stroomde haar had bereikt. Zijn gezicht was bleek; zijn ogen waren nu gesloten.

'Verroer je niet,' zei een van de mannen, ze wist niet welke. Het leek alsof alles zich in een waas afspeelde. Ze probeerde te bevatten wat er gebeurde. 'En zwijg.'

Een van de twee liep snel op haar af en voor ze het zich realiseerde pakte hij haar bij de pols en draaide haar om. Hij wierp een zwarte doek over haar hoofd die hij strak rond haar hals trok. Diep in haar hart wist ze waar het hem om te doen was, maar ze weigerde het te geloven. Toen voelde ze een verdovende pijn onder in haar hals en zag ze sterretjes. Daarna niets meer.

1

Ik ren, maar ik houd het niet lang meer vol. Door de steken in mijn zij begin ik te trekken met mijn been; mijn longen branden. Ik hoor nog steeds geen voetstappen. Maar ik weet dat hij niet ver weg is. Ik besef nu dat hij op een of andere manier mijn hele leven lang in mijn nabijheid is geweest. Ik ben het licht, hij is de schaduw. We leefden naast elkaar zonder elkaar ooit ontmoet te hebben. Als ik een braaf meisje was gebleven, zoals ik ben opgevoed, dan zou ik hem nooit hebben ontmoet. Maar het is te laat voor berouw.

Ik ben op Hart Island in de Bronx, op een plek die bekendstaat als Potter's Field. Het is de stedelijke begraafplaats voor naamlozen en berooiden – een sombere en angstaanjagende plek. Hoe we hier allemaal terecht zijn gekomen is een lang verhaal, maar ik weet dat het verhaal hier zal eindigen – voor enkelen van ons, of misschien voor ons allemaal. Een hoog leegstaand gebouw dat moeite lijkt te doen om overeind te blijven doemt voor me op. De nacht is zwarter dan ik ooit heb meegemaakt, in meer dan één betekenis. Het sikkeltje van de maan is verborgen achter een dik wolkendek. Het zicht is slecht, maar ik zie hoe hij verdwijnt door een deur die scheef in zijn scharnieren hangt. Ik ga hem achterna.

'Ridley!' De kreet komt van achter mij. Maar ik reageer niet. Ik loop stug door tot ik bij de ingang van het gebouw ben. Daar aarzel ik en, terwijl ik het uitgezakte, steunende bouwwerk bezie, vraag ik me af of ik nog kan omkeren.

Dan zie ik hem, een eindje voor me. Ik roep, maar hij antwoordt niet, draait zich alleen maar om en beweegt zich langzaam van mij af. Ik ga hem achterna, hoewel ik dat natuurlijk beter niet kan doen. Als ik ook maar enige waarde zou hechten aan mijn leven en mijn gezonde verstand zou ik hem laten gaan en hopen dat hij hetzelfde zou doen. Dan kon alles weer worden zoals het vroeger was. Dan kon hij verder leven in een wereld waarvan ik nooit had geweten dat die bestond, en kon ik mijn doodgewone leventje voortzetten: artikelen schrijven voor tijdschriften, naar de film gaan, wat drinken met vrienden.

Binnen in me strijden angst en razernij om voorrang. Haat kun je proeven en voelen, hij brandt als gal in mijn keel. Even hoor ik de stem van iemand van wie ik gehouden heb: *Ridley, je kunt je haat loslaten en weglopen. Het is een eenvoudige keuze. We kunnen het allebei. We hoeven niet alle antwoorden te krijgen om ons leven voort te zetten. Het hoeft niet zo te eindigen.* Even later was hij weg.

Nu weet ik dat het leugens waren. Haat kun je niet loslaten. Weglopen is geen keuze voor me. Misschien is dat altijd zo geweest. Misschien lig ik mijn hele leven al op het spoor van deze goederentrein, vastgeketend op de rails, te slap, te dwaas, te eigenwijs zelfs om mezelf in veiligheid te brengen.

Als ik het gebouw binnenga, hoor ik ergens in de verte het geronk van rotorbladen van een helikopter. Ook denk ik dat ik het gestamp van scheepsmotoren kan horen. Er bekruipt me een vaag gevoel van hoop en ik vraag me af of er hulp in aantocht is. Opnieuw hoor ik mijn naam en als ik omkijk zie ik de man die mijn enige vriend is geworden wankelend op me afkomen. Hij is gewond en ik weet dat het even zal duren voor hij bij me is. Weer denk ik dat ik naar hem toe zou moeten gaan om hem te helpen. Maar dan hoor ik iets binnen, het gekraak van een gammele constructie. Ik adem oppervlakkig en gejaagd. Ik loop door.

'Blijf staan, lafaard!' schreeuw ik de enorme duisternis in. Mijn stem echoot in de verlaten ruimte. 'Laat me je gezicht zien.'

Mijn stem kaatst weer terug van de wanden om me heen. Ik klink niet angstig of diepbedroefd, maar dat ben ik wel. Ik klink sterk en kordaat. Ik pak het pistool uit de band van mijn spijkerbroek. Het metaal is warm van mijn huid. Het voelt stevig en gerechtvaardigd aan in mijn hand. Dit is de tweede keer in mijn leven dat ik een pistool vasthoud met de bedoeling het te gebruiken. Ik vind het echt niet fijner dan de eerste keer, maar ik voel me nu wel zelfverzekerder, in de wetenschap dat ik kan schieten als het moet.

Hij stapt uit de schaduw en lijkt geluidloos te bewegen, te zweven als een geest, wat hij ook is. Ik doe een stap naar hem toe, blijf staan en richt mijn pistool. Ik kan zijn gezicht nog steeds niet zien. Als de maan langs een opening in het wolkendek schuift, valt er een melkachtig licht door de gapende gaten in het plafond. In de duisternis doemen gedaanten op. Hij beweegt zich langzaam in mijn richting. Ik blijf staan, maar het pistool begint te trillen in mijn hand.

'Ridley, doe het niet. Je zult er je leven lang spijt van hebben.'

De stem komt van achter me. Ik draai me met een ruk om en zie iemand die ik nooit meer had verwacht te zullen zien.

'Bemoei je er niet mee,' gil ik en draai me weer om naar de man die ik achtervolgde.

Op dat moment besef ik waarom ik eigenlijk achter hem aan zit, wat ik eigenlijk wil doen als ik hem heb gevonden. Die gedachte maakt me onpasselijk, ik ga er bijna van over mijn nek. Hij blijft dichterbij komen. Met gebogen hoofd snelt hij door de plekken waar het licht binnenvalt. Hij ziet niet – of het kan hem niet schelen – dat ik een pistool op hem gericht houd. Onwillekeurig ga ik een paar passen achteruit.

'Ridley, doe niet zo stom. Doe dat pistool weg.' De stem achter me klinkt wanhopig, breekt van emotie. 'Je weet dat ik je hem niet kan laten doodschieten.'

Mijn hartslag reageert op de angst in zijn stem. *Waar ben ik mee bezig?* De adrenaline giert door mijn lijf en bezorgt me een droge mond. Ik kan niet schieten, maar ik kan het pistool ook niet laten zakken. Ik wil gillen van angst en woede, van frustratie en verwarring, maar alles blijft steken in mijn keel.

Als hij eindelijk zo dichtbij is dat ik hem kan zien, staar ik naar zijn gezicht. En zie iemand die ik absoluut niet herken. Ik snak naar adem als een brede, wrede glimlach over zijn gezicht trekt. En dan dringt het tot me door. Hij is wie ze zeggen dat hij is.

'O god,' zeg ik en laat mijn pistool zakken. 'O, nee.'

2

Ik durf te wedden dat je dacht dat je niets meer van me zou horen of dat je tenminste hoopte dat ik genoeg ellende had meegemaakt voor een heel mensenleven en dat er geen verrassingen meer voor me in het verschiet zouden liggen, dat het van nu af aan lekker zou gaan. Nou, dat dacht ik ook. Daar hebben we ons dus in vergist.

Door een reeks alledaagse gebeurtenissen en doodgewone beslissingen kruiste mijn leven ongeveer een jaar geleden het pad van een peuter, Justin Wheeler genaamd. Puur toevallig stond ik op een koele herfstochtend aan de andere kant van de straat, toen hij in de baan van een tegemoetkomende bestelwagen liep. Zonder na te denken sprong ik de straat op, greep hem vast en dook met hem weg voor het aanstormende voertuig, dat hem zeker gedood zou hebben... en mij misschien ook, als ik dertig seconden later was geweest. Maar goed, daarmee had het afgelopen kunnen zijn, deze heldendaad die alleen Justin Wheeler, zijn familie en ik zich herinnerd zouden hebben, als er geen fotograaf van de *Post* op de hoek had gestaan die het hele verhaal op de gevoelige plaat had vastgelegd. Die foto (een ongelooflijk knappe actiefoto, al zeg ik het zelf) zette een nieuwe reeks gebeurtenissen in beweging die mij ertoe zou dwingen letterlijk alles van mijn tot dan toe volmaakte leventje in twijfel te trekken en uiteindelijk op de meest verschrikkelijke manier te ontrafelen.

Het grappige was dat ik merkte dat ik ondanks alles – zelfs toen mijn leven om mij heen in rook was opgegaan, zelfs nadat alles waarvan ik dacht dat het mij had gemaakt tot wie ik was een leugen bleek te zijn – mezelf gebleven was. Ik had nog steeds de kracht om me voorwaarts in het onbekende te begeven. En dat vond ik behoorlijk goed van mezelf.

Mijn leven mag er dan hebben uitgezien alsof de slopershamer zijn vernietigende werk had gedaan, maar Ridley Jones stond toch weer op uit de puinhoop. En hoewel er momenten waren dat ik het niet voor mogelijk hield, kwam mijn leven weer op gang. Voor een poosje, tenminste.

Als je niet weet wat er met me is gebeurd en hoe het allemaal afliep, dan kun je nu nog stoppen om dat te achterhalen voor je verder gaat. Niet dat je anders het vervolg niet zou kunnen begrijpen of dat je er niets aan zou hebben om de volgende episode van mijn *vida loca* mee te beleven. Je kunt het zien als met iemand naar bed gaan van wie je de naam niet kent. Maar misschien vind je dat juist prettig. Misschien wil je gaandeweg ontdekken hoe het zit, wat je bij elke nieuwe relatie eigenlijk ook doet. Hoe dan ook, de keuze is aan jou. De keuze is *altijd* aan jou.

Goed, dan kom ik nu ter zake.

Ik ben de enige persoon ter wereld zonder digitale camera. Ik heb het er niet zo op; ik vind ze kwetsbaar. Als je door een regenbui wordt overvallen of de verkeerde toets indrukt, kun je zomaar een deel van je herinneringen kwijtraken. Ik heb een 35-mm Minolta, die ik al gebruik sinds mijn studietijd. Ik breng mijn filmpjes al jaren naar dezelfde ontwikkelcentrale op Second Avenue.

Ik heb ooit een vriend gehad die vond dat er iets intrinsiek verkeerd was aan het maken van foto's. Een herinnering heeft iets magisch, vond hij, vanwege de subjectiviteit ervan. Foto's zijn primitief en het directe gevolg van een verlangen om ergens grip op te hebben, om momenten vast te houden die we zouden moeten loslaten, net als iedere ademtocht. Misschien had hij wel gelijk. We zijn geen vrienden meer en ik heb geen foto van hem, alleen deze herinnering die telkens bovenkomt als ik mijn foto's ga ophalen. En dan denk ik aan hoe graag hij zong en gitaar speelde na het vrijen (en hoe vreselijk slecht hij was, als zanger, gitarist en als minnaar, nu we het er toch over hebben). Maar ja, Washington Square zag er vanuit zijn raam altijd zo romantisch uit, dat ik de rest langer slikte dan ik normaal deed. Mijn herinneringen aan hem zijn levend en driedimensionaal, foto's die alleen voor mij bestaan; dat heeft toch wel iets heel aparts.

Daaraan dacht ik dus toen ik de deur van de F-Stop openduwde om de foto's op te halen die op me lagen te wachten. Een winkelbediende die ik nooit eerder had gezien keek me vanonder een warrige bos zwartgeverfd haar en twee dikke strepen eyeliner met bestudeerde onverschilligheid aan.

'Ja?' vroeg hij stuurs, terwijl hij een paperback met de rug naar boven op de toonbank legde. Ik zag een tongpiercing schitteren toen hij sprak.

'Ik kom mijn foto's ophalen. Mijn naam is Jones.'

Hij wierp me een rare blik toe, alsof hij dacht dat ik die naam had verzonnen. (Even iets over New York City: als je hier een alledaagse of veel voorkomende naam opgeeft, word je met argwaan bekeken. Als je naam daarentegen bizar of uitheems klinkt – bijvoorbeeld Ruby Decal X of Geronimo – dan zal niemand in East Village een spier vertrekken.)

De bediende verdween achter een scheidingswand en ik meende stemmen te horen terwijl ik wat zwart-wit kunstfoto's bekeek die aan de wand hingen. Na een poosje kwam hij terug met drie dikke enveloppen en legde die op de toonbank tussen ons in. Zonder een woord te zeggen tikte hij de bedragen in op de kassa. Ik betaalde hem contant en hij liet de enveloppen in een plastic tas glijden.

'Bedankt,' zei ik en nam de tas van hem over.

Zonder verder iets te zeggen ging hij zitten en hij wijdde zich weer aan zijn boek. Om een of andere reden draaide ik me bij de deur nog even om en betrapte hem op een vreemde blik in mijn richting voordat hij zijn ogen afwendde. Tja, East Village, hè?

Op de hoek van Second Avenue en Eighth Street stond ik stil. Ik was van plan geweest langs het atelier te lopen om de foto's bij Jake af te geven. Het waren foto's die we in de afgelopen maanden hadden gemaakt: een lang weekeinde in Parijs, waar we tevergeefs hadden geprobeerd weer tot elkaar te komen; een middag in Central Park, waar we op de Great Lawn wat gerotzooid hadden en de zaken er veelbelovend hadden uitgezien; een rotdag met mijn ouders in de Botanical Gardens in Brooklyn, gekenmerkt door lange, drukkende stiltes, kleine uitvallen naar elkaar en nauwelijks verholen afkeer. Nu ik eindelijk weer eens bij Jake langs zou gaan, schrok ik ervoor terug, en bleef ik op de hoek staan, alsof ik op de bus wachtte.

Ik wil niet zeggen dat mijn leven somberder is geworden of dat alle kleur uit mijn bestaan is verdwenen. Dat klinkt al te dramatisch, te veel vol zelfbeklag. Maar ik denk dat het toch niet erg bezijden de waarheid is. De vorige keer dat je van me hoorde, was ik bezig de brokstukken van mijn leven bijeen te rapen. We eindigden wel optimistisch, vind ik, maar het is hard werken geweest. En zoals bij elk langdurig genezingsproces zijn er meer diepte- dan hoogtepunten.

Vorige maand is Jake vertrokken uit ons gezamenlijk appartement op

Park Avenue South en nu woont hij semi-permanent in zijn atelier op Avenue A. In plaats van zijn verleden te aanvaarden en te verwerken wat hij heeft geleerd, is Jake geobsedeerd geraakt door Project Kinderhulp en Max' rol daarin.

Met Max bedoel ik Maxwell Allen Smiley, mijn oom die niet echt mijn oom was, maar de beste vriend van mijn vader. Mijn leven lang hebben we een speciale band gehad. En vorig jaar kwam ik erachter dat hij mijn biologische vader is. Ik probeer hem nu een nieuwe rol te geven in mijn bestaan, die van mislukte vader in plaats van geliefde oom.

Project Kinderhulp is een organisatie die Max, zelf een mishandeld kind, heeft opgericht, mede om ervoor te zorgen dat de Wet Veilige Havens in de staat New York werd aangenomen. Deze wet staat toe dat bange moeders hun baby kunnen achterlaten op speciale Veilige Havenadressen, zonder dat er vragen worden gesteld, zonder dat ze bang hoeven te zijn vervolgd te worden. Vorig jaar kwam ik erachter dat deze organisatie ook een schaduwzijde had. Verscheidene verpleegkundigen en artsen merkten in het geheim kinderen aan als mogelijke slachtoffertjes van huiselijk geweld. In samenwerking met de georganiseerde misdaad werden sommigen van deze kinderen ontvoerd en doorverkocht aan rijke echtparen. In zekere zin was ik een baby van Project Kinderhulp, hoewel mijn verhaal wat ingewikkelder ligt. Jake is een baby van Project Kinderhulp bij wie de zaak volledig uit de hand is gelopen.

Jake heeft zijn kunstenaarschap opgegeven. En hoewel hij en ik officieel niet uit elkaar zijn, ben ik een schim geworden in onze relatie, eentje die zich gedraagt als een klopgeest door dingen overhoop te halen en herrie te schoppen, gewoon om aandacht te trekken.

Ik moet denken aan iets wat mijn moeder, Grace, ooit heeft gezegd over Max: *Zo'n man, zo gebroken en leeg vanbinnen, kan niet echt liefhebben. Maar hij was tenminste slim genoeg om dat te beseffen.* Ze zeggen dat wij vrouwen steeds maar weer verliefd worden op onze vader in een trieste poging om die relatie helder te krijgen. Is het mogelijk dat ik dat ook deed, voor ik zelfs maar wist wie mijn vader werkelijk was?

'Juffrouw Jones. Ridley Jones.' Ik hoorde een stem achter me en verkilde. Het afgelopen jaar heb ik een behoorlijke fanclub gekregen, ondanks al mijn pogingen me overal aan te onttrekken, behalve aan mijn wettelijke verplichtingen betreffende de moord op Christian Luna en het onderzoek naar Project Kinderhulp.

Met Christian Luna is alles begonnen. Na het zien van een interview met mij op CNN, herkende hij me als Jessie Stone, de dochter van Teresa Stone. Hij dacht dat hij de vader was van dat meisje. Sinds de nacht, dertig jaar geleden, dat Teresa Stone werd vermoord en Jessie ontvoerd, had hij zich schuilgehouden omdat hij er zeker van was dat hij ervan beschuldigd zou worden, gezien hun geschiedenis van huiselijk geweld. Ik heb hem zien sterven nadat hij door zijn hoofd was geschoten, terwijl hij vlak naast me zat op een bank in een parkje in de Bronx. Uiteindelijk bleek hij mijn vader niet te zijn.

Hoe dan ook, dankzij de vele artikelen en themanummers van tijdschriften waarin de beroemde foto uit de *Post* centraal stond, ben ik het gezicht geworden van een organisatie die duizenden levens heeft veranderd, en niet per se ten goede. Ze bellen. Ze schrijven, die andere baby's van Project Kinderhulp. Ze klampen me aan op straat. Ik ben geprezen en omhelsd, aangevallen en bespuwd. Ze zijn dankbaar. Ze zijn razend. Ze komen op me af in verschillende stadia van verdriet en afschuw, ongeloof en woede. En ieder van hen is een droevige weerspiegeling van mijn eigen zoektocht naar genezing, een tocht waaraan, naar ik vrees, wellicht nooit een einde komt.

Ik sloeg geen acht op de persoon achter mij. Ik antwoordde niet en ik draaide me niet om. Ik had ontdekt dat mensen dan onzeker werden en me met rust lieten. Vroeger hoorde ik mijn naam alleen uit liefde of belangstelling roepen en dan reageerde ik met een glimlach op mijn gezicht. Maar vroeger is voorbij.

'Juffrouw Jones.'

Er klonk zoveel gezag in de stem dat ik me bijna omdraaide. Ik ben altijd een braaf meisje geweest dat netjes gehoorzaamde. Maar nu liep ik weg in de richting van Jake's atelier. Ik hoorde de voetstappen achter mij versnellen, dus verhoogde ik mijn tempo ook. Toen voelde ik een sterke hand op mijn schouder. Ik draaide me snel om, nijdig en klaar om uit te halen. Er stonden twee mannen, strak in het pak. In een zwarte personenauto, vlakbij geparkeerd, zaten nog twee mannen, eveneens strak in het pak.

'Juffrouw Jones, wij willen u even spreken.'

Zijn gezicht stond streng, maar niet dreigend en het verried op geen enkele manier emotie. En dat kalmeerde me. Hij had vreemde grijze ogen, de kleur van donderwolken, en warrige, pikzwarte haren. Hij was lang, bijna een kop groter dan ik en had brede schouders. Hij had iets koels en afstandelijks, maar straalde ook iets vriendelijks uit. De man naast hem zei niets.

'Wat wilt u?'

Hij haalde een dun leren mapje uit zijn borstzak, klapte het open en hield het me voor.

Speciaal agent Dylan Grace, Federal Bureau of Investigation.

De schrik die ik had gevoeld sloeg om in ergernis. Ik knikte dat ik het had gezien.

'Agent Grace, ik heb de FBI niets te zeggen. Ik heb alles verteld wat ik weet over Project Kinderhulp. Ik heb letterlijk niets meer te zeggen.'

Hij moet de trilling in mijn stem hebben gehoord of iets in mijn gezicht hebben gezien, want hij liet zijn professionele onderkoeldheid even varen.

'Dit gaat niet over Project Kinderhulp, juffrouw Jones.'

Zijn partner liep naar de sedan en open het achterportier. Het was kil en de hemel was somber loodgrijs. Sommige mensen keken even om, maar niemand bleef staan. Er reed een getunede Mustang voorbij, met een bas dreunend als een hartslag.

'Waar gaat het dan wel over?'

'Over Maxwell Allen Smiley.'

Mijn hart sloeg over. 'Over hem valt ook niets meer te zeggen. Hij is dood.'

'Kunt u mij de foto's overhandigen die u in uw tas hebt, juffrouw Jones?'

'Wat?' Hoe wist hij van die foto's en wat had hij in hemelsnaam aan kiekjes van mijn bijna ex-vriendje en mijn familie van wie ik praktisch vervreemd was?

Hij haalde een document uit zijn borstzak. Ik merkte dat ik me afvroeg wat hij daar nog meer in had – een spel kaarten, een wit konijn, een idioot lange slinger van aan elkaar geknoopte veelkleurige zakdoeken?

'Ik heb een volmacht, juffrouw Jones.'

Ik keek niet eens. Ik reikte in mijn tas en gaf hem de enveloppen van de F-Stop. Hij nam ze aan en wees naar de auto. Ik ging naar de sedan en schoof zonder iets te zeggen naar binnen. Ik had inmiddels genoeg ervaring met de FBI om te weten dat ze uiteindelijk altijd hun zin krijgen. Op wat voor manier, dat ligt aan jezelf.

Ze brachten me naar een gebouw vlak bij het hoofdkwartier van de FBI. Ze namen mijn tas in en lieten me achter in een kale kamer met een nephouten tafel met metalen poten en twee verbazingwekkend ongemakkelijke stoelen. De wanden waren naargeestig grijs geschilderd en de tl-verlichting flikkerde onaangenaam.

Dat doen ze met opzet, wist ik, ze zetten je in een ongezellige ruimte, zonder klok aan de muur, met niets om je af te leiden, zodat je overgeleverd bent aan jezelf. Ze willen dat je *nadenkt*. Nadenkt over de reden waarom je daar bent, over wat je weet en wat je hebt gedaan. Ze willen dat je je afvraagt wat *zij* zouden kunnen weten. Ze willen dat je je zo opfokt dat je een biechtvader wenst tegen de tijd dat ze terugkomen.

Maar dat werkt natuurlijk alleen maar als je ergens schuldig aan bent of iets te verbergen hebt. Ik had echt geen idee waarom ze me wilden spreken en ik begon me dan ook danig te vervelen en te ergeren. Ik was zo langzamerhand uitgeput. Dit gedoe, en misschien wel mijn leven in het algemeen putte me uit. Ik stond op en ijsbeerde door de kamer. Uiteindelijk ging ik met mijn rug tegen de muur staan en liet me in een zittende positie op de vloer zakken.

Ik probeerde tegenwoordig niet aan Max te denken, hoewel het soms wel leek dat hoe meer ik hem uit mijn herinnering probeerde te bannen, hoe nadrukkelijker hij aanwezig was. Ik trok mijn knieën op, vouwde mijn armen eromheen en legde mijn hoofd in de holte van mijn elleboog om aan het schelle witte licht van de kamer te ontkomen. Als kind deed ik dat altijd als ik verdrietig of moe was, me inspinnen in mijn eigen cocon. Als dat niet werkte, kroop ik ergens weg.

Ik weet niet hoe het allemaal begon, dat wegkruipen. Maar ik weet dat ik het heerlijk vond me op donkere plekken te verschuilen en dan stil te blijven luisteren naar de drukte van iedereen die me probeerde te vinden. Mijn ouders vonden het bepaald niet grappig, maar ik vond het razend spannend, al dat heen-en-weer geren, het zoeken onder bedden en in kasten. Het was een spelletje dat ik altijd won, alleen al door de reactie die ik opriep. Het kwam niet bij me op dat ik anderen boos of bezorgd maakte. Ik was te jong om me daar om te bekommeren. Ik werd er steeds beter in om me te verstoppen. Ik moest altijd zelf tevoorschijn komen, want ik werd nooit gevonden. Dat had ook wel iets.

Op een bepaald moment vatte het idee bij me post dat ik me nergens meer kon verstoppen in huis. Al mijn geheime plaatsen waren ontdekt, door mijn ouders of door Ace, mijn broer – of door mijn oom Max. Hij was er een kei in en werd er altijd bij gehaald als niemand anders me kon vinden. Dan zei hij: 'Kijk eens in die kast in de logeerkamer.' Of: 'Probeer het kruipluik naar de zolder in haar wandkast.' Op een of andere manier wist hij me altijd te vinden. Zodra mijn ouders doorhadden dat Max de gave had om mij te vinden, werd het spelletje te gemakkelijk. Hun reacties waren lang zo leuk niet meer en de lol was eraf. Ik moest iets nieuws verzinnen.

Ik weet niet hoe oud ik was, zeven, zes misschien – in ieder geval te jong om zonder Ace het bos achter ons huis in te gaan. Dat wist ik donders goed. Het was een smal, ongeveer drie kilometer lang stuk land met bomen, dat grensde aan het terrein van onze buren en onze grond scheidde van de tuin achter ons. Er was ook een beekje, dat onder een stenen brug door stroomde. Het was zo'n smal landje dat de ouders uit de buurt het veilig genoeg vonden om ons daar zonder toezicht te laten spelen. Als je te ver ging, kwam je in iemands achtertuin terecht. Maar ik mocht er alleen naartoe met Ace, of met andere, oudere kinderen uit de buurt. Niet alleen. Dus dit was natuurlijk de perfecte plek om me te verstoppen.

Op een hete zomermiddag ging ik door de achterdeur naar buiten en liep het bos in. We hadden een kleine hut gebouwd in de struiken en ik verschanste me in het gammele bouwsel. Het was er schemerdonker en warm. Ik was in mijn nopjes. Nadat ik een tijdje door het scheve raam naar de bladeren had gekeken die in het zachte briesje bewogen, viel ik in slaap. Toen ik weer wakker werd, was de hemel dieppaars. Het was bijna donker. Dat was de eerste keer in mijn leven dat ik echt bang was. Ik keek uit het 'raam' van de hut en het bos waar ik zo dol op was leek vol monsters en heksen en de bomen grijnsden boosaardig. Ik begon te huilen en rolde me op tot een balletje.

Het duurde, geloof ik, niet lang voor ik iemand door de struiken hoorde lopen.

'Ridley? Ben je hier ergens, lieverd?'

Ik was oud genoeg om aan zijn stem te horen dat hij bezorgd was. Maar mijn hart liep over van opluchting. Ik begon nog harder te huilen, tot het gezicht van Max door de deuropening verscheen. Hij was te groot om binnen te komen.

'Daar zit je dus, Ridley,' zei hij en ging moeizaam op de grond zitten. Ik kon zien dat hij zweette, misschien vanwege het klamme weer, misschien van angst. Misschien door allebei. Hij sloeg zijn handen voor zijn gezicht. 'Kind,' zei hij door zijn vingers, 'dit moet je niet meer doen. Je bezorgt je oom Max nog een hartverzakking. Je vader en moeder staan op het punt de politie te bellen.'

Hij hief zijn hoofd naar de donkere hemel en riep: 'Ik heb haar gevonden!'

Ik kroop de hut uit en klom op zijn schoot. Ik liet me door zijn grote armen tegen zijn zachte buik drukken. Hij was nat van het zweet, maar dat kon me niet schelen. Door de bomen kon ik de gloed zien van de lichten thuis en hoorde ik de stemmen van mijn ouders dichterbij komen.

'Hoe heb je me gevonden?' vroeg ik.

Hij zuchtte en nam mijn gezicht in zijn handen. 'Ridley, onze harten zijn verbonden met een gouden ketting.' Hij klopte zich licht op de borst en toen op de mijne. 'Geloof me maar, ik vind je altijd terug.' Ik heb er nooit aan getwijfeld. En ik heb me nooit meer voor mijn arme ouders verstopt.

Ik keek omhoog en kneep mijn ogen half dicht tegen het schelle licht van de verhoorkamer. Ik sloot mijn ogen opnieuw en leunde met mijn hoofd tegen de koude wand. Tevergeefs probeerde ik mijn hoofd helder te krijgen en me te ontspannen.

Kort daarop liep agent Grace het vertrek binnen en stak zijn hand naar me uit, waarmee hij me met indrukwekkende kracht overeind trok.

'Begint u zich hier al thuis te voelen?' vroeg hij. Er klonk iets vreemds in zijn stem door. Was het medelijden? Voor iemand die zich nergens schuldig aan had gemaakt, had ik al meer te maken gehad met de FBI dan een seriemoordenaar als Jeffrey Dahmer. Tenminste, zo stelde ik mezelf dat voor in mijn gebruikelijke grootheidswaanzin. Ik schonk hem een zuinig glimlachje dat duidelijk moest maken dat ik hem totaal niet grappig of innemend vond. Ik hield mijn ogen gericht op de envelop van tien bij vijftien centimeter, die hij in zijn andere hand had. We namen tegenover elkaar plaats. Hij ging schrijlings op zijn stoel zitten, alsof hij een paard besteeg. Zonder iets te zeggen maakte hij de envelop open en haalde er drie foto's uit die hij voor mij op tafel legde.

De eerste foto was er een van mij voor de Notre Dame in Parijs. Ik at een crêpe met Nutella en banaan en keek omhoog naar de kathedraal. Ik droeg mijn leren jas en een baret die ik even tevoren uit louter balorigheid bij een stalletje op straat had gekocht. De hazelnootpasta droop van mijn kin. Jake had die foto ongemerkt genomen. Voor een buitenstaander zag ik er dwaas en gelukkig uit. Maar dat was niet zo. Ik weet nog dat ik die morgen naast Jake wakker werd in onze chique hotelkamer, waar een gouden ochtendzonnetje naar binnen scheen. Ik bekeek de slapende man naast me en dacht: ik ben al een jaar met hem samen. Hij is me nu vreemder dan toen ik net verliefd op hem was, toen er nog zoveel geheimen en leugens tussen ons bestonden. Hoe is het mogelijk dat je iemand slechter leert kennen naarmate je langer met hem samen bent? Die gedachte vervulde me met verdriet. Hij werd wakker van mijn gestaar en we vreeën langzaam en wanhopig, beiden terugverlangend naar de band die we ooit hadden gehad. Het droevige gevoel over die vrijpartij had me de hele dag niet verlaten.

De volgende foto was er een van Jake en mij op de Great Lawn in Central Park. Het gras zag er kunstmatig gifgroen uit en achter de hoge bomen, die al herfstachtig goud, oranje en rood waren gekleurd, verrezen de wolkenkrabbers. We hadden een passerende jonge vrouw gevraagd of ze een foto van ons op ons blauwe picknickkleed wilde maken en waren dicht tegen elkaar aan gaan zitten. Ze was erin geslaagd onze hoofden onder in het beeld te krijgen en alles wat niet van belang was erachter en erboven. Het was een fijne dag geweest. Op de foto vond ik onze glimlach er geforceerd en onecht uitzien. Maar dat was niet zo. Tenminste, die van mij niet. Ik voelde me weer hoopvol gestemd over onze relatie, herinner ik me, als een terminale patiënt die denkt dat hij op wonderbaarlijke wijze zal genezen als hij de symptomen even niet voelt.

De laatste foto was een kiekje van een afschuwelijke zondag met mijn ouders. We waren gaan lunchen in het River Café in Brooklyn en vandaar waren we naar de Botanical Gardens gegaan. Vroeger was dat een van mijn favoriete uitjes met mijn vader. Het afspreken van dit uitstapje was een sneue en wanhopige poging van mijn kant geweest om mezelf wijs te maken dat we ons als een normaal gezin konden gedragen. Nou, we gedroegen ons inderdaad als een gezin, maar dan wel als een dat haatdragend en ongelukkig was. Ace was ook uitgenodigd, maar hij kwam niet opdagen en belde ook niet af. Mijn moeder mat zich een houding van stoïcijnse lijdzaamheid aan en gaf af en toe binnensmonds wat passief-agressief commentaar. Mijn vader en ik kakelden als kippen zonder kop in wederzijdse pogingen het haperende gesprek gaande te houden. Jake was stil en nors. De gezamenlijke maaltijd verliep stroef. Omdat we onze nederlaag niet wilden toegeven, gingen we daarna nog naar de Botanical Gardens. Mijn vader maakte met mijn camera een foto van mijn moeder en Jake en mij. Ik sloeg mijn arm om de schouders van mijn moeder en glimlachte. Met moeite trok ze haar mondhoeken omhoog, maar ik zweer je dat ze terugdeinsde. Jake stond vlak naast ons, maar wel apart. Hij keek afwezig, alsof zijn blik afdwaalde op het moment dat de foto werd genomen. We zagen eruit als een stelletje vreemden, niet op ons gemak en tegen wil en dank in elkaars gezelschap.

Een overweldigend gevoel van verdriet en gêne maakte zich van me meester. Ik keek op naar agent Grace met, naar ik hoopte, nauwelijks verholen vijandigheid.

'Het is toch geen misdaad een kloteverhouding te hebben met je familie? Of om je futiele pogingen om je aflopende liefdesrelatie te redden vast te leggen?'

Ik wendde mij af en keek naar de muur boven zijn hoofd. Ik wilde hem niet in de ogen kijken.

'Nee, juffrouw Jones, dat is geen misdaad,' zei hij vriendelijk. 'Mag ik Ridley zeggen?'

'Nee,' zei ik krengerig. 'Dat mag u niet.'

Ik dacht even dat ik een glimlach om zijn mondhoeken zag spelen, alsof hij me wel grappig vond. Ik vroeg me af hoeveel onheil je over jezelf zou afroepen als je een agent van de FBI een optater gaf.

'Juffrouw Jones,' zei hij, 'we hebben geen belangstelling voor het onderwerp van deze foto's, maar wel voor wat er op de achtergrond is te zien. Kijkt u nog eens.'

Ik bestudeerde elke foto opnieuw, maar zag niets ongewoons. Ik haalde mijn schouders op en schudde het hoofd. Hij hield zijn blik op me gericht en knikte opnieuw naar de foto's. 'Kijk nog eens goed.'

Ik keek nogmaals. Nog steeds niets.

'Waarom stopt u niet met die onzin,' zei ik. 'Zeg me wat u ziet.'

Hij haalde een zwarte Sharpie-pen uit zijn borstzak en omcirkelde de gestalte van een man die achter ons in de Botanical Gardens stond. Het leek eerder een soort geestverschijning, lang en mager. Zijn gezicht was spierwit, en had iets spookachtigs. Hij droeg een lange zwarte jas en een donkere hoed. Hij leunde op een wandelstok. Hij leek in mijn richting te kijken.

Agent Grace omcirkelde nog een figuur op de achtergrond van de Central Park-foto. Dezelfde jas, dezelfde wandelstok, maar nu droeg de man een zonnebril. De figuur op deze foto stond op zo'n grote afstand dat het iedereen had kunnen zijn.

Hij pakte zijn Sharpie opnieuw en duidde weer een man aan, in het portaal van de Notre Dame. Deze keer stond hij er en profil op, dichterbij en scherper. Er was iets in de contour van zijn voorhoofd, de vorm van zijn neus wat mijn aandacht trok. Iets in zijn lichtelijk afhangende schouders deed mijn hart overslaan.

'Nee,' zei ik en schudde ontkennend mijn hoofd.

'Wat nee?' vroeg hij, terwijl hij zijn wenkbrauwen optrok. Die ogen van hem waren eigenaardig, suf en tegelijkertijd indringend.

'Ik snap heus wel waar u heen wilt,' zei ik.

'Wat nee?' herhaalde hij, achteroverleunend. Ik verwachtte een heimelijke zelfgenoegzaamheid op zijn gezicht te kunnen zien, maar dat was niet zo.

'Dat is onmogelijk.'

'O, ja?'

'Ja.'

Ik keek opnieuw. Men zegt wel dat je iemand aan de andere kant van de kamer of aan de overkant van de straat aan zijn houding herkent. Maar ik geloof dat het iemands aura is, de energie die hij uitstraalt. De man op de foto leek in lichamelijk opzicht helemaal niet op de man die ik me herinnerde. Hij zag er ongeveer vijftig kilo lichter en twintig jaar ouder uit. Hij leek beschadigd, uitgehold, en alle stralende warmte waarin ik me het grootste deel van mijn leven had gekoesterd, ontbrak. Maar toch had deze man iets vertrouwds. Als ik zijn dode lichaam niet enkele seconden voor zijn crematie had gezien, als ik niet eigenhandig zijn as vanaf Brooklyn Bridge had uitgestrooid, zou je me wijs hebben kunnen maken dat dit de man was die ik ooit had gekend als mijn oom Max, mijn biologische vader. Maar het was een feit dat ik dat allemaal had gedaan. En dood is dood.

'Ik geef toe dat er een gelijkenis is,' zei ik uiteindelijk, nadat we hadden uitgetest wie van ons het eerst zou wegkijken.

'Wij vinden dat er meer dan een gelijkenis is.'

Ik zuchtte en leunde achterover in mijn stoel. 'Oké, stel dat u gelijk hebt. Dat zou betekenen dat u denkt dat Max zijn dood om een of andere reden heeft geënsceneerd. Waarom al die moeite doen met het risico een paar jaar later tegen de lamp te lopen?'

Agent Grace keek me even aandachtig aan.

'Weet u wat de belangrijkste reden is waarom mensen die getuigenbescherming krijgen door hun vijanden worden gevonden, waarom ze vaak als lijk eindigen?'

'Nou?' vroeg ik, hoewel ik het antwoord wel kon raden.

'Liefde.'

'Liefde,' herhaalde ik. Niet wat ik dacht.

'Ze houden het niet vol. Ze moeten even bellen of incognito op een bruiloft of begrafenis verschijnen.'

Ik zei niets en agent Grace ging verder. 'Ik heb zijn appartement gezien. Het is bijna een tempel, aan u toegewijd. Max Smiley heeft een paar verschrikkelijke dingen in zijn leven gedaan en veel mensen gekwetst. Maar als hij van iemand hield, was u het wel.'

Zijn woorden raakten me diep en ik merkte dat ik hem niet in de ogen kon kijken.

'Ik begrijp het niet. Volgden jullie mij? Hoe wisten jullie van die foto's? Hebben jullie contact gelegd met mijn ontwikkelcentrale?'

Hij gaf geen antwoord en eigenlijk had ik dat ook niet verwacht. Ik wierp nog een blik op de foto's. Die man kon iedereen zijn; ik kwam tot de slotsom dat het zelfs drie verschillende mannen konden zijn.

'Ik weet niet wie dit is,' zei ik tegen hem. 'Als hij degene is die u wilt dat hij is, dan is dat nieuw voor mij. Als u het gesprek wilt voortzetten, dan zal dat in de aanwezigheid van mijn advocaat moeten zijn.'

Daarna deed ik geen mond meer open. Ik wist dat hij het me moeilijk kon maken. Sinds de Patriot Act was aangenomen, hadden de federale autoriteiten meer bevoegdheden dan ooit. Als ze wilden, als ze beweerden dat het iets met de nationale veiligheid te maken had, konden ze me eindeloos vasthouden, zonder dat ik rechtshulp kreeg. (Dat zou nogal vergezocht zijn in mijn geval. Maar ik verzeker je, er gebeuren gekkere dingen.) Ik denk dat agent Grace voelde dat ik de waarheid sprak, dat ik geen idee had wie de man op de foto's was.

Hij keek me doordringend aan met die ogen van hem. Ik betrapte me erop dat ik de snit van zijn pak bekeek. Niet echt goedkoop, maar ook geen Armani. Hij had een snelle baardgroei, er stonden stoppels op zijn kaken. Ik zag dat de knokkels van zijn rechterhand kapot waren, niet tot bloedens toe, maar wel ontveld. Ik merkte dat ik me afvroeg hoe hij eruit zou zien in een spijkerbroek en t-shirt. Plotseling stond hij op, wierp me een blik toe die wellicht intimiderend was bedoeld en liep zonder een woord te zeggen de kamer uit.

Even later kwam zijn partner binnen, die me vertelde dat hij me naar de uitgang zou begeleiden. Hij stopte de foto's terug in de envelop die agent Grace had laten liggen en gaf ze me met een hartelijke glimlach aan. 'Dank u wel en tot ziens,' verwachtte ik dat hij zou zeggen.

'Agent Grace wil dat u deze meeneemt... om nog eens rustig te bekijken.'

Ik nam de envelop aan en even zag ik voor me hoe ik de foto's in stukken scheurde en de snippers in zijn gezicht gooide. In plaats daarvan klemde ik hem onder mijn arm.

'En hoe zit het met mijn andere foto's en mijn tas?' vroeg ik, terwijl we de lange witte gang af liepen.

'Bij de deur krijgt u uw tas terug. En uw foto's worden per post geretourneerd, zodra ze geanalyseerd zijn.'

Ik keek hem alleen maar aan. Plotseling leek de hele zaak te gek voor woorden; ik merkte dat het me niets kon schelen of ik de foto's terugkreeg of niet. Voor mijn part maakte ik mijn hele leven geen foto's meer. Mijn vriend met de gitaar had gelijk gehad, er was iets intrinsiek verkeerds aan, ze waren genomen in een opwelling om controle over iets te hebben wat niet te controleren viel. En eerlijk gezegd hebben ze me alleen maar narigheid bezorgd.

3

Ik zou willen dat ik je kon vertellen waar het fout ging met Jake. Ik zou willen dat ik kon zeggen dat hij vreemdging, of ik. Of dat hij plotseling gewelddadig werd of dat ik niet meer van hem hield. Maar dat gebeurde allemaal niet. Het was eerder alsof hij langzaam vervaagde, vezel voor vezel. We maakten weinig ruzie, waren nooit onaardig tegen elkaar. Het licht doofde gewoon langzaam uit.

Het was wel zo dat hij een bloedhekel had aan mijn familie. Niet dat ik hem dat echt kwalijk kon nemen. Zij hadden van het begin af aan de pest aan Jake gehad. En hoewel een diepgravend onderzoek van de FBI had uitgewezen dat mijn vader niets te maken had met de wandaden van Project Kinderhulp, heeft Jake nooit in de volledige onschuld van mijn vader geloofd. (N.B.: als ik het over mijn vader heb, bedoel ik altijd Ben, hoewel Max mijn biologische vader is. Ben is altijd in elk opzicht mijn vader geweest en is dat nog steeds. En hoewel een vrouw die ik me niet kan herinneren met de naam Teresa Stone mijn biologische moeder is, bedoel ik altijd Grace als ik het over mijn moeder heb.)

Hoe dan ook, ze gedroegen zich geen van allen geweldig en ik zat ertussen, gebroken en verscheurd in mijn loyaliteit. Ik probeerde mijn verhouding met mijn ouders weer goed te krijgen door te proberen iets gemeenschappelijks te vinden van waaruit we verder konden gaan, maar door dat te doen, kwetste ik Jake. En door van Jake te houden en mijn leven met hem te delen, kwetste ik mijn ouders weer. (P.S.: Ace, mijn broer, heeft ook de pest aan Jake. Maar ook aan onze ouders. De enige aan wie hij geen hekel heeft, ben ik. Tenminste, dat beweert hij.)

Misschien kreeg ik in deze touwtrekkerij de rol toegemeten van het touw, waardoor mijn relatie met Jake langzamerhand werd stukgetrokken. Of misschien lag het aan de verschillende obsessies die Jake had met betrekking tot zijn verleden, zoals Max en Project Kinderhulp, allemaal zaken die ik juist met veel moeite probeerde los te laten. Als ik met Jake samen was, had ik het gevoel dat ik op een neergaande roltrap naar boven trachtte te lopen.

Hij was in het appartement toen ik thuiskwam. Ik hoorde hem naar de deur lopen zodra ik de sleutel in het slot stak.

'Rid,' zei hij toen ik het appartement en zijn armen binnenliep. 'Waar heb jij gezeten?'

Ik bleef even tegen hem aan hangen om zijn geur op te snuiven en zijn lichaam te voelen. Het enige wat niet veranderd was tussen ons waren die onverzadigbare lustgevoelens voor elkaar. Hoe groot onze geestelijke en emotionele verwijdering ook was, lichamelijk konden we het altijd vinden. Het was onze chemie, de manier waarop we in elkaar pasten. We zagen elkaar tegenwoordig nauwelijks nog zonder dat we in bed belandden.

'Ik zat vast,' zei ik, en ineens voelde ik mijn ledematen, loodzwaar van uitputting. Hij deed een stapje achteruit, pakte me bij mijn schouders en keek me in de ogen.

'Je zat vast,' zei hij. 'Had dan gebeld. Ik weet dat het niet zo lekker gaat tussen ons, maar ik maakte me zorgen over je. Ik heb op je zitten wachten.'

Ik keek op de klok: het was bijna elf uur.

'Nee, ik zat letterlijk vast, bij de FBI,' zei ik met een vreugdeloos lachje.

'Wat?' viel hij uit en keek me verbaasd aan. 'Waarom?'

Ik gaf hem de envelop en liep naar de bank waar ik als een zoutzak op neerplofte. Ik vertelde hem van mijn ontmoeting met agent Grace en de FBI. Ik had beter mijn mond kunnen houden, gezien de intensiteit van Jake's obsessies. Maar ik vertelde het toch, waarschijnlijk omdat hij letterlijk de enige persoon in mijn bestaan was met wie ik erover kon praten. Elk gesprek over Max of over de gebeurtenissen die ieders leven hadden aangetast, was absoluut taboe in ons gezin. Zelfs Ace had me te kennen gegeven dat het tijd werd mijn blik op de toekomst te richten toen ik met hem had willen praten over een paar dingen die me nog dwarszaten. Is het niet vreemd dat mensen die de minste tragiek hebben ondervonden, er het meest op gebrand zijn hun blik op de toekomst te richten? En geloof me, ik was erop gebrand de wonden te laten helen. Maar ik zat gevangen tussen twee vuren: mijn ouders, die wilden doen alsof er niets was gebeurd, en Jake, die leek te denken dat er nooit meer iets anders zou zijn.

Ik besloot mijn relaas en deed mijn ogen dicht, hoorde Jake de ene foto achter de andere schuiven. Toen hij niets zei, keek ik op en zag dat hij zich in de stoel tegenover me liet zakken. Ik probeerde niet te registreren hoe appetijtelijk hij eruitzag in zijn zwarte t-shirt en vale spijkerbroek, niet te kijken naar de tatoeages op zijn arm, die rond zijn spieren kronkelden en in zijn mouw verdwenen. Mijn lijf reageerde op hem, zonder dat hij me hoefde aan te raken.

'En?' zei hij, terwijl hij opkeek van de foto's.

'En wat?' zei ik. 'Justitie kon niets beginnen tegen mijn vader. De aanklacht tegen Esme Gray was zo weinig overtuigend dat ze haar niet langer dan vierentwintig uur konden vasthouden. Ze kunnen Zack ook niet echt aanpakken voor dingen die lang voor zijn geboorte zijn begonnen.' Ik haalde diep adem. 'Ze zoeken iemand om te vervolgen en zijn bereid de doden daarvoor te laten herrijzen.'

Jake antwoordde niet, keek alleen maar naar de foto's, de een na de ander. Er was iets vreemds aan de hand met zijn gezicht. Hij glimlachte half, maar zijn ogen stonden donker. Ik zag hem licht met zijn hoofd schudden. Er scheurde een ambulance met loeiende sirene voorbij en even was het appartement vol licht en geluid.

'Nou?' vroeg ik. 'Waar denk je aan?'

'Nergens aan,' zei hij en legde de foto's op de tafel. 'Ik denk nergens aan.'

Hij loog. Hij legde zijn hoofd in zijn handen, liet zijn ellebogen op zijn knieën rusten en slaakte een diepe zucht. Ik ging in kleermakerszit zitten en bleef hem aankijken.

'Wat is er?'

Hij keek me aan. 'Is hij het, Ridley? Is het Max?' Er lag een wanhopige klank in zijn stem. En nog iets anders. Angst?

'Nee,' zei ik. 'Natuurlijk niet. Ik heb zijn lijk gezien, in de kist. Ik heb zijn as verstrooid. Hij is dood.'

'Zijn gezicht was onherkenbaar, aan flarden gereten door het glas van de voorruit. Het gezicht dat jij hebt gezien was een reconstructie naar een foto.'

'Hij was het wel degelijk.' Wat Jake zei was waar. Maar ik kan me de handen van Max herinneren, zijn ringen, het kleine litteken in zijn hals.

De kist was niet open geweest, maar we hadden het lichaam kunnen zien toen het gereed was gemaakt voor de crematie. Mijn vader had ervoor gezorgd dat zijn verwoeste gezicht was gereconstrueerd, zodat we allemaal afscheid konden nemen van iets wat we herkenden. Vind je dat bizar? Achteraf gezien was het behoorlijk macaber (afgezien van de enorme geldverspilling), maar toen voelde het goed aan.

'Want als dit Max is...' Hij liet zijn stem wegsterven en bleef me aankijken.

'Hij is het niet,' zei ik resoluut.

'Ridley,' zei Jake, terwijl hij in zijn ogen wreef. 'Er is zoveel wat je niet weet van deze man.'

Soms boezemde Jake me angst in. Dat was ook iets dat aan onze relatie begon te vreten. Niet dat ik bang was voor fysiek geweld, maar de intensiteit van zijn obsessies leek soms op een natuurramp, op iets wat de grond onder onze voeten kon doen wegzakken en een kloof in de aardbol kon veroorzaken. Ik vroeg me altijd af wanneer hij er helemaal in zou verdwijnen – mij met zich meeslepend.

'Weet je wat?' zei ik, terwijl ik opstond. 'Dit gaat nu even niet met jou erbij.'

'Ridley.'

'Ik wil dat je weggaat, Jake.' Ik liep naar de deur en hield hem open.

'Luister...' begon hij, maar ik legde hem met een handgebaar het zwijgen op.

'Nee, Jake, *jij* luistert naar *mij*. Dit gaat zo niet. Je moet weggaan.' Ik wilde niet horen wat hij te zeggen had. Onder geen beding.

Hij keek me even aan. Toen knikte hij, stond op en liep naar de bar die de keuken scheidde van het woongedeelte. Hij pakte zijn leren jack van een van de krukken. Ik voelde me rot, ik kon zien dat ik hem had gekwetst. Maar mijn eerdere vermoeidheid was doorgedrongen tot in mijn ziel. Ik wilde alleen nog maar mijn ogen sluiten en in een zalig niets verdwijnen.

'We moeten echt praten,' zei hij, zich door de deuropening naar binnen buigend om me op de wang te kussen.

'Goed,' zuchtte ik. 'Morgen.'

Toen vertrok hij en ik sloot de deur achter hem. Ik liep naar boven, ging de slaapkamer in die we vroeger deelden, schopte mijn schoenen uit en zonk weg in het donzen dekbed. Ik lag ik weet niet hoe lang te snikken, van oververmoeidheid en van de verpletterende droefheid die zich in mijn hart had genesteld en daar nooit meer weg dreigde te gaan.

Ik zal wel in slaap zijn gevallen, want uren later werd ik gewekt door de telefoon. Ik keek op de wekker en zag dat het 03.33 uur was. Ik reikte naar het tafeltje naast mijn bed om de hoorn van de haak te pakken, in de veronderstelling dat het Ace was. Hij belde op onmogelijke tijden, wat kenmerkend was voor zijn huidige toestand. Hij was een afkickende verslaafde, totaal op zichzelf gericht. En ik, de afkickende gelegenheidgever, nam altijd op.

'Hallo,' zei ik.

Er was zware ruis op de lijn, het geluid van verre stemmen, een blikkerig muziekje. Ik keek naar de nummerherkenning, die me vertelde dat het nummer niet beschikbaar was.

'Hallo?' herhaalde ik.

Aan de andere kant van de lijn hoorde ik iemand ademhalen, toen werd de verbinding verbroken. Ik legde de hoorn op de haak en wachtte tot er opnieuw gebeld zou worden, maar dat gebeurde niet. Na een poosje stond ik op, poetste mijn tanden, kleedde me uit en kroop onder het dekbed. Ik zakte weg in een onrustige slaap.

4

Je weet waarschijnlijk nog wel dat ik schrijver ben. Tot voor kort schreef ik artikelen voor bekende tijdschriften en kranten – speciale reportages, profielen van beroemdheden en politici, soms ook stukjes over reizen. Ik verdiende aardig en heb altijd plezier gehad in mijn werk. Maar zoals met zo veel dingen is ook daar verandering in gekomen het afgelopen jaar. (Niet dat ik mijn werk niet meer met plezier doe, hoewel plezier misschien niet het juiste woord is. Het is meer dat ik niet los te koppelen ben van het werk dat ik doe; dat is wie ik ben en wat ik doe.) De laatste tijd zijn het meer serieuzere onderwerpen die me aanspreken, wil ik zaken uitdiepen die iets betekenen. Ik ben geïnteresseerd geraakt in overlevenden, mensen die iets extreems hebben doorgemaakt en dat niet alleen kunnen navertellen, maar het ook hebben benut om hun leven meer zin te geven. Ik ben gefascineerd geraakt door het incasseringsvermogen van de mens, door het vermogen dat sommige mensen hebben om een tragedie om te zetten in een persoonlijke zege. Denk je dat eens in. Wat mezelf betreft had ik het gevoel dat ik het tragische gedeelte had gehad. Dat andere deel, dat kon ik maar niet te pakken krijgen.

De volgende ochtend, onder het koffie zetten, baadde mijn zolderappartement in het heldere morgenlicht. Ik maakte me op voor een nieuwe dag en zette intussen de tv aan om nog wat van de *Today Show* mee te kunnen pikken. Op een gegeven moment raakte ik zo geïrriteerd door het geratel en de voortdurende onderbrekingen door reclameblokken, dat ik het geluid uit draaide. Ik genoot met kleine slokjes van de sterke koffie en keek met een half oog naar de beelden. In een hoek van het scherm verscheen een fotootje van een lachende man en vrouw. Boven hen stond in oplichtende letters VERMIST. Vermoedelijk waren ze dat al een poosje, ik had geen idee wat hen overkomen kon zijn. Een afschuwelijk, rusteloos gevoel bekroop me toen ik bedacht dat we misschien altijd in het ongewisse zouden blijven over hun lot. Dat heb ik vaker. Ik houd niet van onbeantwoorde vragen, van ónopgeloste mysteries. Ze maken me onzeker. Ik wendde me van het scherm af. Ik had genoeg problemen van mezelf om me druk over te maken, waarvan mijn knellende deadline voor *O Magazine* niet het minste was.

Ik keek uit het raam en zag dat de mensen die over Park Avenue South liepen jassen en mutsen droegen. Het was zonnig maar koud, mijn favoriete weer in New York. Ik bleef nog even dralen, onwillekeurig de straat afzoekend naar de man van de foto's. Ik keek uit naar het lange, magere lijf, het gebogen hoofd. Maar natuurlijk zag ik hem niet. En Max was dood. Ik was van veel dingen in mijn leven niet zeker. Maar dit wist ik zeker.

Ik nam een douche en kleedde me aan. Daarna pakte ik me goed in (zwarte wollen matrozenjas en lichtblauwe wollen sjaal), verdrong alle gedachten aan de gebeurtenissen van gisteren en stapte naar buiten.

Elena Jansen was een kleine, frêle vrouw, voormalig danseres bij het New York City Ballet. Haar bewegingen straalden elegantie en kracht uit en haar kaarsrechte houding maakte haar indrukwekkend, ondanks het feit dat ze amper één meter vijftig lang was. Haar ogen, donker chocoladebruin, waren warm en vochtig, haar handdruk was stevig en zelfbewust. Ik had verwacht een gebroken vrouw aan te treffen, iets van haar lijden in haar lichaamshouding terug te zien. Ik zag het tegenovergestelde: onverzettelijkheid, alsof ze het universum tartte haar nog een keer te proberen klein te krijgen. Dat had ik vaker gezien. Sterker nog, het was de bindende factor tussen alle overlevenden die ik de afgelopen tijd had geïnterviewd. Een weigering het hoofd te buigen, zich over te geven, ook al had de wereld zich in al zijn lelijkheid en met al zijn verschrikkingen aan hen geopenbaard. Ik had het in mijn eigen spiegel gezien, hoewel dat ook wishful thinking kan zijn geweest. Ik liep achter haar aan naar een warme salon die uitkeek op Central Park. De inrichting was warmrood, met accenten van crème en goud. De muren waren behangen met foto's uit haar danscarrière en van haar kinderen. Ze was begin vijftig en nog steeds een mooie vrouw, maar in haar jonge jaren was ze echt oogverblindend geweest. Ik had al veel van die foto's gezien bij mijn research voor het artikel voor *O Magazine*.

'Zo,' zei ze, terwijl ze bevallig ging zitten in een met chic brokaat gestoffeerde stoel bij het raam. Ze gebaarde naar de bijpassende sofa tegenover haar. Ik trok mijn jas uit, pakte mijn blocnote en pen uit mijn tas en ging zitten. 'Zullen we dan maar?'

Ze liet me weinig tijd en stak meteen van wal. 'Ze noemen het "stormachtig", of ze zeggen dat het iets romantisch heeft,' zei ze, terwijl ze me recht aankeek. 'Maar ik denk dat maar weinig mensen wisten hoe zwart en hoe gevaarlijk die stormen konden zijn. Zelfs ík dacht aanvankelijk dat zijn drift, zijn jaloezie, alleen maar aangaven hoeveel hij van me hield. Maar ik was een dom gansje. Wat wist ik nou helemaal?'

Ze vertelde hoe ze elkaar hadden leren kennen. Hij, een rijke chirurg, was verliefd op haar geworden toen hij haar op het toneel van de Met had zien dansen. Hij ging zo ver dat hij haar dagelijks een dozijn witte rozen stuurde, net zo lang tot ze erin toestemde met hem uit eten te gaan. Hun verloving was kort, hun huwelijk een van de grote *social events* van het jaar. Ze hoorde voortdurend dat ze zich gelukkig mocht prijzen met een man die zo verliefd op haar was, haar zo adoreerde. Dat vond zij ook, dus duurde het lang voordat ze zag – of misschien wilde ze het niet zien – dat er iets mis met hem was, dat hij iets angstaanjagends had.

Geleidelijk begonnen de dingen die ze eerst zo charmant had gevonden haar te benauwen. Dingen die eerst romantisch waren geweest, zoals de manier waarop hij al hun avondjes plande, onverwacht opdook in steden waar zij optrad, begonnen iets opdringerigs te krijgen. Na een jaar begon ze zich af te vragen of ze te snel waren getrouwd. Ze voelde zich gevangen, in het nauw gedreven, en haar prestaties leden eronder.

'Misschien is "gevangen" niet het juiste woord,' zei ze, terwijl ze me weer aankeek. 'Ik had natuurlijk op kunnen stappen. Ik vermoed dat ik de illusie net zo graag in stand wilde houden als iedereen. En we hadden ook heel veel goede momenten. Ik weet het niet...' De aarzeling in haar stem paste bij een vrouw die veel heeft nagedacht over het verleden, maar nog steeds niet alle antwoorden heeft.

Toen kwamen de kinderen, eerst Emiline, daarna Michael. Toen Alex, hun derde, werd geboren, was ze al gestopt met dansen. Gene leek meer ontspannen nu ze zich tevreden had gesteld met haar rol als echtgenote en moeder, nu haar onafhankelijkheid en leven zonder hem niet meer dan een herinnering was. Niet dat het huwelijk ooit aan haar verwachtingen voldeed. Gene maakte emotioneel en fysiek misbruik van haar, hij was een agressieve controlefreak die te allen tijde perfectie van haar eiste.

'Maar ook dat wende,' zei ze schouderophalend. 'Hij haalde nooit uit naar de kinderen. En ik ontwikkelde trucjes om zijn woedeaanvallen voor te zijn, hij was erg voorspelbaar. Ik redde me wel.'

'Hebt u nooit overwogen hem te verlaten?' vroeg ik. Ik kon maar moeilijk begrijpen hoe een vrouw, die duidelijk zo sterk was, het kon uithouden in een huwelijk zoals zij het beschreef, maar ik was voldoende op de hoogte van de psychologie van mishandelde vrouwen. Hun zelfbeeld kalft systematisch af, hun kracht ebt langzaam weg.

Ze lachte. 'Dat dacht ik elke dag wel een keer. Maar ik zag er als een berg tegenop. Op een of andere vreemde manier had ik er de energie niet voor, daarvan had hij me beroofd.'

Emiline was acht, Michael zes en Alex net drie toen ze besefte dat ze het niet meer aankon en besloot haar man te verlaten.

'Het kwam niet door een bepaalde gebeurtenis. Het was meer dat ik op een dag voor de spiegel stond en toen een vrouw zag die ik niet herkende. Zo... afgetobd. Mijn haar was broos en werd grijs. Ik had donkere kringen onder mijn ogen. Mijn mondhoeken hingen af, alsof ik in jaren niet meer had geglimlacht. Ik kon me de laatste keer dat ik had gelachen niet meer herinneren. Ik zag alleen een omhulsel... iets leegs. Het was niet eens zo dat ik me zorgen maakte om mezelf, dat had ik lang geleden al opgegeven. Ik maakte me zorgen over het slechte voorbeeld dat ik moest zijn geworden voor mijn kinderen.'

De onverkwikkelijke scheiding en de strijd om de voogdij die erop volgde waren volgens het boekje. Maar Elena kreeg de voogdij; Gene mocht de kinderen om de twee weken een weekeinde bij zich hebben. Elena had gepleit voor bezoek onder toezicht, maar die strijd had ze verloren.

Het weekeinde nadat de scheiding was uitgesproken en de moeizame voogdijregeling in werking trad, haalde Gene de kinderen op voor een uitje naar buiten. Elena herinnerde zich dat hij ontspannen en hartelijk was, berouwvol zelfs over hun laatste aanvaring. Hij nam de kinderen mee naar een gehuurd huisje op het terrein van een vakantieoord in de Adirondack Mountains. Emiline was gek op vogels en Michael zat net op paardrijden. Alex was stapel op zijn vader en keek uit naar de kanotocht die Gene hem in het vooruitzicht had gesteld.

Ze had niet kunnen voorzien dat Emiline geen vogel te zien zou krijgen, dat Michael niet op een paard zou komen te zitten, dat Alex zijn kanotochtje niet zou krijgen. Ze had nooit kunnen bedenken dat Gene de kinderen dat weekeinde mee zou nemen en ze een voor een zou vermoorden, zou laten stikken in hun slaap, en zichzelf daarna door het hoofd zou schieten.

Onder het vertellen van haar verhaal was Elena's gezicht bijna onmerkbaar veranderd. Alle kleur was eruit weggetrokken en haar ogen hadden een afwezige blik gekregen. Ze zag er ineens uitgemergeld en opgejaagd uit. Hoe kon het ook anders? Kon ze ooit nog een moment van rust hebben, een moment van vreugde beleven? vroeg ik me af. We werden onderbroken door een benepen stemmetje.

'Mammie?'

Onvast op haar witte gympjes stapte er een klein meisje naar binnen. Haar moeder boog zich naar voren en strekte haar armen uit. Het meisje rende vrolijk op haar af.

'Sorry, Elena,' zei een jonge vrouw, waarschijnlijk het kindermeisje, die achter het peutertje aan kwam.

'Hindert niet,' zei Elena met een glimlach, terwijl ze haar kleine meid op schoot trok en even tegen zich aan drukte en kuste voor ze haar liet teruggaan naar het kindermeisje.

'Ik had nooit kunnen geloven dat het leven verder zou gaan,' zei ze tegen me, toen het tweetal de kamer uit was. 'In de inkt- en inktzwarte jaren die volgden, heb ik vaak gehoopt dat de dood ook mij zou halen. Maar dat deed hij niet. En ik was te laf om hem zelf te zoeken. In plaats daarvan vond ik leven.'

Ze vertelde me dat ze een andere man had ontmoet en weer verliefd was geworden, dat ze getrouwd waren en een dochtertje kregen. Ze vertelde me dat ze een kruistocht was begonnen om mishandelde vrouwen te helpen die gevangen zaten in hun huwelijk. Ze bood hun gesprekstherapie aan en, als dat nodig was, een manier hun situatie te ontvluchten, met behulp van een organisatie die ze zelf had opgericht: Herken de Signalen.

Nadat ze haar verhaal had verteld, vroeg ik: 'Welke signalen hebt u gemist? Wist u ergens wel waartoe uw man in staat was?'

Ze keek me aan en knikte traag en bedachtzaam, alsof het een vraag was die ze zichzelf herhaaldelijk had gesteld. 'Wat hij deed was zo onvoorstelbaar, dat ik niet kan zeggen dat ik het toen wist. Maar met wat ik nu weet... Ja, er waren signalen.'

Ze slaakte een zucht. Ik drong niet aan. Toen: 'Ik geloof dat we mensen in ons leven kunnen inpassen, bijna alsof we hen een rol toekennen, om daarna niet meer te zien hoe ze werkelijk zijn. En als we iets duisters voelen, iets onmenselijks, doen we alsof we het niet zien, want als we erkennen dat het er is, moeten we er verantwoordelijkheid voor nemen. Als je het weet, moet je er iets aan doen. En dat kan nog beangstigender zijn.'

Het was alsof ze een plens ijskoud water in mijn gezicht gooide. Al mijn zenuwen werden geprikkeld. Ik wist precies wat ze bedoelde met 'doen we alsof we het niet zien'. Ik wilde alleen niet geloven dat er meer te zien was.

Na het interview nam ik de trein terug naar de stad en liep ik van station Astor Place naar Jake's atelier op Avenue A. Ik trof hem aan in zijn kantoortje, een klein hokje zonder ramen naast zijn werkruimte (waar hij al zes maanden niets aan zijn sculpturen had gedaan, wist ik). De laatste waaraan hij had gewerkt, een enorme, impressionistische mannenfiguur, kolossaal en mysterieus, peinzend en vreemd, stond half voltooid als een beschuldiging onder een felle lamp.

Hij hoorde me binnenkomen, kwam vanachter zijn pc vandaan en liep naar me toe.

'Wat is er?' vroeg hij, me aankijkend op die geheel eigen manier van hem, bezorgd en wetend.

'Ik wil het weten,' zei ik.

'Wat?'

'Ik wil weten wat je hebt ontdekt over m... Max.' Bijna had ik 'mijn vader' gezegd, maar op het allerlaatste moment had ik het ingeslikt. Hij legde zijn handen op mijn schouders en keek me indringend aan.

'Weet je dat zeker, Ridley?'

'Ik weet het zeker,' zei ik. En het had nog gemeend kunnen zijn ook.

5

Detroit Metro Airport was een absolute verschrikking. Van mijn gate moest ik eindeloos lang langs smerige wanden en over versleten, oerlelijke vloerbedekking lopen. Ik zweer je dat ik pas na minstens anderhalve kilometer buiten was. Ik stond een eeuwigheid in de bittere kou op het busje naar de autoverhuur te wachten, terwijl de wind aan mijn dunne leren jack rukte, mijn mouwen in kroop en me tot op het bot verkilde. Bovendien was ik zenuwachtig. Ik was van mijn stuk gebracht door wat Jake gisteren had verteld en had het vreemde gevoel dat ik in de gaten werd gehouden. Hopelijk was ik gewoon een beetje paranoïde.

Het gebied rond het vliegveld was al even verschrikkelijk. Door het gore raam van het busje keek ik kilometers ver over een vlakke grauwheid, met zwarte dode bomen en een bodem die, hoewel nog vroeg in november, hier en daar al besneeuwd was. Met die dikke, laaghangende bewolking kon je je amper voorstellen dat de zon hier ooit scheen.

Als kind was ik hier wel eens geweest, hoewel ik me die onregelmatige bezoeken aan mijn grootouders, inmiddels overleden, nauwelijks kon herinneren. Mijn vader had een hekel aan de plek waar hij samen met Max was opgegroeid. Ze hadden er beiden een hekel aan; in hun herinnering was het een akelige industriestad, geteisterd door armoede, misdaad en bittere kou. Max en hij hadden altijd over hun vertrek gesproken alsof ze uit de gevangenis waren ontsnapt.

'Dit soort plekken zijn fnuikend voor je geloof in wat het leven te bieden heeft. Door die grauwheid sijpelt er beton in je huid. Veel mensen gaan er nooit weg, denken er niet eens over om weg te gaan. Maar als je die stap eenmaal hebt gezet, wil je nooit meer terug, zelfs niet om iemand op te zoeken.'

Mijn vader had me dat meer dan eens verteld en nu ik wegreed van het autoverhuurbedrijf, zag ik wat hij bedoelde. De lelijkheid van het landschap alleen al ontnam je alle energie. Ik reed de snelweg op, denkend aan Max en Ben, aan dat ze nooit veel over hun jeugd hadden losgelaten.

'Er valt weinig over te vertellen,' placht mijn vader te zeggen. 'Op school was ik een ijverige leerling. Voor mijn ouders een gehoorzame zoon. Vervolgens ben ik naar Rutgers University vertrokken en er nooit voor langer dan een weekeinde teruggekeerd.'

Maar in feite was er een heleboel te vertellen. Mijn vader en Max zijn samen opgegroeid. Ze waren elkaar voor het eerst tegengekomen toen ze met hun driewieler de straat op en neer reden. Ben was verlegen, het brave jongetje, de oogappel van zijn strenge ouders, een enig kind. Max was de deugniet, altijd sjofeltjes, altijd in moeilijkheden. Mijn vader heeft me verteld dat hij laat op de avond, na elven, nog wel eens naar buiten keek en dan in de gele gloed van de straatlantaarns Max op zijn fiets de straat op en neer zag rijden. Hij had Max benijd om zijn vrijheid, hij had zich een klein kind gevoeld met zijn Howdy Doody pyjama aan, huiswerk af en al in zijn tas voor de volgende dag, en het stapeltje kleren dat schoon en gestreken voor hem klaarlag.

'Ik bewonderde hem,' zei mijn vader altijd over Max. En Max heeft diezelfde woorden vaker herhaald dan ik me kan herinneren.

Als je me vanaf het begin hebt gevolgd, dan weet je wat er met Max is gebeurd. Zijn vader, een gewelddadig man en alcoholist, sloeg zijn moeder in een coma, waarin ze weken verkeerde tot ze uiteindelijk stierf. De vader van Max werd, vooral dankzij de getuigenis van Max, schuldig bevonden aan moord, kreeg levenslang en overleed een paar jaar voor de dood van Max aan kanker. Om te voorkomen dat Max onder voogdij van de staat zou komen te staan, namen mijn grootouders hem in huis. Max, die altijd moeilijkheden had gehad, die het altijd slecht had gedaan op school, kwam tot rust en bloeide helemaal op onder de hoede van mijn grootouders. Ze voedden hem op als hun eigen kind en op een of andere manier slaagden ze erin beide jongens te laten studeren van het salaris dat mijn grootvader als automonteur verdiende.

Dat was het verhaal dat ik kende. Ik wist dat mijn fantastische en liefdevolle grootouders Max in huis hebben genomen en hem voor God weet welk lot hebben behoed. Dat Max de deugniet, het rebelse kind was. Dat mijn vader de braverik was die cum laude afstudeerde. Maar dat was de waarheid niet. Mijn waarheid was dat *mijn* vader het mishandelde kind was, dat *mijn* grootvader mijn grootmoeder had vermoord en later in de gevangenis was gestorven. Dat was mijn erfenis, dat was mijn achtergrond. Als ik eraan denk, voelt het alsof iemand me met een knuppel op mijn kop heeft geslagen.

Ik ben altijd het brave meisje geweest; pyjama aan en huiswerk af... net als Ben. Maar sinds een poosje vraag ik me af: stel dat ik helemaal niet op Ben lijk? Stel dat ik in mijn diepste wezen, in de strengen van mijn DNA, meer op Max lijk? Al voordat ik wist dat we echte verwanten waren, voelde ik me verwant met hem. Stel dat de natuur sterker is dan de leer? Wie ben ik dan?

Ik dacht na over het gesprek met Jake dat me had aangezet tot deze impulsieve reis naar Detroit. Hij had veel over Max te vertellen gehad. Ik kon er geen touw aan vastknopen en ik was serieus gaan twijfelen aan zijn geestesgesteldheid. Het gesprek was geëindigd in een ordinaire schreeuwpartij, waarna ik naar buiten was gestormd. Typisch voor mijn relatie met Jake, dat zat er vanaf het begin al in. Hij was altijd op zijn allerkalmst als ik op mijn kwaadst was. En dat had altijd het effect dat ik ontplofte. Oké dan, ík was het die gisteravond als een idioot heeft staan schreeuwen in Jake's atelier, terwijl hij daar maar zat, een toonbeeld van geduld en medeleven. Hij mag van geluk spreken dat ik hem geen dreun heb verkocht, want op dat moment kon ik zijn bloed wel drinken. Maar daar was hij aan gewend. Het was Jake's karma om de waarheid te vertellen en dingen aan het licht te brengen die ieder ander wilde wegstoppen. Dat was zijn rol in de kosmos, vooral met betrekking tot mijn leven.

'Ik ben er niet zo zeker van dat je wilt horen wat ik te zeggen heb,' voorspelde hij.

'Ik wil het horen,' zei ik. 'Echt waar.'

Elena Jansens ontkenning van de waarheid had haar van het kostbaarste in haar leven beroofd: haar kinderen. Ontkenning komt je altijd duur te staan. Hoe duur hangt voor een groot deel af van het belang van de waarheid die verloochend wordt. Je ontkent dat je ongelukkig bent in het vak dat je hebt gekozen en je boet met, bijvoorbeeld, migraine. Je ontkent de signalen dat je gewelddadige man een psychotische behoefte heeft jou in zijn greep te houden en hij vermoordt je kinderen. Niet dat ik Elena de schuld geef. Natuurlijk niet. Absoluut niet. Wat ik bedoel is dat onze daden, onze keuzes, gevolgen hebben die soms onmogelijk te voorspellen zijn. Maar als onze daden en keuzes gebaseerd zijn op angst en ontkenning... nou, daar kan nooit iets goeds uit voortkomen. Nooit. Dat had ik door bittere ervaring geleerd. En ik was nog steeds aan het leren. Dat was de reden waarom ik besloten had dat, als er iets over Max te weten viel, ik het wilde weten. Maar dat hij uit de dood was opgestaan, dat geloofde ik niet.

'Oké, Ridley,' zei Jake met een zucht. 'Zoals je weet, heeft de FBI besloten van vervolging af te zien; je vader kon niets ten laste worden gelegd en de rol van Esme Gray in Project Kinderhulp was te klein en te onduidelijk geweest om haar voor iets anders dan hooguit samenspanning te vervolgen,' begon Jake. 'De hoofdrolspelers – Max en Alexander Harriman – waren dood. Wie er verder betrokken had kunnen zijn bij de duistere praktijken van de organisatie was schimmig. Er waren geen dossiers. Project Kinderhulp was een doolhof van onnavolgbare verbanden, het was onmogelijk daar een weg in te vinden.'

'Dat weet ik allemaal al,' zei ik tegen Jake, zittend in een van de stoelen die hij gebruikte bij zijn werk.

Hij knikte. 'Dat was een moeilijke tijd voor me, Ridley.'

'Dat weet ik,' zei ik zacht, terwijl ik eraan terugdacht. Wellicht had ik hem niet alle steun geboden die mogelijk was, maar eerlijk gezegd kon ik hem niet goed helpen; wat dat betrof stond ik niet bepaald stevig in mijn schoenen.

'Ik kon me er niet overheen zetten,' zei hij. 'Ik kon gewoon niet aanvaarden dat er dingen in mijn verleden waren die ik nooit zou weten. Dat de mensen die willens en wetens zoveel levens hadden verkloot nooit ter verantwoording zouden worden geroepen. Dat vrat aan me.'

Dat was het punt waarop ik het contact met Jake verloor, geestelijk en emotioneel. Alsof je verliefd was op een verslaafde. Hij kon nooit in het hier en nu zijn omdat hij altijd zoekende was, altijd onrustig en altijd bezig met zijn volgende shot.

'Dus zocht ik Esme Gray op.'

Ik kreeg een brok in mijn keel. Vroeger hield ik van Esme alsof ze mijn moeder was, nu deed de gedachte aan haar mijn maag ineenkrimpen.

'Wat? Wanneer?'

Esme was kortstondig in hechtenis genomen, rond dezelfde tijd als Zack – haar zoon, mijn ex-vriend. Ik weet nog steeds niet waarom ze haar lieten gaan. Wel weet ik dat ze nooit voor de rechter is verschenen voor iets wat met Project Kinderhulp te maken heeft. Ik weet ook dat ze niet meer als verpleegkundige werkt. (Zack werd ook nooit vervolgd voor zijn rol in Project Kinderhulp, maar hij stond wel terecht voor poging tot moord – op Jake en mij, mocht je dat niet weten – waarvoor hij tien jaar cel kreeg. Maar dat is een ander verhaal. Toch, zelfs na alles wat hij mij heeft aangedaan, kan ik er nog steeds niet bij dat hij in de gevangenis zit, dat het zo is gelopen met zijn jonge en veelbelovende leven. Natuurlijk geeft hij mij de schuld, wat hij me heeft meegedeeld in vele gestoorde brieven, die ik niet ongeopend kan laten.)

'Ik heb in je adresboekje gekeken om erachter te komen waar ze woonde. Ik heb haar een paar dagen gevolgd. Ik heb me toegang verschaft tot haar huis en haar opgewacht. Ik wilde haar overrompelen, om haar bang te maken,' zei hij. 'Maar ze was niet bang. Het leek wel alsof ze me verwachtte.'

Een jaar geleden hadden we het over Esme gehad, over dat zij de enig overgebleven persoon was die zou kunnen weten wat er met Jake was gebeurd toen hij nog een kind was, op mijn vader na (die ontkent dat hij ook maar iets weet). Ik wist dat hij het ooit zou gaan uitzoeken.

'Waarom heb je me dit niet eerder verteld?'

'Ik weet dat jij het juist probeert te vergeten. Dat kan ik je niet kwalijk nemen.'

Ik knikte en wachtte tot hij verder ging.

'Ik heb haar hard aangepakt – niet met geweld, maar met geschreeuw. Ik wilde dat ze dacht dat ik doorgedraaid was. Maar ze bleef kalm, ging op de bank zitten en zei: "Denk je echt dat ik bang ben voor een klojo als jij, na alle kerels met wie ik te maken heb gehad? Houd toch op met die flauwekul en ga zitten, als je tenminste wilt praten."'

Ik moest inwendig lachen. Esme oogde als een echt moedertje: lief, een beetje mollig, met goudblonde krullen en stralend blauwe ogen. Blozend en gezellig. Maar vanbinnen was ze bikkelhard. Toen we nog jong waren – Ace, Zack en ik – hoefde zij of mijn moeder nooit de stem te verheffen of te dreigen; één blik was voldoende om ons in het gareel te krijgen.

'Ze zei dat ik mijn verleden beter kon laten rusten, als ik om je gaf. Ze zei dat ik zelf een gezin moest stichten en vooruit moest kijken. "Als je zo doorgaat het verleden op te rakelen, zou je weleens op zaken kunnen stuiten die je nooit meer met rust zullen laten."'

Zoiets had ze ook ooit tegen mij gezegd en ik werd er ijskoud van. Ik zei niets en luisterde verder naar zijn verslag van het gesprek met Esme.

'Ze zei tegen me: "Niemand weet wat er met jou is gebeurd, Jake. Niemand weet wie jou heeft opgenomen nadat je door Project Kinderhulp was ontvoerd en waarom het systeem in jouw geval tekortschoot en je in de steek werd gelaten. Waarom wil je dat zo graag weten? Heb je een zondebok nodig in je leven? Wil je iemand bewijzen dat je een brave jongen was die de afschuwelijke dingen die je zijn overkomen niet verdiende? Wil je *wraak*?"'

Hij viel even stil en keek naar een plek boven mijn hoofd. Ik kon zien dat ze hem getroffen had – pats, midden in de roos. Ze was er altijd al akelig goed in geweest te raden wat je wilde.

Hij ging verder: 'Ze klonk onverzettelijk, zelfverzekerd. Maar terwijl ze sprak, werd ik me van iets bewust. Haar handen trilden en er parelde zweet op haar voorhoofd. Ze was bang. Ze was bang voor iets of iemand, maar niet voor mij. Ze wist dat ik niet in staat zou zijn haar iets aan te doen.'

Ik boog me voorover in mijn stoel. 'Heb je gevraagd wat haar zo bang maakte?'

'Natuurlijk. Ze zei: "Ik heb een pact met de duivel gesloten, meneer Jacobsen. En hij wacht me op als ik doodga. Ik ben altijd bang. Bang om door een auto geschept te worden, een hartaanval te krijgen en tegenover hem te komen staan voordat ik voor mijn zonden heb geboet. Wat ik allemaal heb gedaan... Indertijd zag ik er niets verkeerds in. Maar nu zie ik de schade die we hebben aangericht."'

Op dit punt aangeland, schudde Jake zijn hoofd en stond op. 'Maar dat was het niet,' verzekerde hij me. 'Het was geen angst voor het hiernamaals. Ze was bang voor een gevaar in het hier en nu. Dat heb ik haar ook gezegd. Ik heb haar verteld dat ze meteen kon beginnen met haar boetedoening, door me te vertellen wat ik wilde weten.

Ik bleef doordrammen, vroeg haar waar ze zo bang voor was, wat ze achterhield. "Iedereen die met Project Kinderhulp te maken had is dood en begraven, Esme."'

Daar had ze niets op gezegd, en toen was er iets gaan dagen bij Jake.

'"Hij leeft nog, hè?" vroeg ik, hoewel ik het zelf niet geloofde. "Max Smiley. Hij leeft nog."

Ze keek me aan alsof ik haar in het gezicht had geslagen. Ze werd lijkbleek. Ze krijste dat ik moest vertrekken, zei dat ik gek was geworden, dat ze de politie zou bellen. Ze was niet zomaar bang, ze was doodsbenauwd. Ik probeerde haar te kalmeren, maar ze ging helemaal over de rooie. "Stomme idioot," gilde ze. "Gebruik je verstand, neem Ridley mee en ga naar een plek zo ver mogelijk hier vandaan. Verander je naam en verdwijn. En laat ik je nooit meer zien!"'

'Jezus,' zei ik.

'Op dat moment begon ik te vermoeden dat Max nog leeft.'

'Jake,' zei ik met een kort lachje. 'Esme is duidelijk krankjorum. Ze wordt gewoon verteerd door schuldgevoelens.'

'Nee. Nou, misschien. Maar dat is niet alles. Jij hebt haar niet gezien. Ze was panisch van angst toen ik Max ter sprake bracht.'

'Oké. Maar mij meenemen, van naam veranderen en verdwijnen? Dat klinkt niet als iemand die ze allemaal op een rijtje heeft.'

'Dat klinkt als iemand die doodsbang is. En in aanmerking genomen wat ik sindsdien te weten ben gekomen, denk ik dat ze een goede reden had om dat te zeggen, Ridley.'

Hij ging naast me zitten en ik schoof een stukje van hem af. Er schitterde iets in zijn ogen en zijn hele houding was gespannen. Ik voelde dat mijn hart begon te bonken. Ik weet niet of ik bang was van wat hij zei, of dat ik bang was van hem. Het klonk me in de oren alsof Esme de weg kwijt was. En als hij haar geloofde, gold dat dan ook niet voor hem?

'Max is dood,' zei ik opnieuw.

'Hoe verklaar je dan die foto's?' Hij zei het op een akelig zelfvoldaan toontje. In het verleden had hij me ervan beschuldigd dat ik liever iets ontkende dan dat ik de realiteit onder ogen zag (wat me altijd uit het veld sloeg, omdat dat de belangrijkste kritiek was die ik op mijn moeder had). Ik hoorde die beschuldiging weerklinken in zijn stem.

'Er valt niets te verklaren,' zei ik, met enige stemverheffing. 'Die foto's waren onscherp. Die man – dat kan iedereen zijn geweest.'

Hij keek me recht in de ogen, maar ik kon niets uit zijn blik aflezen. Het kon teleurstelling zijn geweest, of ongeloof.

'Kom op, zeg.' Ik schreeuwde nu. Ik stond op en liep naar de deur. 'Ik dacht dat je me iets nieuws te vertellen had, Jake. Dit is alleen maar meer waanzinnig giswerk. Nog meer idiotie. Wat probeer je me aan te doen?'

Hij keek me met een droeve blik aan, stond op en volgde me de zolderruimte in. 'Het spijt me, Ridley.'

'Het spijt je helemaal niet!' gilde ik. Ik haalde diep adem en dempte mijn stem: 'Je wilt alleen maar dat ik me even geobsedeerd en ellendig voel als jij. Je wilt dat ik me met jou opsluit in een verleden dat we geen van tweeën ooit kunnen veranderen, hoe graag we dat ook zouden willen. Het is niet eerlijk. Ik wil niet meer bij je zijn, hier.'

Hij reageerde niet, hoewel ik zag dat hij gekwetst was. Hij liep zijn kantoor weer in en kwam even later terug met een dossiermap.

'Lees dit maar, Ridley. Ik zal er met geen woord meer van reppen... nooit meer. Lees wat ik heb uitgezocht en trek je eigen conclusies. Bel me maar als je zover bent.'

Ik wilde die map in zijn gezicht gooien. Ik wilde hem te lijf gaan en hem wel duizend keer slaan, zo hard als ik kon. Ik wilde hem in mijn armen nemen, hem troosten en door hem getroost worden. Maar ik verliet de zolderverdieping zonder iets te zeggen. Ik had hem en het dossier kunnen laten waar ze waren en de hele boel kunnen vergeten. Maar je kent me intussen wel beter. Ik heb het al eerder gezegd, als je eenmaal de weg naar de waarheid bent ingeslagen, dan kun je niet meer terug. Het universum houdt niet van geheimen.

Met behulp van de aanwijzingen die ik van MapQuest had geprint reed ik van de snelweg af een smallere hoofdweg op, die me langs een industriegebied met winkelcentra en kantoorpanden leidde. Deze voorstad van Detroit leek een uitstalling van prefab gebouwen, niet te onderscheiden van welke andere Amerikaanse voorstad dan ook: Chick-fil-A en Wal-Mart, Taco Bell en Home Depot, de onvermijdelijke Starbucks. Verspreid tussen deze vestigingen van grootwinkelbedrijven stonden armzalige, kleine particuliere zaken – een slager, een garage, een vrachtbedrijf – als rebelse soldaten die streden tegen de opmars van de grote ondernemingen. Ze zagen er bouwvallig uit en leken het einde nabij. Ik zag dat er geen trottoirs waren, hoewel ik in de achterliggende straten woonhuizen kon zien. Ik reed kilometers lang zonder iemand op straat te zien lopen. En dan vinden mensen New York beangstigend!

Na een poosje begon de omgeving erop vooruit te gaan en, naarmate ik dichter bij de oude buurt van mijn grootouders kwam, kreeg hij iets vertrouwds. Ik wist dat hun houten ranch-huis, waarin mijn vader en later Max waren opgegroeid, gekocht was door een jong, gestudeerd stel, dat het had afgebroken en vervangen door een grotere, splinternieuwe woning. Ik draaide hun oude straat in, daarbij ternauwernood een zijwaartse botsing vermijdend die helemaal mijn schuld zou zijn geweest. (Je herinnert je misschien nog dat ik de slechtste chauffeur ter wereld ben, deels uit gebrek aan ervaring en deels omdat ik mijn gedachten er nooit bij houd. Veel, misschien wel de meeste, New Yorkers rijden niet zelf – we lopen of we laten ons rijden. We nemen de ondergrondse of – in mijn geval veel te vaak – een taxi. Bij deze manier van reizen zijn afdwalende gedachten volkomen aanvaardbaar, het geniet zelfs de voorkeur. Als je zelf rijdt, moet je je hoofd erbij houden, heb ik gemerkt.)

Ik zocht naar het perceel van mijn grootouders, maar de meeste huizen leken nieuwbouw. Ik wist het huisnummer niet meer en mijn vage herinneringen brachten ook geen uitkomst. De oude ranch-huizen, ooit zo kenmerkend voor de buurt, waren bijna allemaal gesloopt, op enkele na, die er klein en grauw uitzagen tussen de fonkelnieuwe villa's. Aan het einde van de straat vond ik het nummer dat ik zocht: Wildwood Lane 314. Het was met gemak het oudste en meest verwaarloosde huis in de straat, met een oude Chevy op blokken op de oprit. Ik reed langs het gazon en stopte. Ik voelde dat mijn hart begon te bonken.

Je vraagt je waarschijnlijk af: wat heeft ze in hemelsnaam te zoeken in een voorstad van Detroit? Dat was een vraag die ik mezelf ook stelde toen ik daar zat in mijn gehuurde Land Rover, de verwarming op hoog. Ik begon me af te vragen of ik, op mijn eigen manier, even geschift was als Jake.

Ik had Jake's zolderverdieping briesend van woede verlaten, maar in de ondergrondse op weg naar huis kregen de zwarte klauwen van Vrouwe Depressie weer vat op me. Ik had me er een jaar lang tegen verzet, maar het zwarte gat lag altijd op de loer, dreigend me op te slokken. Als ik stil zou blijven staan en de confrontatie met haar aan zou gaan, zou ze me levend verslinden. Mijn boosheid zakte weg, maar liet een barstende hoofdpijn achter.

Ik stapte mijn huis binnen, trok mijn jas niet eens uit, maar ging meteen aan de eettafel zitten (een gigantisch stalen geval dat Jake had gemaakt en waaraan ik met de dag een grotere hekel kreeg vanwege zijn kille en volstrekt niet uitnodigende uitstraling) en klapte de map open, die boordevol zat met krantenartikelen, documenten en pagina's vol met aantekeningen in wat ik herkende als Jake's haast onleesbare hanenpoten.

Op het eerste gezicht leek het een berg onsamenhangende informatie, die me grotendeels bekend was. Ik vond een kopie van het rapport van de lijkschouwer van de nacht dat Max stierf. Ik bladerde door de aan elkaar geniete pagina's, maar zo te zien leek het me niet bijzonder (niet dat ik ooit eerder een rapport van een lijkschouwer had gezien). Jake had het geschatte tijdstip van overlijden omcirkeld, maar dat leek overeen te komen met wat ik wist van die nacht. Ik zag dat Esme Gray het lichaam had geïdentificeerd. Dat stemde tot nadenken. Ik had altijd gedacht dat mijn vader degene was geweest die het lichaam had geïdentificeerd. Ik herinnerde me dat hij me had verteld dat het gezicht van Max onherkenbaar verminkt was; hij had geen autogordel om gehad en was door de voorruit gevlogen. Jake had de naam van Esme omcirkeld, maar ik kon niet ontdekken waarom.

Er waren wat artikelen van kort na Max' dood, die verslag deden van het ongeluk, en een paar langere verhalen over Max en zijn liefdadigheid, over zijn stichting die werd opgericht om programma's te financieren ten behoeve van mishandelde vrouwen en kinderen, over zijn o zo succesvolle loopbaan als projectontwikkelaar. Ik bladerde er vluchtig doorheen zonder dat ik Jake's aantekeningen in de kantlijn echt las – de paar waar ik een blik op wierp leken vaag en een beetje vreemd, paranoïde. Naast een zin waarin het liefdadigheidswerk van Max werd geprezen had Jake bijvoorbeeld *Leugens!* geschreven.

De volgende reeks artikelen leek helemaal geen betrekking te hebben op Max. Het waren verschillende misdaadverhalen uit de staten rond New York en uit de hele wereld. De *Times* uit Londen rapporteerde over een angstaanjagende trend in Oost-Europa, waar jonge vrouwen uit nachtclubs en van raves verdwenen zonder dat er ooit nog iets van ze werd vernomen. De *Guardian* rapporteerde over het onderzoek naar de moord op een jonge zwarte vrouw, wier bovenlichaam in een kanaal dreef. De politie legde een voorzichtig verband tussen de moord op de vrouw, die van Afrikaans-Caraïbische afkomst was, en de rituele moord eerder dat jaar op een jonge jongen en een prostituee, van wie de in stukken gesneden lijken niet ver daarvandaan waren gevonden. Een printout van de website van de BBC verhaalde over de handel in vrouwen en kinderen vanuit Albanië, die werden mishandeld en uitgebuit in de seksindustrie. Het was vrijwel onmogelijk een vinger achter die zaak te krijgen of om iemand te vervolgen. De Albanese en Italiaanse politie onderhielden banden met de georganiseerde misdaad en de vrouwen die waren gered, waren niet bereid hun kwelgeesten te identificeren. Er zaten foto's bij van een speedboot van de Albanese maffia die in de Adriatische Zee door de politie werd onderschept, van mooie, maar droevig kijkende vrouwen voor de rechtbank, en een paar vage foto's van bekende maffiabazen aan een cafétafel.

Er waren artikelen uit *The New York Times*, over de georganiseerde misdaad, over lichaamsdelen die in de East River waren gevonden, over een moord op Upper West Side en over een paar vermiste jonge vrouwen. Destijds had ik geen verband gezien. Akelig nieuws over een akelige wereld – niets nieuws. Nu besef ik dat ik het dossier op een manier heb bekeken waaruit zou blijken dat Jake ze niet meer op een rijtje had, dat hij zich aan een strohalm vastklampte. En ik zag wat ik wilde zien: niets. Ik slaakte een zucht en merkte dat ik zweette. Ik liet mijn jas van mijn schouders glijden en sloot mijn ogen. Toen ik ze weer opende, zag ik de kamer draaien voor mijn ogen, zo moe was ik. Ik besloot naar bed te gaan, maar toen ik de map dichtklapte, viel er een artikel uit. Ik raapte het op van de vloer en registreerde de datum en de betreffende regio.

Ik sloeg de map weer open en zag dat het bij een reeks artikelen hoorde uit de *Detroit Register*, duidelijk gekopieerd van microfiches. Het waren artikelen over de moord op de moeder van Max en het proces tegen zijn vader. Er zaten afgrijselijke foto's bij van de plaats delict, die ik liever niet had gezien; ik kon niet geloven dat een krant die werkelijk had afgedrukt.

Ik keek naar het artikel dat ik in mijn hand had. De kop was NEEF SLACHTOFFER ONEENS MET SCHULDIGBEVINDING.

Ik bleef een poosje in de huurauto zitten, tot ik zag dat het zachtjes begon te sneeuwen. Ik zette de motor af en stapte uit, de bittere kou in. Ik zag dat mijn adem wolkjes vormde en trok mijn jas strakker om me heen. Vervolgens liep ik de korte oprit op naar het stevige, bruine huis, ik hoorde het grind onder mijn voeten knerpen. Voor zover ik kon zien brandde er binnen geen licht. Ik wierp een blik op mijn horloge en realiseerde me dat degene die hier woonde waarschijnlijk nog op zijn werk was.

Volgens de *Register* had de neef van Max zich na de veroordeling van Race Smiley gemeld met de mededeling dat hij in de nacht van de moord op Lana nog een man bij het huis had gezien. Hij beweerde dat hij daar niet eerder mee was gekomen omdat hij dacht dat hij gezien was en zijn ouders en zichzelf niet in gevaar wilde brengen. De politie geloofde de jongen niet en vond geen bewijs ter ondersteuning van het verhaal. Ze zeiden dat hij zijn oom alleen maar wilde helpen. Het artikel had me om een paar redenen tot actie aangezet. Om te beginnen had niemand die neef van Max ooit genoemd, hoewel hij klaarblijkelijk in dezelfde straat als Max en Ben was opgegroeid. Dat vond ik vreemd en intrigerend. Daarbij gaf het idee dat mijn grootvader wellicht geen moordenaar was, dat hij onterecht was beschuldigd en veroordeeld, me een eigenaardig soort hoop. Misschien was de plaats waar ik vandaan kwam toch niet zo donker en vreugdeloos als een teergat.

Ik ging op het internet op zoek naar Nick Smiley, en ik kwam erachter dat hij nog steeds in zijn ouderlijk huis woonde. Zijn nummer stond in het telefoonboek, maar ik kon mezelf er niet toe zetten hem te bellen. Wat had ik moeten zeggen? *Hallo, ik ben Ridley, je achternicht. Hoe gaat het? Zeg, over die nacht dat mijn grootmoeder in coma werd geslagen...*

Mijn vader zegt altijd dat mensen in moeilijkheden raken als ze te veel geld en te veel tijd hebben. Als ik een gewone kantoorbaan had gehad, zodat ik met opgaaf van redenen vrije dagen had moeten opnemen, of als ik met moeite de eindjes aan elkaar had kunnen knopen, was ik waarschijnlijk niet in staat geweest te doen wat ik deed. Maar misschien was het meer dan de gelegenheid hebben, niets beters te doen hebben. Ik had altijd al sterk de neiging gehad de waarheid te achterhalen. Dat was de reden van alle ellende in mijn huidige bestaan. Met die gedachten in mijn hoofd reserveerde ik een stoel op de eerstvolgende vlucht naar Detroit.

'Wat moet je?'

Opzij van het huis verscheen een gezette, bebaarde man. Ik kan hem in één woord beschrijven: angstaanjagend. Hij had zware wenkbrauwen en diepliggende, donkere ogen. De dunne streep van zijn mond leek te suggereren dat hij nog nooit had geglimlacht of iets aardigs had gezegd. Hij was gekleed in een dikgevoerd flanellen shirt en een bruine ribfluwelen broek en stond met de vuisten gebald, klaar om toe te slaan.

'Ik zoek Nicholas Smiley,' zei ik, terwijl ik mijn neiging onderdrukte om naar de Land Rover terug te hollen en met gierende banden weg te rijden.

'Wat moet je?' herhaalde hij.

Wat moest ik? Goede vraag.

Ik bedacht dat je bij zo'n vent de klap niet hoefde te verzachten; hij zag eruit alsof hij tegen een stootje kon en het zelfs wel aangenaam zou kunnen vinden. 'Ik wil praten over de nacht dat Lana Smiley stierf.'

Er ging een schok door zijn lijf en hij week achteruit alsof ik een steen naar hem had gegooid.

'Mijn tuin uit,' zei hij, me dreigend aankijkend. Hij deed geen stap naar voren of naar achteren, dus ik bleef staan. We staarden elkaar aan, terwijl ik iets probeerde te bedenken om hem zover te krijgen met me te praten. Ik kon niets verzinnen.

'Dat gaat niet,' zei ik ten slotte. 'Ik moet weten wat u die avond hebt gezien. En ik ga niet weg voor u me dat hebt verteld.' Ik rechtte mijn rug en hief mijn kin. Het was een trieste vertoning van bravoure, want ik denk dat we allebei wisten dat ik gillend naar mijn auto zou rennen als hij op me af zou komen. Wellicht stemde hem dat milder, want hij liet zijn schouders wat zakken en richtte zijn blik op het grind van de oprit.

'Verleden tijd,' zei hij. 'Ze zijn allemaal al dood.'

'Ja,' zei ik. 'Lana, Race en Max... allemaal dood. Maar ik leef nog en *ik* wil weten wat u die avond hebt gezien.'

Er klonk een kort en onaangenaam lachje. 'En wie mag *jij* dan verdomme wel wezen?'

'Ik ben de dochter van Max.' Ik bracht de woorden met moeite uit, zozeer smaakten ze naar leugens. Hij zei niets, keek me met zijn donkere, argwanende ogen alleen maar aan. Uit zijn blik kon ik niet afleiden of hij me al dan niet geloofde en of het hem iets kon schelen. Ik voelde zijn onderzoekende blik, speurend naar een gelijkenis met Max. In zijn haar en de baard die het grootste deel van zijn gezicht bedekte, hadden zich hoopjes sneeuw verzameld.

'Laat de doden rusten, meisje,' zei hij en hij keerde zich om en liep weg.

Met stemverheffing riep ik hem na: 'U hebt verklaard dat u gezien hebt dat iemand anders Lana heeft vermoord. U hebt gezegd dat Race niet eens thuis was toen ze stierf. Als dat waar is, waarom zei u dat dan pas na zijn veroordeling?'

Hij bleef staan, maar draaide zich niet om.

'Alstublieft,' zei ik, wat rustiger nu. 'Ik moet weten wat er die nacht is gebeurd. Ze zijn allemaal al dood, meneer Smiley. Dan kan het toch geen kwaad me de waarheid te vertellen?'

Hij draaide zich om en keek me aan, speurde vervolgens, weinig op zijn gemak, in beide richtingen de straat af. Er was niemand buiten en er stond niemand achter een raam. Ik voelde de kou nu echt binnendringen en ik begon te rillen. Ineens ging zijn gelaatsuitdrukking van kwaad in droevig over. Ik begreep niet waarom hij van gedachten veranderde en toch met me wilde praten; tot op de dag van vandaag begrijp ik dat nog steeds niet. Misschien zag ik er even zielig en wanhopig uit als ik me voelde. Misschien wilde hij niet dat ik een scène ging schoppen op zijn oprit. Hoe dan ook, hij liep naar zijn huis en gebaarde me hem te volgen. Toen was het mijn beurt om van gedachten te veranderen. Misschien lokte hij me alleen naar binnen om me te vermoorden, of om me in zijn kelder vast te binden, of voor iets anders wat even gruwelijk was. Ik aarzelde toen hij de hoek om liep. Uiteindelijk won mijn nieuwsgierigheid het. Ik haastte me achter hem aan.

'Men weet dat ik hier ben,' zei ik toen ik hem had ingehaald. Dit was, jammer genoeg, een volslagen leugen. De waarheid was dat niemand wist dat ik in Detroit was. Als ik zou verdwijnen, hoe lang zou het dan duren voor iemand zou opmerken dat ik weg was, voor ze me hier zouden vinden?

Hoge heggen scheidden zijn grond van die van zijn buren, ronde betonnen tegels vormden een pad. Hij ging een zijdeur binnen die toegang gaf tot een nette keuken, die eruitzag alsof er nooit iets aan was gedaan. Ik stapte over de drempel en trok de deur achter me dicht, maar ik hield mijn hand op de klink. Hij liep naar de gootsteen, vulde een ketel met water, zette die op het fornuis en stak het gas aan.

'Ga je niet zitten?' vroeg hij.

'Nee,' zei ik. 'Ik sta liever.' Ik was zenuwachtig.

'Ik heb nooit geweten dat Max een dochter had,' zei hij met zijn rug naar me toe, terwijl hij uit het raam boven de gootsteen staarde.

'Ik kwam er ook pas vorig jaar achter, nadat hij was gestorven. Het is een lang verhaal. Ik ben grootgebracht door andere mensen. Ik denk trouwens dat u de man wel kent die mij heeft opgevoed. Benjamin Jones.'

Hij knikte langzaam, leek de informatie in zich op te nemen. 'Bennie Jones. We zijn hier samen opgegroeid, in deze straat. Een goeie jongen. Heb hem al jaren niet meer gezien. Tientallen jaren.'

Het bleef even stil. Ik hoorde het water in de ketel met kleine tikjes van temperatuur veranderen. Ik besefte dat het in huis niet veel warmer was dan buiten. Ik keek om me heen, naar het oude behang, versierd met guirlandes van allerlei vruchten, naar het vergeelde formica aanrechtblad, de groen betegelde vloer.

'Thee?' De hoffelijkheid van zijn aanbod verbaasde mij.

'Graag,' zei ik. 'Alstublieft.'

Hij pakte een paar bekers uit een kast en wierp een achteloze blik over zijn schouder terwijl hij uit een witte stenen pot een paar theezakjes haalde. 'Ik zal je echt niets doen. Je kunt net zo goed gaan zitten.'

Ik knikte en voelde me vrij belachelijk. Ik liep naar de ronde keukentafel en pakte een stoel. Hij was wankel en ongemakkelijk, maar uit beleefdheid bleef ik zitten. Hij liep met de thee naar de tafel en nam tegenover me plaats. Ik nam de beker dankbaar aan en warmde mijn handen eraan.

'Dit is niet goed,' zei hij hoofdschuddend. De moed zonk me in de schoenen, want het leek alsof hij zou dichtklappen. Zijn gezicht werd uitdrukkingsloos. Zijn mond werd weer een dunne streep. Ik glimlachte hem begrijpend toe. Ik wist niet precies wat ik zou moeten zeggen om hem aan de praat te krijgen, dus zei ik maar niets.

'Je lijkt zo'n aardig meisje,' zei hij, me kort in de ogen kijkend. 'Ik wil niet...' Zijn stem stierf weg en hij maakte zijn zin niet af. Ik sloot mijn ogen, haalde diep adem en zei het enige wat ik kon bedenken.

'Alstublieft.'

Hij keek me droevig aan. Knikte toen kort.

'Ik heb al lang niet meer aan die nacht gedacht,' begon hij, maar om een of andere reden geloofde ik hem niet. Ik vermoedde dat hij veel aan die nacht had gedacht en dat dit misschien de eerste keer in jaren was dat hij erover kon praten. Misschien had hij er wel juist behoefte aan. Misschien was hij daarom van gedachten veranderd.

'Maar het is natuurlijk ook niet iets wat je vergeet. Het blijft je bij, ook al ben je er niet bewust mee bezig. Vijf jaar geleden heb ik mijn arm gebroken op het werk en sindsdien heb ik een uitkering. De arm is genezen, maar nooit meer de oude geworden. Zo gaat dat soms. Er gebeurt iets en het komt nooit meer goed.' Daar was ik het hartgrondig mee eens.

Er leek nu lang niet meer zoveel dreiging van hem uit te gaan als in het begin. Hij leek zachter en vriendelijker, eerder terneergeslagen dan kwaad. Hij zat even zwijgend naar zijn beker te staren. Boven het aanrecht tikte een klok. Ik wachtte. Toen kwam het:

'We waren bij ze geweest, bij Race en Lana, om te eten. We brachten de kerst altijd samen door,' zei hij, terwijl hij het tafelblad bestudeerde. Zijn stem klonk hees, alsof hij hem al een tijd niet meer had gebruikt. Ik vroeg me af of er een last van hem afviel door het te vertellen. Of zou het aanvoelen alsof hij grafschennis pleegde met dit gegraaf, met het oprakelen van iets wat beter kan blijven rusten.

Opnieuw bevreemdde het me dat ik nog nooit van Nicholas Smiley of zijn familie had gehoord voordat ik het artikel had gelezen. Noch Max of mijn vader, noch mijn grootouders hadden ooit gerept van deze neef, die blijkbaar met Max en Ben was opgegroeid, zelfs in dezelfde straat had gewoond. Ik vroeg me af of er ooit een einde zou komen aan al die geheimen en leugens.

'Het was niet zo'n gezellige avond geweest,' zei hij, terwijl hij me verlegen aankeek. 'Race kwam niet opdagen en Lana was dronken en pisnijdig. Kankerde maar door over haar ellendige bestaan.'

Hij richtte zijn blik opnieuw op zijn beker en ik kon zien dat zijn hand lichtjes trilde. Ik weet niet waarom, maar mijn hart sloeg ervan over.

'Race was een klootzak. Sloeg Lana en Max verrot, belazerde haar. Iedereen wist het.' Hij sprak in korte, staccato zinnen, alsof hij de woorden eruit moest krijgen voor de wekker afliep. Maar er zat ook iets ritmisch, bijna metrisch in de manier waarop hij sprak. Ik was als gehypnotiseerd.

Hij moet iets aan mijn gezicht hebben gezien. Iedere goede interviewer weet dat er geen oordeel in je stem mag doorklinken en daar was ik vrij bedreven in. Waar ik moeite mee had was ervoor te zorgen dat er niets van mijn gezicht viel af te lezen.

'Ik weet niet waarom niemand ooit heeft ingegrepen,' zei hij, alsof ik de vraag in mijn hoofd ook daadwerkelijk had gesteld. 'Daar breek ik me al jaren het hoofd over. Maar ja, in die tijd bemoeide je je gewoon niet met wat er speelde tussen een man en zijn gezin.'

Ik knikte begripvol en hij ging verder.

'Hoe dan ook, we gingen vroeg naar huis. Zoals ik al zei, Lana had de hele tijd zitten kankeren en Max had die avond amper een woord gezegd. Zo was hij soms, alsof hij zich onzichtbaar probeerde te maken. Niet dat ik hem dat kwalijk nam, want het was alsof hij in een dal tussen twee actieve vulkanen woonde. Je wist nooit welke het eerst zou uitbarsten.'

'Gebruikte Lana ook geweld tegen Max?'

'O, ja,' zei hij. 'Zij kon er ook wat van.'

Max had altijd over zijn moeder gesproken alsof zij de Madonna en Moeder Teresa in één was geweest. Ik had hem alleen gehoord over haar schoonheid, haar zachtaardigheid, haar kracht.

'Je lijkt erg op haar. Wist je dat?' zei Nicholas tegen me.

'Nee,' zei ik. 'Dat wist ik niet.' Op die informatie zat ik niet te wachten, en ik wist ook niet wat ik ermee aan moest. Ineens had ik spijt van mijn komst.

Hij haalde zijn schouders op. 'In vergelijking met Race was ze niet zo erg. Maar die jongen had geen idee wat hij kon verwachten. Wist niet of hij aangehaald of geslagen zou worden.'

Ik wist niet wat ik moest zeggen en dacht aan die kleine, mishandelde jongen die niet mijn oom, maar mijn vader was. Ik verwachtte dat er een golf aan emotie zou opwellen in mijn hart, maar het voelde aan alsof het gevuld was met lood, zwaar en gevoelloos. Ik keek in mijn beker en zag dat de melk een beetje geschift was.

'Max en ik hadden dat jaar walkietalkies gekregen. Maar in de haast van mijn ouders om weg te komen, had ik de mijne onder de kerstboom laten liggen. Ik wilde hem gaan halen en kon nergens anders meer aan denken of over praten. Mijn ouders werden er stapelgek van. Morgen, beloofden ze. Maar voor een kind is morgen een eeuwigheid. Ik wachtte tot ze naar bed waren, trok mijn jas en schoenen aan en sloop het huis uit.'

Ik zag het voor me. De hele straat in het donker, op de kerstverlichting aan de huizen en de glinsterende kerstbomen binnen na, de grond wit van de sneeuw. Ik zag hem de straat op sjokken in zijn jas en pyjama. Ik rook de koude winterlucht, hoorde de auto's op de drukke weg die evenwijdig aan hun straat liep.

'Max was dat jaar zestien geworden, dus ik moet veertien zijn geweest. Maar Max was erg groot voor zijn leeftijd. Nog niet zo groot als oom Race, maar aardig op weg. Ik bedacht dat Race Max niet lang meer zou aankunnen. Toch keek ik of de auto van Race op de oprit stond. Als hij thuis was geweest, had ik rechtsomkeert gemaakt.'

Ik zag dat hij die nacht opnieuw beleefde; zijn ogen hadden een bepaalde glans gekregen en hij keek dwars door me heen. Ik hield me stil.

'Ik herinner me dat de lucht anders leek, alsof de nacht al wist dat er iets ergs was gebeurd. Ik ging niet naar de voordeur. Ik liep naar het raam van Max' slaapkamer, maar daar was hij niet. Ik hoorde dat de televisie hard aan stond, dus liep ik om het huis heen naar het raam van de woonkamer.'

Hij stopte en slaakte een zucht, alsof de herinnering hem na al die jaren nog steeds angst aanjoeg. Hij sloeg zijn handen voor zijn gezicht en keek weer op. 'Toen zag ik tante Lana,' zei hij. 'Ik herkende haar alleen aan de kleding die ze had gedragen. Haar gezicht was tot moes geslagen, haar kleren waren doordrenkt met bloed.'

'Maar Race was er niet?' vroeg ik.

Hij keek me aan. 'Zoals ik al zei, zijn auto stond niet op de oprit.'

'Hij kan thuisgekomen zijn, haar hebben vermoord en weer zijn weggegaan,' zei ik. 'Het kan zijn dat hij zijn auto verderop in de straat had geparkeerd.'

'Nee,' antwoordde hij.

'Hoe kunt u daar zo zeker van zijn?'

Hij keek me aan met iets van mededogen in zijn ogen. Ik denk dat ik even wanhopig klonk als ik me voelde.

'Ik zag hem boven haar staan. Er zat bloed op zijn vuisten, op zijn shirt en op zijn gezicht. Zijn ogen glansden en hij glimlachte en hij ademde zwaar, als een beroepsbokser.'

'Wie?' vroeg ik, vervuld met afschuw.

Hij schudde het hoofd en dikke tranen biggelden over zijn wangen zijn baard in. Nog eens schudde hij het hoofd en hij opende zijn mond, maar er kwam geen woord uit.

'Wie?' vroeg ik opnieuw, terwijl ik naar het puntje van mijn stoel schoof.

'Max,' fluisterde hij.

Jij zag het waarschijnlijk al aankomen. Maar bij mij kwam het aan als een verwoestende dreun, alsof hij me met een breekijzer op mijn hoofd had geslagen. Was dat maar zo; ik was liever buiten bewustzijn geraakt, ik had liever een gat in mijn geheugen gehad, zodat ik geen herinnering had gehad aan wat hij me had verteld. Ik kon mezelf wel slaan dat ik zo eigenwijs en nieuwsgierig was geweest dat ik erheen was gegaan. Ik snakte bijna naar adem.

'Nee,' zei ik. 'U was nog zo jong. Het was donker en u was doodsbenauwd omdat u uw tante daar zo zag liggen.'

Hij keek me strak aan. 'Ik weet wat ik heb gezien,' zei hij zacht. 'Dat vergeet ik nooit meer.'

'Waarom hebt u dan niets gezegd? U hebt een onschuldig man in de gevangenis laten wegkwijnen,' zei ik.

'Hij draaide zich om en zag me voor het raam staan. Het was niet de Max die ik kende. Het was... een monster. Die dode, lege ogen die me aankeken – ik wist dat als ik ook maar iets zou zeggen, hij me in stukken zou rijten. Ik holde weg en heb de hele nacht zitten wachten tot die duivel zou komen en *mijn* gezicht tot moes zou slaan. Maar hij kwam niet. De volgende dag werd Race gearresteerd en Lana stierf een paar weken later, zonder uit haar coma te ontwaken. Max ging bij Bennies ouders wonen.'

'Waarom is hij niet bij jullie komen wonen? Jullie waren zijn enig overgebleven familie.'

'Mijn ouders konden nauwelijks rondkomen. Met mij en mijn drie zussen konden ze zich niet nog een kind veroorloven. Sterker nog, na hun dood bleken ze schulden te hebben, schulden die *ik* nu nog aan het aflossen ben.' Hij keek om zich heen. 'Ik kan hier maar net blijven wonen.' Hij keek naar de vloer.

'Ik had nog nooit van u gehoord,' zei ik boos. Ik verfoeide hem om hetgeen hij had verteld en zocht naar redenen waarom hij zou kunnen liegen, naar iets waaruit zou blijken dat hij het bij het verkeerde eind had, of misschien was hij gewoon gek. 'Max en Ben hebben geen van beiden ooit iets gezegd over u en uw familie.'

'Ze veroordeelden ons omdat we Max niet hebben opgenomen. Er is nooit over gesproken, maar vanaf dat ogenblik hebben we nog maar zelden met Max te maken gehad.'

Ik bestudeerde zijn gezicht, waaraan ik kon zien dat hij geloofde in wat hij me had verteld. Angst en verdriet, al zijn akelige herinneringen tekenden zich op zijn gezicht af.

'Maar het ging niet echt om geld,' zei ik. 'Dat was toch niet de reden waarom ze hem niet hebben opgenomen?'

Nicholas schudde van nee.

'U hebt uw ouders verteld wat u die nacht hebt gezien. En ze geloofden u.'

'Ja,' zei hij. 'Dat klopt.'

'Maar niemand zei iets toen Race werd gearresteerd en terechtstond. Waren jullie allemaal zo bang voor een zestienjarige jongen?'

'We wachtten het proces af,' zei hij, zijn keel schrapend. 'We hoopten dat Race onschuldig zou worden bevonden. Dat we nooit naar buiten zouden hoeven brengen wat we wisten. Zelfs toen Race werd veroordeeld wilden mijn ouders niet dat ik een verklaring zou afleggen.'

'Omdat ze bang van Max waren?'

Nicholas zuchtte opnieuw. 'Nee, niet daarom. Ik denk dat ze gewoon niet wilden dat Max naar de gevangenis zou gaan. Misschien voelden ze zich schuldig, omdat ze niet eerder ingegrepen hadden om een eind te maken aan de gewelddadigheden daar in huis. En Race had dan wel geen moord gepleegd, maar in veel opzichten had hij meer schuld dan Max. Die jongen was met geweld opgegroeid, hij wist niet beter. Mijn ouders dachten dat hij die nacht misschien zijn eigen kracht niet had gekend. Dat een leven van lijden en wroeging al straf genoeg was.'

'Maar u dacht daar anders over?'

'Hij voelde geen wroeging,' zei Nicholas, me recht in de ogen kijkend. 'Ik zag het aan de manier waarop hij naar me keek. In ander gezelschap keek hij o zo droevig, maar als we alleen waren zag ik die ogen van hem en dan wist ik het zeker. Hij had zijn moeder vermoord en zijn vader beschuldigd en tegen hem getuigd. In feite had hij ze allebei vermoord. En ik geloof niet dat hij er een nacht minder om geslapen heeft.'

Ik probeerde deze versie van Max in overeenstemming te brengen met de Max die ik had gekend. Het kind dat Nick Smiley had beschreven was psychotisch – een moordenaar en een leugenaar, een nietsontziende manipulator. In Max had ik nooit ook maar iets gezien wat daarop duidde, nooit.

'Is dat de reden waarom u uiteindelijk een verklaring hebt afgelegd? Omdat u dacht dat hij geen wroeging voelde?'

'Ik betwijfel of je dat wat ik deed een verklaring afleggen kunt noemen. Het was een halfslachtige poging een van de vele wandaden recht te zetten die die avond en alle avonden eraan voorafgaand waren gepleegd. Ik werd door schuldgevoelens verteerd, kon niet meer eten en niet meer slapen. Uiteindelijk namen mijn ouders me mee naar het politiebureau en heb ik verteld dat ik die avond iemand anders had gezien. Ik vertelde het verhaal over die walkietalkies, ik vertelde dat ik de auto van Race niet had gezien en dat er een andere man was, iemand die ik nooit eerder had gezien. Ik heb nooit iets over Max gezegd.'

Hij nam een slokje thee, die, te oordelen naar mijn eigen beker, ijskoud moest zijn.

'Ik zei dat ik niet eerder een verklaring had afgelegd omdat ik bang was dat die zogenaamde vreemde man zou terugkomen om mij en mijn hele familie te vermoorden.'

'En dat geloofden ze niet?'

Hij schudde het hoofd. 'Er waren geen aanwijzingen dat er, buiten Race, nog iemand was geweest die avond. Ze zeiden dat ik een nachtmerrie had gehad. Ik bedoel maar, ze waren echt niet van plan een zaak te heropenen die al lang gesloten was, met de verdachte berecht en veroordeeld, vanwege het gebazel van een kind. Maar iemand op het bureau heeft het verhaal gelekt en de volgende dag stond het in de krant.

Die nacht werd ik wakker omdat er stenen tegen mijn raam werden gegooid. Ik keek naar buiten en zag Max staan. Hij had een breekijzer in zijn hand. Hij stond daar alleen maar, onder de straatlantaarn, en ik zag die ogen. Hij wist dat ik laf was – wat wil je, hij had me van jongs af aan geterroriseerd. Ik heb er met geen woord meer van gerept.'

Ik bleef zwijgend zitten. Hij leek me een eerlijk man, eenvoudig en met beide benen op de grond. De keuken was netjes en schoon, zoals de keuken van elk provinciaals arbeidersgezin – geen toeters en bellen, maar gewoon netjes onderhouden. Zijn verhaal vermeldde voldoende details, zonder opsmuk. Het klonk waarachtig – ik kon zien dat hij geloofde in wat hij had verteld en dat het hem nog steeds achtervolgde. Ik wist niet wat ik moest zeggen. Ik moet hem hebben aangekeken met een gezicht waarop afschuw en ongeloof te lezen stonden, want hij schoof ongemakkelijk heen en weer op zijn stoel onder mijn blik.

'Ik zei toch dat je de doden met rust moet laten,' zei hij. 'Had maar geluisterd.'

Niemand houdt van betweters.

6

Mijn oom Max (natuurlijk zal ik hem altijd zo blijven zien) was een beer van een vent – groot gebouwd, met een navenant groot hart en grote persoonlijkheid. Hij was een pretpark, een speelgoedwinkel, een ijssalon. Mijn ouders gingen wel eens op reis en dan lieten ze Ace en mij bij hem logeren (met een kindermeisje, dat spreekt voor zich, want veters strikken en kaastosti's maken was niets voor Max). Die logeerpartijen behoren tot de mooiste herinneringen uit mijn kindertijd. Nooit heb ik Max zonder glimlach op zijn gezicht gezien. Zijn armen droegen altijd bergen cadeautjes, zijn zakken zaten vol geld of snoep of kleine verrassingen.

Tenminste, zo herinner ik me hem. Maar de laatste tijd wantrouw ik mijn herinneringen aan vroeger – niet zozeer de feitelijke gebeurtenissen, maar meer de verschillende lagen en nuances die me kennelijk zijn ontgaan. Zo'n groot deel van mijn leven blijkt op leugens te berusten dat mijn verleden een griezelig sprookje lijkt – op het eerste gezicht mooi, maar met een vreselijke, donkere ondertoon. Onder mijn bed lagen monsters en ik was te naïef om zelfs ook maar bang te zijn voor het donker.

In het vliegtuig terug naar New York zocht ik naar scheurtjes in mijn herinneringen, openingen waardoor de 'ware' Max zichtbaar zou worden, de psychotische en mishandelde jongeman die zijn moeder vermoordde, zijn vader ervoor op liet draaien en zijn jongere neefje bedreigde om hem de mond te snoeren. De 'ware' Max, mijn vader.

Ik dacht terug aan mijn laatste gesprek met Max.

Het feest dat mijn ouders elk jaar op kerstavond gaven was bijna afgelopen. Mijn vader was met een groep naar buiten gegaan voor de onvermijdelijke kerstavondwandeling bij kaarslicht en mijn moeder stond als een bezetene pannen schoon te boenen in de keuken en wimpelde al mijn pogingen om te helpen af, zoals gewoonlijk implicerend dat niemand het beter kon dan zij. Ook goed. Op zoek naar koekjes drentelde ik de woonkamer in en daar zat oom Max, helemaal alleen in de schaars verlichte kamer voor onze gigantische kerstboom. Dat is een van de mooiste dingen op de wereld, een verlichte kerstboom in een schemerige kamer. Ik plofte naast hem neer op de bank, en hij legde een arm om mijn schouders, met zijn vrije hand een glas bourbon op zijn knie balancerend.

'Is er iets, oom Max?'

'Nee hoor, kind. Leuk feest.'

'Best wel.'

We zaten zo een poosje in aangename stilte naast elkaar tot iets me naar hem deed opkijken. Hij huilde, zonder er geluid bij te maken; dunne streepjes tranen stroomden over zijn gezicht, dat bijna zonder uitdrukking was in zijn hopeloze droefheid. Ik geloof dat ik hem alleen maar ontzet heb zitten aanstaren. Ik nam zijn grote berenklauw van een hand in mijn handen.

'Wat is er, oom Max?' fluisterde ik, alsof ik bang was dat iemand hem zo zou aantreffen, zijn ware gezicht blootgesteld aan de wereld. Ik wilde hem beschermen.

'Het keert zich allemaal tegen me, Ridley.'

'Wat?'

'Alle goeds dat ik heb proberen te doen. Ik heb het verkloot. Man, wat heb ik het verkloot.' Er klonk een trilling in zijn stem.

Ik schudde mijn hoofd. Ik dacht: hij is dronken. Hij is gewoon dronken. Maar toen pakte hij me bij mijn schouders vast, niet hard, maar heel emotioneel. Zijn ogen schitterden fel en helder in zijn wanhoop.

'Jij bent toch gelukkig, hè Ridley? Je bent opgegroeid in een veilige omgeving, omringd door liefde. Ja, toch?'

'Ja, oom Max. Natuurlijk,' zei ik, omdat ik hem dolgraag wilde geruststellen, hoewel ik niet begreep waarom mijn geluk op dat moment zo belangrijk voor hem was. Hij knikte en zijn greep verslapte iets, maar hij bleef me recht aankijken. 'Ridley,' zei hij, 'misschien ben jij wel het enige goede dat ik heb voortgebracht.'

'Wat is hier aan de hand? Max?' We draaiden ons tegelijk om en zagen mijn vader in de deuropening staan. Hij stak donker af tegen het licht en zijn stem klonk raar. Hij had ineens iets vreemds. Max' hele lichaam leek te verstijven en hij liet me los alsof hij zijn handen aan me had gebrand.

'Kom, we moeten praten, Max,' zei mijn vader en Max kwam overeind. Ik liep achter hem aan door de deuropening, maar mijn vader hield me met zijn hand tegen. Max liep met hangende schouders en gebogen hoofd verder, door de dubbele deuren die naar mijn vaders werkkamer leidden, maar keek nog even achterom en wierp me een glimlach toe voor de deuren zich achter hem sloten.

'Wat heeft hij?' vroeg ik aan mijn vader.

'Maak je geen zorgen, poppedein,' zei hij gemaakt luchtig. 'Oom Max heeft iets te diep in het glaasje gekeken. Er huizen veel demonen in hem, die door de bourbon soms naar buiten komen.'

'Maar waar had hij het over?' hield ik koppig vol, met het gevoel dat er iets belangrijks voor me werd verzwegen.

'Ridley...' zei mijn vader, iets te streng. Hij hoorde het zelf ook en vervolgde op vriendelijker toon: 'Echt, liefje, maak je nou maar geen zorgen om Max. Het is de drank.'

Hij keerde zich om en verdween in zijn werkkamer. Ik bleef er even dralen en hoorde het gebrom van hun stemmen achter de eikenhouten deuren. Ik wist dat je onmogelijk iets kon opvangen vanachter die dikke deuren, want dat had ik als kind vaak genoeg geprobeerd. Bovendien was ik in de gang tegen mijn lievelingstante aan gelopen. Je herinnert je haar vast nog wel, tante Ontkenning. Ze sloeg haar armen om me heen en fluisterde troostende zinnetjes in mijn oor: *Het is de bourbon maar. Zijn demonen spelen op. Je kent Max. Morgen is hij weer de oude.* Zo broos als tante ook is (een directe aanval overleeft ze namelijk niet), ze is heel machtig als je met haar samenwerkt, als je je laat inspinnen in haar web. Ja, zolang je haar niet in de ogen kijkt, omhult ze je als een cocon. Daar is het veilig en warm. Veel beter dan het alternatief.

Dat was de laatste keer dat ik mijn oom Max heb gezien. Met zijn gezicht nog nat van de tranen en rood aangelopen door de bourbon, zijn droeve glimlach, en zijn laatste woorden. *Ridley, misschien ben jij wel het enige goede dat ik heb voortgebracht.*

Die woorden hadden, telkens als ik iets nieuws over Max ontdekte, verschillende betekenissen voor me gekregen. Ze betekenden het een toen ik nog dacht dat hij mijn verdrietige oom was, van wie ik had gehouden en die later die avond was gestorven. Ze betekenden het ander toen ik erachter kwam dat hij mijn vader was, een man die zoveel vreselijke fouten had gemaakt, die me op zoveel manieren in de steek had gelaten. Ik vroeg me af wat ze voor me zouden betekenen als ik aan het eind van mijn huidige zoektocht was gekomen. In gedachten doorliep ik de artikelen uit Jake's dossier – de weerzinwekkende misdrijven, de vermiste vrouwen en kinderen, de uit nachtclubs ontvoerde en aan pooiers verkochte meisjes. Waarom had hij die artikelen bewaard? Wat hadden ze met Max te maken? En waarom was de FBI nog steeds in hem geïnteresseerd?

De man naast me snurkte zachtjes, zijn hoofd hing in een onnatuurlijke hoek tegen het vliegtuigraampje. Het meisje aan de andere kant van het gangpad las een roman van Lee Child. Normale mensen die een normaal leven leidden. Wie weet. Waarschijnlijk dachten zij hetzelfde over mij.

Ik had het gevoel dat hoe meer ik zocht naar herinneringen aan Max, hoe vager en ongrijpbaarder ze werden. Maar één ding was zeker: als Nick Smiley gelijk had, als Max was zoals Nick geloofde dat hij was, dan had ik die man nooit ontmoet. Dan had hij zich zo goed achter een masker verborgen dat ik niet eens een glimp van hem had opgevangen. Ik had slechts een fractie van de man gezien, het deel van hem dat ik mocht zien.

In de taxi op weg naar huis van La Guardia viste ik mijn mobieltje op uit mijn tas. Ja, mijn mobieltje had ik nog steeds, ondanks mijn herhaalde dreigementen het weg te doen. Misschien weet je nog dat ik gruw van die dingen (ik heb er nog meer de pest aan dan aan digitale camera's). Mobiele telefoons zijn gewoon het zoveelste excuus voor mensen om er niet te zijn, de zoveelste reden om nog botter en onattenter te zijn dan anders. En wat was mijn excuus? Het gemak ervan was verslavend.

Bij gemiste oproepen zag ik dat Jake driemaal had gebeld, maar geen bericht had achtergelaten. Ik móést iemand bellen. Niet Jake, ik wilde de vlam van zijn obsessie niet aanwakkeren. Ace of mijn vader kon ik ook niet bellen, want geen van beiden zou gediend zijn van mijn vragen (hoewel je het vast met me eens bent dat mijn vader de meest voor de hand liggende keuze was). Met mijn moeder had ik al meer dan een jaar geen echt gesprek meer gevoerd. Ik liet mijn hoofd rusten tegen het vinyl van de rugleuning en zag de gloed van rode achterlichten en witte koplampen in het donker vervagen.

Toen begon de telefoon, die ik nog steeds in mijn hand had, te rinkelen. Het nummer dat op het display verscheen zei me niets, maar de begincijfers verraadden dat het een mobiel nummer was. Ik nam op, alleen maar omdat ik me eenzaam voelde.

'Detroit is leuk in deze tijd van het jaar,' zei een lage mannenstem. 'Voor zo'n rotgat.'

'Met wie spreek ik?' zei ik, terwijl mijn maag ineenkromp. Niemand wist dat ik naar Detroit was gegaan. Ik had tegen niemand iets gezegd, was vroeg in de morgen vertrokken en had een waanzinnig bedrag neergeteld voor een dagretour.

'Laat me raden. De foto's hebben toch iets met je gedaan, hè? En je zult wel met je vriendje hebben gepraat. Heeft iemand je ooit verteld dat je een speurneus bent? Misschien ben je je roeping wel misgelopen.'

'Agent Grace?' zei ik, terwijl mijn aanvankelijke schrik plaatsmaakte voor ergernis, een gevoel dat kenmerkend leek te worden voor onze gesprekken.

'En wat had Nick Smiley te vertellen?'

'Dat Max een psychopaat was,' antwoordde ik, hoewel dat waarschijnlijk geen nieuws voor hem zou zijn. 'Een moordenaar.'

'Geloof je hem?'

'Ik weet niet meer wat ik moet geloven,' zei ik.

'Misschien interessant om te weten: heeft hij je verteld dat hij zelf te boek staat als een paranoïde schizofreen, die de afgelopen twintig jaar regelmatig aan de lithium is geweest?'

'Nee,' zei ik. 'Dat heeft hij er niet bij verteld.' Er kwam iets van opluchting over me, waardoor de spieren in mijn schouders zich een beetje ontspanden.

'Niet dat dat hem tot leugenaar maakt. Meer dat zijn versie van de waarheid twijfelachtig is.'

Is dat niet wat waarheid werkelijk is? Het eens zijn dat de waarheid verschillende kanten kent? Denk eens aan het laatste familiedrama, de laatste ruzie met je echtgenoot. Hoe zat het nu echt? Wie zei wat en wanneer? Wie begon en wie reageerde? Bestaat er een absolute waarheid, eentje die losstaat van persoonlijke versies? Misschien wel. Maar misschien ook niet. De kwantumfysica leert ons dat het leven een reeks van mogelijkheden is die op een gegeven moment naast elkaar bestaan. Onze keuzes scheppen onze individuele versie van de werkelijkheid. Nick Smiley heeft ervoor gekozen zich Max op die manier te herinneren. Ik heb voor een andere manier gekozen. Wie heeft er gelijk? Misschien is de waarheid wel dat Max verschillende vormen kon aannemen, dat hij degene werd die hij moest worden om een bepaalde situatie naar zijn hand te zetten. Nick hield hij onder de duim door hem angst aan te jagen, mij had hij in zijn zak omdat hij me op handen droeg, maar zijn ware vorm hield hij voor ons beiden verborgen.

'Wat probeert u me duidelijk te maken?' vroeg ik. 'En waarom volgt u me?'

'Ik hoef je vragen niet te beantwoorden,' sprak hij bedaard.

Was dat wel zo? Eerst pikken ze me op van straat en nemen ze mijn foto's in. Ze laten me vergrotingen zien van een man waarvan zij blijkbaar geloven dat het Max is, ook al weet ik zeker dat hij dood is, en dan mag ik weer gaan. Vervolgens word ik gebeld door agent Grace, die duidelijk een spelletje met me speelt, die me duidelijk laat weten dat niets van wat ik doe hen ontgaat. Ik snapte niet waar hij op uit was, wat hij wilde bereiken. Misschien was hij gewoon eenzaam, alleen met zijn obsessie, net als ik, net als Jake. Misschien zocht hij iemand om tegenaan te praten.

'Ben je er nog, Ridley?'

'Ik heb gezegd dat ik niet zo genoemd wens te worden.'

'Bent u er nog, juffrouw Jones?'

'Nee,' antwoordde ik en verbrak de verbinding.

Natuurlijk stond hij me op straat in zijn sedan op te wachten toen ik uit de taxi stapte. Zijn partner bleef achter het stuur zitten toen hij naar me toe liep. Ik keek hem niet aan en stak mijn sleutel in het slot.

'Ik had u eerder als bestuurder dan als bijrijder ingeschat,' zei ik, met een knikje naar de auto.

'Ik mag voorlopig geen dienstauto's meer besturen,' zei hij met een grijns waaruit ik afleidde dat hij heel blij was met zichzelf. 'Ik heb in zeven maanden tijd drie wagens in de prak gereden. Ik moet eerst slagen voor een cursus voertuigbeheersing. Tot die tijd zit ik in de schietstoel.'

Om een of andere reden merkte ik dat ik hem met Jake vergeleek. Hij had een soort arrogantie (of misschien was het alleen maar zelfvertrouwen) dat in schril contrast stond met Jake's bescheidenheid. Hij had niets van Jake's wezenlijke zachtheid, maar ook niet van zijn ingekapselde woede. Het lichaam van Jake was exquis, niet alleen maar knap of sexy of mooi. Agent Grace... tja, die had iets hards, niets verfijnds. Als Jake van marmer was, dan was hij van graniet. Maar de welving van zijn lippen en zijn oogleden verrieden een dierlijke seksualiteit die me onrustig maakte, ongeveer zoals je je moet voelen als je in de kooi van een tijger zit, waarvan ze je hebben verzekerd dat hij zo mak als een lammetje is. Door agent Grace miste ik Jake, de geborgenheid die ik in zijn armen voelde.

Ik besloot dat ik agent Dylan Grace helemaal niet mocht. Misschien had ik wel een beetje de pest aan hem.

'Goedenavond, rechercheur,' zei ik, alleen maar om hem te stangen.

'Ik ben een federaal agent, juffrouw Jones.'

'Da's waar ook. Sorry.'

Ik deed (smeet) de deur voor zijn neus dicht, die hij (krachtig) met zijn hand tegenhield.

'Mag ik binnenkomen? We moeten praten.'

'Voor zover ik heb ervaren zijn federaal agenten net vampiers: als je ze eenmaal hebt binnengelaten kom je bijna niet meer van ze af. Voor je het weet voel je hun tanden in je nek.'

Daar moest hij om lachen, en heel even zag ik iets jongensachtigs. Het gaf hem iets zachts, maar dat verpestte hij meteen door te zeggen: 'Ik wil u niet weer meenemen naar het bureau, juffrouw Jones. Het is al laat. Maar als het niet anders kan, dan doe ik het.'

Ik wilde ook niet naar het bureau, daar was ik veel te moe voor. Ik overwoog of ik een andere keus had, deed toen een stap opzij en liet hem binnen. Hij liet mij weer voorgaan en volgde me naar de lift. Stilzwijgend zoefden we naar de vierde verdieping, onze ogen gericht op de rij groen oplichtende knopjes, die aangaven welke verdieping we passeerden. Het was zo stil dat ik zijn ademhaling hoorde. We stonden zo dicht bij elkaar dat ik zijn aftershave rook.

'Mooi gebouw,' zei hij, toen we de hal in stapten. 'Vooroorlogs?'

Ik knikte en bleef stilstaan bij mijn voordeur. Ik draaide hem van het slot en we gingen naar binnen.

'Is uw vriend thuis?'

Zonder mijn blik van hem af te wenden liet ik mijn jack van mijn schouders glijden en mijn tas op de grond vallen.

'Wat wilt u van me, agent Grace?' vroeg ik, terwijl ik mijn woede verbeet en de tranen me in de ogen sprongen. Ik had het gevoel dat hij mijn privacy schond en dat ik er niets tegen kon doen. Hij overschreed al mijn grenzen en dat maakte me woest. En als ik kwaad ben, komen de tranen. Dat vind ik vreselijk, maar heb er geen controle over, ook al doe ik nog zo mijn best. 'Geef het maar gewoon toe,' zei ik, terwijl mijn stem brak, 'u speelt een spelletje met me, hè? Wat wilt u van me?'

Er verscheen een ontredderde blik op zijn gezicht, zo'n blik die sommige mannen krijgen als ze denken dat een vrouw gaat huilen. Hij maakte een afwerend gebaar.

'Oké,' zei hij, 'rustig maar.' Hij sprak behoedzaam, alsof hij inpraatte op iemand die van het dak wilde springen. Hij keek de kamer rond, ik weet niet precies waar hij naar zocht.

'Begrijpt u het nog steeds niet?' vroeg ik. 'Ik weet niets.'

'Oké,' zei hij opnieuw, en hij trok een stoel onder de tafel vandaan en gebaarde me te gaan zitten. Dat deed ik, met mijn ellebogen op tafel en mijn hoofd in mijn handen. Ik zag dat Jake's dossier nog op dezelfde plek op tafel lag waar ik het had achtergelaten. Ik weet niet waarom, maar ik had verwacht dat het weg zou zijn als ik thuiskwam. Agent Grace ging tegenover me zitten en ik schoof het dossier naar hem toe. Godzijdank verdwenen de tranen snel en werd me de vernedering bespaard in huilen uit te barsten voor de ogen van een vreemde die mijn leven en huis was binnengedrongen.

'Wat is dat?' vroeg hij.

'Van Jake gekregen,' zei ik, terwijl ik hem aankeek om hem te laten zien dat ik niet huilde. 'Dat artikel dat bovenop ligt – zo ben ik aan Nick Smiley gekomen, daarom ben ik naar Detroit gegaan. De rest zei me weinig.'

Even bleef het stil. Hij bladerde vluchtig de inhoud van de map door, waarna hij hem met een lachje sloot.

'Die vent van u heeft een rekening te vereffenen, hè?'

Ik knikte.

'Zou hij bij de FBI willen?'

Ik wierp hem een vuile blik toe. 'Zit er iets bij waar u iets aan hebt?'

Hij pakte de knipsels uit *The New York Times* en hield ze me voor. 'Wat hebben deze artikelen met elkaar gemeen?'

Ik keek ze nog eens door, maar er ging me geen licht op. Ik haalde mijn schouders op en richtte mijn ogen weer op hem. Hij had me de hele tijd zitten observeren en wendde zijn blik niet af. Zijn gezicht had een vreemde uitdrukking. Hij boog zich voorover en wees me op de naam die onder de kop van het artikel stond. Ik kon niet geloven dat het me niet was opgevallen. Welke schrijver leest er nu een artikel zonder te kijken door wie het is geschreven? Ze waren allemaal van dezelfde journaliste: Myra Lyall. De naam kwam me bekend voor, maar ik wist niet waarvan.

'Wie is dat?'

'Een misdaadverslaggeefster, ze staat op de shortlist voor de Pulitzer Prize. Tot voor kort schreef ze voor de *Times*.'

'"Schreef?" Verleden tijd?'

'Zij en haar man, een fotograaf, worden sinds twee weken vermist.'

Nu wist ik het weer: het nieuwsitem dat ik steeds voorbij zag komen op tv en in de kranten. Toch had ik het gevoel dat ik haar naam ook nog ergens anders van kende.

Hij vervolgde: 'Er kwamen vrienden eten, maar Myra en haar man Allen bleken niet thuis. Toen die vrienden na een dag of wat bellen nog geen gehoor hadden gekregen, alarmeerden ze de politie. In de woning lag een plas bloed, maar het echtpaar was spoorloos. De tafel was gedekt voor een etentje; een braadstuk in de oven, pannen op het fornuis.'

Ik hoorde weer dat gesuis in mijn rechteroor dat ik altijd krijg als de stress toeslaat. 'Met wat voor artikel was ze bezig?' vroeg ik.

'Dat weten we niet. De bestanden op haar laptop en op haar pc op kantoor waren gewist. Zelfs haar e-mailbestanden waren van de server van de *Times* gehaald.'

Ik dacht even na. Ik wist niet goed wat ik ervan moest vinden. Uiteindelijk vroeg ik: 'Is dat de zaak waar u mee bezig bent? Dit vermiste echtpaar?'

Hij knikte.

'En wat heb ik daarmee te maken?'

'Het laatste wat Myra Lyall heeft gepubliceerd was een verhaal over drie baby's van Project Kinderhulp. Over hoe hun leven getekend was door alles wat er met hen was gebeurd. Het was een artikel voor *The New York Times Magazine*, iets milder van toon dan de onderzoeksartikelen die ze gewoonlijk schrijft.'

Ineens wist ik weer waar ik haar naam eerder had gehoord.

'Maar wat heb ik daarmee te maken?' vroeg ik opnieuw, hoewel dat me nu wel duidelijk werd.

'In een van haar notitieboekjes troffen we uw naam aan. Volgens haar aantekeningen heeft ze u driemaal om een reactie gevraagd, maar u hebt haar nooit teruggebeld.'

'De enige mensen die ik nog minder graag spreek dan federaal agenten zijn journalisten.'

Hij grinnikte. 'Bent u zelf geen journalist?'

Dat was tegen het zere been. 'Ik ben schrijver,' zei ik uit de hoogte. 'Ik schrijf reportages. Dat is iets heel anders.'

'Ook goed,' antwoordde hij.

Het was ook anders. Volstrekt anders. Maar dat ging ik niet uitleggen aan dit stuk onbenul. Subtiliteit en nuances waren niet besteed aan mensen als agent Grace.

'Ze zijn dus al twee weken vermist?'

Hij keek op zijn horloge. 'Twee weken, drie dagen en ongeveer tien uur, volgens onze reconstructie.'

'Maar een paar van die foto's – van mijn foto's – waren van maanden geleden.'

Hij knikte en staarde naar het tafelblad. Nu begon het me te dagen.

'U hebt me gevolgd.'

'Ruim een jaar, ja.'

'Waarom?'

Hij haalde het rapport van de lijkschouwer uit de map. 'Dit rapport staat vol tegenstrijdigheden. Het tijdstip van overlijden zit er tien uur naast, volgens onze deskundigen.' Hij wees op iets dat Jake had omcirkeld. 'Dit lichaam woog vierentachtig kilo. Maar zoals u weet was Max veel zwaarder, hij moet ruim over de honderd hebben gewogen.'

Ik keek naar het document dat voor me lag. 'Oké, het was dus niet de beste lijkschouwer. Een paar missers. Dat komt vaker voor. Hoe reageerde hij toen u hem ernaar vroeg?'

'Hij is dood,' zei agent Grace. 'Enkele dagen na het indienen van dit rapport kwam hij toevallig om bij een verkeersongeluk, net rond de tijd dat dit lichaam werd gecremeerd.'

Het viel me op dat hij het steeds over 'dit lichaam' had.

'Hoezo "toevallig"?' vroeg ik, het woord op dezelfde manier benadrukkend.

'Iemand had toevallig zijn remkabels doorgesneden.'

Mijn ogen gleden over het rapport; ik voelde wanhoop en angst. 'Esme Gray heeft het lichaam geïdentificeerd,' zei ik zwakjes. 'Ze hebben ooit een verhouding gehad. Zij zou het gezien hebben als het Max niet was.'

Agent Grace me aan met een blik waarin ik iets van medelijden las. 'Esme Gray heeft niet de beste reputatie.'

Ik dacht terug aan de laatste avond met Max, dat hij was gaan huilen en dat mijn vader ineens als een zwarte gedaante in de deuropening had gestaan en hoe hij Max had gesommeerd mee te komen naar zijn werkkamer. *Het is de drank*, had mijn vader gezegd voor hij de deur voor mijn neus had dichtgedaan.

'Dus de FBI volgt me al die tijd al, met het idee dat áls hij nog in leven zou zijn, áls hij contact met iemand zou opnemen, dat het met mij zou zijn? Uit liefde. Zie ik dat goed?'

Hij knikte. 'Heeft hij geprobeerd u te bereiken, juffrouw Jones?'

'Wie?' vroeg ik, een beetje traag van begrip.

'Max Smiley,' zei hij ongeduldig. 'Uw oom, uw vader, hoe het ook zit.'

'Nee,' schreeuwde ik bijna.

'Eergisteren hebt u een intercontinentaal telefoontje gehad, rond halfvier 's nachts,' zei hij streng, terwijl hij zich naar me toe boog.

Ik herinnerde me het weer, ik had er tot op dat moment niet meer aan gedacht.

'Dat was niemand,' zei ik, wat zachter nu. 'Ik bedoel, wie het ook was, hij zei niets. Ik dacht dat het Ace was.'

Hij keek me doordringend aan, alsof hij probeerde te zien of ik loog.

'Als jullie mijn gesprekken aftappen, dan weten jullie dat ik de waarheid spreek.'

'We tappen uw gesprekken niet af,' zei hij, hoewel ik me afvroeg waarom hij zou denken dat ik hem zou geloven. 'Ik heb vanmorgen pas een rechterlijke volmacht gekregen om uw gesprekken na te kunnen trekken, omdat ik wilde weten waarom u naar Detroit was gegaan.'

'Kan dat zomaar?' vroeg ik verontwaardigd. 'Ik heb niets gedaan wat niet mag.'

'Als ik zou denken dat u een gezocht personage helpt, dan mag ik zeker uw gesprekken afluisteren, dan mag ik u dag en nacht laten volgen.'

'U steekt veel tijd in iemand als Max. Intussen snap ik nog steeds niet wat het verband is met uw vermiste echtpaar.'

Net als de vorige keer dat ik hem had gezien, lag er een donker, ongeschoren waas over zijn kaken en kin. Ik vroeg me af of hij dat met opzet deed, om er ouder, misschien wel stoerder uit te zien. Hij leek helemaal niet op andere FBI-agenten die ik had ontmoet. Keurig in de plooi en gladgeschoren, brave jongens van onbesproken gedrag – maar wellicht was dat alleen maar hun voorkomen. Dylan Grace leek buiten de wet te staan.

'Ik snap het echt niet,' zei ik, toen het stil bleef aan de overkant. 'U ontdekt mijn naam in een notitieboekje van die vermiste journaliste. Dus wat doet u: in plaats van me te bellen of aan de tand te voelen, regelt u iets met mijn fotowinkel, zodat u mijn foto's kunt stelen, en dan houdt u me aan op straat en neemt me mee naar het bureau. Dat lijkt me een overtrokken reactie. Het was niet meer dan logisch dat ze mij belde; ik ben zo'n beetje het gezicht van Project Kinderhulp.'

Hij zei niets, bleef me alleen maar onderzoekend aankijken met die ogen van hem.

'Oké, dan zit er meer achter,' zei ik, nadat we elkaar een tijdje hadden zitten aanstaren. Ik bedacht me nog even. 'U hebt mijn naam ingetikt in wat voor computers jullie daar ook hebben en hebt ontdekt dat ik al in de gaten werd gehouden.'

Nog steeds geen reactie. Het begon behoorlijk irritant te worden.

'Natuurlijk,' zei ik, toen hij opstond en naar de deur liep. 'U bent de enige die vragen mag stellen. Wat wilt u van me?'

Hij deed de deur open. 'Prettige avond nog, juffrouw Jones,' zei hij. 'Het spijt me dat ik u heb lastiggevallen. U hoort nog van me.'

'Nog één dingetje,' zei ik, terwijl ik opstond en achter hem aan de hal in liep. 'Dat intercontinentale gesprek. Waar kwam dat vandaan?'

'Waarom wilt u dat weten,' vroeg hij, zich naar me omdraaiend.

'Uit nieuwsgierigheid,' zei ik. 'Misschien was het iemand die ik ken. Gewoon, heel onschuldig.'

Hij dacht even na. 'Londen,' zei hij toen. 'Het gesprek kwam uit Londen. Hebt u daar kennissen?'

Ik haalde mijn schouders op. 'Niet dat ik weet.'

Toen hij weg was, probeerde ik te bedenken of hij iets wijzer was geworden van ons gesprek, maar ik kon niets verzinnen. Ik daarentegen had aardig wat nieuwe informatie gekregen. De rest van de avond had ik het gevoel dat ik agent Grace te pakken had gehad. Pas later kwam ik erachter dat het eerder andersom was. Hij had me geactiveerd. Kwestie van de juiste gegevens invoeren, en dan zien wat ze doet.

Het zal een uur later geweest zijn – ik lag op de bank te kijken naar een herhaling van *Gilligan's Island*, terwijl ik tevergeefs probeerde te vergeten wat er was gebeurd en wat ik vanavond had gehoord – dat ik de sleutel in het slot hoorde en Jake binnenkwam. Hij had een zwarte wollen jas aan over een grijze kasjmieren pullover met v-hals die hij van mij had gekregen en een Levi's spijkerbroek die zeker tien jaar oud moest zijn. Hij zag me op de bank liggen en kwam op me af. Ik kwam overeind, stond toen op en liep hem tegemoet, zijn armen in. Hij hield me stevig vast, zijn mond in mijn haren. Ik sjorde aan zijn jas, die hij, zijn mond op de mijne, op de grond liet glijden. Het enige wat ik diep vanbinnen voelde was vertwijfeling, de wanhopige behoefte om bij iemand te horen, om iemand goed te kennen. Ik liet me meevoeren naar de slaapkamer, liet hem mijn trui over mijn hoofd trekken en keek toe hoe hij ook de zijne uittrok. Ik vlijde mijn gezicht tegen zijn borst en voelde de zijdeachtige hardheid van zijn buikspieren en borstkas.

'Gaat het wel met je?' vroeg hij, terwijl hij boven op me kroop, wat het bedspiraal licht deed kraken. Ik hoorde de televisie in de andere kamer, ik zag het blauwachtige, flikkerende licht. Ik voelde zijn lichaam gloeien, ik zag hoe zijn spieren zich bij elke beweging spanden en ontspanden. Ik rook de geur van zijn huid.

'Ja,' hijgde ik, terwijl ik mijn handen over zijn gezicht liet gaan. Zijn kaken voelden zacht en pasgeschoren, zijn jukbeenderen staken ietsje uit. Ik vond alles aan zijn gezicht even mooi. Als ik in zijn groene ogen keek, zag ik zijn goedheid, zijn kracht. Ik hield van hem, zo veel. Dat veranderde niets aan de redenen waarom we niet meer bij elkaar waren, het maakte alleen maar dat ik bleef terugkeren naar zijn lijf, dat mijn huid de zijne wilde voelen, steeds maar weer, in die trieste liefdesdans van ons.

Het licht dat door de deuropening binnenviel projecteerde onze schaduwen groot op de tegenoverliggende muur, en de enkele kledingstukken die onze naakte lichamen nog scheidden vonden hun weg naar de vloer. Ik liet me hard door hem nemen, ik voelde de behoefte van zijn lichaam en een nog grotere behoefte binnen in hem door me heen jagen, en ik merkte dat ik dezelfde behoefte had. Er is een songtekst die beweert dat liefde niet genoeg is (en we weten allemaal hoe waar dat is), maar op dat moment, in het opzwepende genot van onze vrijpartij, in het bevredigen van die vreselijk grote behoefte, kon ik bijna geloven dat het genoeg was, en nog wel meer.

'Ik ben in Detroit geweest,' zei ik, terwijl hij naast me lag met zijn hand op mijn buik. 'Ik heb Nick Smiley gesproken.'

Hij leek niet verrast. Niets wat ik deed leek hem ooit te verrassen. Het was alsof hij het draaiboek van mijn leven al had doorgelezen en alleen maar toekeek hoe alles zich voltrok.

'Heeft hij iets gezegd?' vroeg hij, zich met een elleboog opdrukkend. Zijn blik was op een punt ergens achter me gericht.

'Jazeker,' antwoordde ik.

'Hij is gek, wist je dat?' zei Jake na een minuutje. 'Klinisch, bedoel ik. Heeft diverse keren in een inrichting gezeten en bijna zijn hele volwassen leven lithium geslikt.'

Ik observeerde zijn gezicht; het verried niets. 'Wat wil je daarmee zeggen?'

'Daarmee wil ik zeggen dat je het uit je hoofd moet zetten,' zei hij met een zucht, en keek me eindelijk weer aan. 'Gisteravond zei je dat je verder wilde met je leven. Waarom doe je dat dan niet? Ik wil het ook proberen.'

'Maar het rapport van de lijkschouwer en de verdwijning van Myra Lyall dan...' zei ik, vol ongeloof, denkend aan al die gedetailleerde en obsessieve aantekeningen in zijn dossier.

Hij knikte. 'Die lijkschouwer verstond zijn vak niet, als je eens wist hoeveel fouten die heeft gemaakt in zijn werk... En wat Myra Lyall betreft, niemand heeft nog een verband kunnen leggen tussen haar verdwijning en de verhalen waar ze aan werkte. Haar huisbaas heeft nauwe banden met de Albanese maffia. Hij krijgt nu het viervoudige voor dat appartement als zij ervoor betaalden, en in deze tijd geldt dat zeker als motief.'

Ik zei niets, keek alleen maar naar zijn gezicht. Hij had iets gespannens, iets vermoeids, je zag het aan zijn mondhoeken, aan zijn oogleden. 'De politie trekt nu de huisbaas na,' zei hij. 'Dat haar artikelen er iets mee te maken zouden hebben, leek hen minder voor de hand liggend.'

'Dit is een zaak van de FBI,' zei ik, terwijl ik ging zitten en het laken om me heen trok. 'Daarom hebben ze mij van de straat geplukt.'

'Nou, de FBI ging zich ermee bemoeien toen de politie die link met Project Kinderhulp legde, en misschien hebben zij hun eigen motieven, willen ze nog steeds iemand ervoor laten hangen, zoals je al zei. Maar ik ken de agent die op de zaak zit, en die vertelde me dat ze hun aandacht nu op de huisbaas richten.'

'De lijkschouwer die het stoffelijk overschot van Max heeft gezien is vermoord,' zei ik. Hij keek me niet aan. Ik zag hoe zijn kaken zich spanden.

'Hij is verongelukt.'

'Zijn remkabels waren doorgesneden.'

Jake stootte een kort lachje uit. 'Niet een erg effectieve manier om iemand om te leggen. Bovendien, als remkabels maar koud genoeg zijn, kunnen ze zo netjes afbreken dat het lijkt of ze doorgesneden zijn.'

Ik reageerde niet. Ik wist niet eens of het wel waar was.

'Ik bedoel maar, op die manier laat je veel aan het toeval over,' ging hij verder. 'Je hebt geen garantie dat een auto-ongeluk dodelijk afloopt.'

Ik haalde mijn schouders op. Dit was zo'n grote draai, zo'n totaal andere houding ten opzichte van dit onderwerp dan normaal, dat het me lam sloeg, dat ik niet wist wat ik moest zeggen.

'Als je echt iemand dood wilt hebben, dan schiet je hem dood,' zei hij. 'En als je het op een ongeluk wilt laten lijken, dan gooi je hem van een gebouw of duw je hem voor de trein. Maar remkabels? Als je die doorsnijdt, lekt de remvloeistof weg, tot de remmen niet meer werken. Maar je kunt niet precies voorspellen wanneer dat moment komt. Een zeer onbetrouwbare methode.'

'Je hebt er blijkbaar goed over nagedacht.'

Hij zuchtte en ging op zijn rug liggen, met zijn handen onder zijn hoofd.

'En die artikelen uit de *London Times* en van BBC Online,' zei ik. 'Waarom zitten die in je dossier? Wat hebben die met Max te maken?'

'Niets,' zei hij. 'Weet ik het. Ik zocht op het internet naar informatie over vermiste kinderen, naar een aanknopingspunt, een mogelijk verband met Project Kinderhulp. Ik zat maar een beetje te hengelen, Ridley. Te kijken of datgene wat wij weten wellicht slechts een klein stukje van een veel grotere puzzel is.'

'En?'

'Zal ik je eens wat vertellen: dat is het niet. En zal ik je nog eens wat vertellen? Toen ik over die artikelen nadacht, zag ik de betrekkelijkheid van alles in. Alles wat me is overkomen, oké, het was erg. Maar lang niet zo erg als wat die meisjes en kinderen uit die artikelen is overkomen. Ik ben er nog. Wij zijn er nog.'

Ik schudde mijn hoofd. Ik kon mijn oren niet geloven.

'Je was gisteravond echt van streek,' zei hij tegen het plafond. 'Toen je weg was besefte ik voor het eerst hoeveel pijn ik je heb gedaan, hoe ik je gevangen heb gehouden in deze ellende. En in plaats van redenen te bedenken om te blijven graven, ben ik gaan bedenken waarom ik dat juist niet moet doen. En dat bracht me op het volgende: Max is dood, dat weet je zeker. Niemand zal voor Project Kinderhulp boeten. Heel oneerlijk, heel onterecht, maar het is niet aan mij om recht te doen geschieden. Als ik zo doorga, verpest ik de rest van mijn leven.' Hij draaide zijn gezicht naar me toe. 'En raak ik jou kwijt, als het al niet te laat is.'

Het klonk te mooi om waar te zijn, dit was precies wat ik al zo lang van Jake had willen horen. Ik kon me er bijna in weg laten glijden, ik kon wel huilen van opluchting, tegen hem aan kruipen en geloven dat het helemaal goed zou komen met ons.

Of dit een poging was om me te beschermen tegen iets wat hij had ontdekt, of een manier om ervoor te zorgen dat ik alles los kon laten, of een poging om onze relatie te lijmen, ik had geen idee. Maar ik wist honderd procent zeker dat hij loog. En ook dat hij altijd verder zou blijven zoeken, tot er volgens hem recht werd gedaan, of tot het hem het leven zou kosten. Misschien was dat hem wel om het even.

'Is het te laat?' vroeg hij, terwijl hij overeind ging zitten en me naar zich toe trok. 'Ben ik je kwijt?'

Ik sloeg mijn armen om hem heen en liet me stevig vasthouden. 'Ik weet het niet, Jake. Ik weet het echt niet.' Ik was net zo goed een leugenaar. We waren verliefde leugenaars.

Toen ik de volgende ochtend wakker werd, was Jake al vertrokken. Er lag een briefje op zijn kussen: *Ik moest weg. Ik houd echt van je, Ridley. We spreken elkaar snel.* Iets aan dat bericht en aan zijn hanenpoten op het papiertje dat hij van mijn bureau had gepakt gaf me een onbehaaglijk gevoel. Ik rolde me tot een balletje op.

Toen ik later de keuken in liep, verbaasde het me niet dat zijn dossier weg was.

7

Je hebt waarschijnlijk wel opgemerkt dat ik geen vrienden heb. Dat is niet altijd zo geweest. Op de middelbare school had ik een grote vriendenkring. Op de universiteit kende ik een hoop mensen, ik kon goed opschieten met mijn huisgenoten en had een paar vriendjes. Ik had ook een stel hartsvriendinnen – je weet wel, van het soort met wie je hele nachten doorkletst, bakken ijs verslindt en tarotkaarten legt. Maar ik vraag me af of ik me net zoveel blootgaf als zij. Ik was niet onzeker wat jongens betreft. Eerlijk gezegd denk ik dat ik meer hartzeer heb veroorzaakt dan zelf heb ondervonden. En ik had toen ook geen verdriet over mijn familie, behalve over Ace, en dat was een geheim dat ik zorgvuldig bewaarde. Misschien was ik te gereserveerd, heb ik me niet echt gegeven. Misschien is dat de reden dat al die vriendschappen in de loop der jaren zijn verwaterd.

Ik heb wel contact gehouden met een paar mensen die ik na de universiteit heb leren kennen, toen we ons losbandige academische leventje verruilden voor het werkend bestaan. Met Julia, bijvoorbeeld, een grofgebekte grafisch ontwerpster, die zich toelegde op de oosterse vechtsport; met Will, mijn gitaar spelende vriend en ooit mijn minnaar; en met Amy, een opgewekte, zonnige meid, die in de uitgeverswereld zat. Maar deze contacten begonnen een voor een weg te vallen. Julia en ik waren altijd in een soort competitie verwikkeld die we geen van beiden konden winnen. Will wilde altijd meer van me dan ik wenste te geven. En Amy kreeg een relatie met een dominante Italiaan en kwam gewoon niet meer opdagen.

Er waren ook nog andere redenen waarom ik geen vriendschappen leek te kunnen onderhouden. Natuurlijk kostte Ace me altijd veel energie. Verder had ik een ongewoon nauwe band met mijn vader, waardoor ik verder geen vertrouweling nodig had. En tijdens mijn jaren met Zack, die niet erg sociaal was, bleven we veel thuis. Toen kwam die toestand rond Project Kinderhulp, en daarna kwam Jake. Begrijp me niet verkeerd, ik heb genoeg kennissen, collega's. Ik word vaak uitgenodigd voor feestjes – beroepshalve, welteverstaan. Maar echte vrienden, vrienden bij wie je je hart kunt uitstorten? Ik denk dat ik die niet heb, ik heb alleen Jake en mijn vader en mijn relatie met die twee staat onder grote druk.

Maar misschien ligt het daar niet aan en moet ik de oorzaak niet buiten mezelf zoeken. Misschien ligt het aan mezelf, de schrijver die zich altijd enigszins afzijdig houdt en observeert. Toeschietelijk genoeg om erbij te horen, terughoudend genoeg om echt te *zien*. Misschien merken ze dat wel, voelen ze de afstand die ik onbewust bewaar. Ik weet het niet. Wat de reden ook moge zijn, ik voel mezelf de laatste tijd behoorlijk alleen.

Ik overdacht dit, omdat ik wilde weten waarom ik deed wat ik vervolgens deed. Volgens mij omdat ik nergens anders heen kon, omdat er niemand was met wie ik erover kon praten, niemand die me mijn volgende actie kon ontraden.

Het was koud op de veranda. Ik zwaaide heen en weer op de schommel die aan de overkapping hing en keek naar de kinderen die op straat aan het voetballen waren. Ze hadden allemaal een blos op de wangen en ze schreeuwden hard; het waren voornamelijk jongens, met een paar stoer doenerige meisjes. Het ging er behoorlijk ruw aan toe, er werd geduwd, er waren een paar valpartijen op het beton, af en toe zag ik wat tranen, maar het bleef binnen de perken. Ik kan me die straatspelletjes wel herinneren van toen ik nog klein was. Het had wel iets, die combinatie van opwinding en lichamelijke inspanning, het gaf je een soort geladenheid die je als volwassene niet vaak voelt. Nu gaat alles wat positief voelt gepaard met iets negatiefs, dat er toch een domper op zet.

Ik ademde wolkjes uit en mijn voeten waren gevoelloos. Ik had al een paar uur gewacht en was bereid nog langer te wachten als dat nodig was. Toen de zon onder begon te gaan, zag ik haar op de hoek uit de bus stappen en mijn kant op lopen. Ze zag er magertjes en kromgegroeid uit in haar eenvoudige wollen jas en blauwe wollen muts. Ze droeg zakken met boodschappen en ze naderde haar huis met haar blik op het trottoir gericht. Bij het hek hield ze halt en keek op. Ze schudde het hoofd.

'Ik kan niet met je praten,' zei ze. 'Dat weet je toch.'

'Het onderzoek is voorbij. Je mag praten, als je dat wilt.'

Ze zette de zakken neer, deed het hek open en liep het pad op. Ik stond niet op om haar te helpen. Die tijd was voorbij.

'Oké,' zei ze. 'Dan wil ik het niet. Ik heb je niets te zeggen, kleine meid.'

Met een afgetobd en bleek gezicht deed ze de deur open. De donkere kringen onder haar ogen waren voor mij een aanwijzing dat ze 's nachts niet goed sliep en ergens vanbinnen voelde ik dat als een kille, duistere overwinning. Ik stond niet op toen ze de deur openmaakte en haar boodschappen naar binnen sleepte. Ze deed de deur weer dicht, ik hoorde hem in het slot vallen. Ik liep ernaartoe en tuurde door het raam.

'Ik weet dat hij nog leeft,' deelde ik haar met luide stem mee. Natuurlijk wist ik dat niet. Ik was er eigenlijk van overtuigd dat hij dood was. Maar ik wilde zien hoe ze zou reageren.

Ze bracht haar gezicht vlak bij het raam. Ik verwachtte angst te zullen zien, maar in plaats daarvan zag ik een soort mengeling van boosheid en medelijden.

'Ben je niet goed bij je hoofd?' vroeg ze me.

'Jij hebt die nacht het lichaam geïdentificeerd,' zei ik. 'Waarom heeft mijn vader dat niet gedaan?'

'Omdat hij dat niet aankon, Ridley. Wat denk je wel? Hij kon het niet aan. Het gezicht van zijn beste vriend was onherkenbaar verminkt, zijn dode lichaam lag op een brancard. Hij heeft me gebeld. Ik ben erheen gegaan en heb hem dat bespaard.'

'Waarom jij? Waarom mijn moeder niet?'

'Hoe moet ik dat verdomme weten?' snauwde ze. Haar ogen hadden een wilde blik.

'Weet je zeker dat hij het was? Of heb je daar ook over gelogen?'

Ze sloot haar ogen en schudde het hoofd. 'Je zou eens moeten overwegen professionele hulp te zoeken,' zei ze nors.

Ik haalde diep adem. Ik probeerde de persoon te zien van wie ik gehouden had, maar die was weg, nog verder weg dan wanneer ze dood zou zijn.

'Waar ben je bang voor, Esme?' vroeg ik uiteindelijk. Tot mijn verbazing hoorde ik een droeve ondertoon in mijn stem.

Ze werd bleek. Ik denk meer van woede dan van iets anders. En van haat. Ze haatte me, ik zag het, ik voelde de golven haat van haar af slaan. 'Ik ben bang voor *jou*, Ridley,' zei ze uiteindelijk. 'Je hebt ons allemaal kapotgemaakt en nog steeds loop je rond met die slopershamer. Je zou je moeten schamen voor wat je hebt gedaan.'

Ik moest lachen, zodat de ruit tussen ons in besloeg. Zelfs in mijn oren klonk het hard en onaangenaam. Ik wist dat ze geloofde dat alles wat er was gebeurd mijn schuld was. Ik wist dat mijn ouders dat ook wel een beetje zo voelden. Het was verbazingwekkend dat dit iets was geworden wat ik hén had aangedaan. Het was een verbijsterend blijk van narcisme, hetzelfde narcisme, denk ik, dat hen in staat had gesteld op die manier in te grijpen in het leven van de Projectkinderen en van mij. Ze moesten volkomen overtuigd zijn geweest van hun eigen goedheid. Een gedachte waar ik soms onpasselijk van werd, dus duwde ik hem weg. Ik denk dat dat ook de enige reden was waarom Jake niet geloofde in de beweerde onschuld van mijn vader, waarom hij hem niet kon vergeven.

Er was een tijd dat het me pijn gedaan zou hebben te weten dat Esme me haatte. Nu maakte het me alleen maar kwaad.

'Ik blijf met die hamer zwaaien tot ik alle antwoorden heb,' zei ik met een glimlach.

'Dat moet je vooral doen, dan loopt het met jou net zo af als met die verslaggeefster van The New York Times,' zei ze, zo venijnig dat ik achteruitweek. Het was alsof er iets in me knapte.

'Wát?' vroeg ik. 'Wát zei je daar? Bedoel je Myra Lyall?'

Ze wierp me een vuile blik toe en ik zweer dat ik haar mondhoeken zag opkrullen in een ziekelijk glimlachje. Ze schoof het gordijn voor mijn neus dicht, waarna ik haar door de gang hoorde weglopen. Door de gaasachtige stof zag ik haar gestalte door een verlichte deuropening verdwijnen. Ik riep haar een paar keer, bonsde op de deur, maar ze reageerde niet. Ik merkte dat het voetbal op straat was onderbroken. Sommige kinderen stonden me aan te staren, andere hielden het voor gezien.

Uiteindelijk gaf ik het op en liep terug naar het station. Mijn hart bonkte en mijn hoofd tolde. Ik was zo geschokt door wat ze had gezegd, dat ik er niet eens vragen bij stelde. Ik was misselijk van angst en had het akelige gevoel dat ik zomaar van het randje van mijn leven kon vallen... voor de tweede keer. Iedereen om me heen leek vol boosaardigheid; de lucht was grijs geworden en het dreigde te gaan sneeuwen.

Mijn ouders woonden maar één halte van Esme vandaan, dus daar ging ik heen. Ik wist dat ze niet thuis waren, want ze waren vorige week vertrokken voor een cruise van een maand in de Middellandse Zee. Mijn vader was half gedwongen vroegtijdig met pensioen te gaan, dus nu konden ze 'eindelijk de reizen maken die we altijd al hebben willen maken,' zoals mijn moeder gemaakt blijmoedig zei. Ik vond het leuk voor ze (maar niet heus), maar er was ook iets wat me stak. Ik voelde me kapot vanbinnen en zij leken zo zorgeloos vooruit te blikken. Ergens deed het me pijn dat zij de draad van hun leven weer op konden pakken, terwijl ik dat niet kon. Ik weet dat het kinderachtig is.

Vanaf het station liep ik door het popperige centrum, een plaatje uit een prentenboek, met winkeltjes en van die oude, houten Amerikaanse eettentjes, een *general store* waar ze ijs verkochten en waar de originele gaslantaarns nog steeds in gebruik waren. Ik volgde de straat die de heuvel op slingerde, langs prachtig gerestaureerde victoriaanse huizen, met keurig gemaaide gazons eromheen. Ieder seizoen had hier zijn eigen karakter, het was hier altijd lieflijk. Maar vandaag wat minder, nu de meeste bomen hun herfstkleur hadden afgeschud en het nog te licht was voor de straatverlichting, maar donker genoeg voor sombere gedachten. Ik vond er tegenwoordig weinig troost in om naar huis te gaan, en vandaag al helemaal niet.

Ik ging door de voordeur naar binnen en liep meteen door naar de werkkamer van mijn vader. Ik stond in de deuropening, met mijn hand op de gebogen klink. Voor Ace en mij was deze kamer vroeger verboden terrein, tenzij er een volwassene bij was, dus hij had altijd grote aantrekkingskracht op me uitgeoefend. Ik had altijd zitten vissen naar een uitnodiging om binnen te komen, alsof het zou betekenen dat ik volwassen was geworden als ik bij mijn vader in zijn kamer mocht zijn. Maar die uitnodiging was nooit gekomen.

Ik ging nooit stiekem naar binnen, zoals Ace deed, ik zag er het nut niet van in. Maar Ace wilde altijd ergens zijn waar hij niet mocht komen. Hij zat achter het bureau van mijn vader op de avond dat Max en Ben spraken over Project Kinderhulp en over de nacht dat Max mij naar Ben en Grace had gebracht. Maar daar heb ik heel lang niets van geweten.

Toen ik wat ouder was, beschouwde ik deze kamer als het toevluchtsoord van mijn vader, als een plek waar hij alleen kon zijn, weg van de aandacht die zijn kinderen opeisten, weg van de kritiek van zijn vrouw, een plek waar hij bij het openstaande raam een sigaar kon roken en in alle rust een glas bourbon kon drinken. Nu was de kamer niet meer dan een symbool van alle geheimen die ze voor me hadden gehad, voor alle leugens die me waren verteld.

Toen ik erbinnen ging, was het hele huis zo stil dat het zijn adem leek in te houden. De kamer was rommelig en stoffig, het was de enige plek waar mijn moeder haar nietsontziende schoonmaakwoede niet botvierde. Het rook er een beetje muf. De bank en bijpassende stoel en de sofa waren nog steeds bekleed met hetzelfde groene fluweel dat er al vanaf mijn jeugd op zat. Een lage, zware salontafel van donker hout was bezaaid met boeken en tijdschriften. In de open haard lagen houtblokken en aanmaakhoutjes, klaar om aangestoken te worden.

Mijn vader ging altijd helemaal op in het vuur, zijn ogen kregen een afwezige blik als hij in de vlammen staarde. Als kind vroeg ik me altijd af waaraan hij dacht, daar in zijn eentje. Nu vroeg ik me af of hij had zitten denken aan de nacht dat Max me hierheen bracht en hen vroeg mij als hun eigen kind groot te brengen, of aan de andere baby's van Project Kinderhulp en wat er van hen was geworden, of aan de nacht waarin de moeder van Max was gestorven. Had hij geweten van wat er die nacht volgens Nick Smiley was gebeurd? Vroeg hij zich bezorgd af of Max een andere kant had? Als hij het had geweten, waarom waren ze dan dikke vrienden gebleven?

Alle warme gevoelens die ik voor deze verboden ruimte had gekoesterd waren verdwenen. Ik wilde er nu alleen maar als een bezetene tekeergaan, laden openrukken, boeken van de planken trekken. Ik wilde alles vinden wat deze kamer te verbergen had. Ik dacht vol afschuw aan alle geheimen die de kamer herbergde, waaronder de laatste ogenblikken uit het leven van Max. Wat hadden die twee mannen die avond met elkaar besproken toen de deur voor mijn neus werd dichtgedaan?

Je denkt nu waarschijnlijk dat ik de toestand met Max aan het ontkennen ben, zoals gewoonlijk. Je denkt aan de foto's, de tegenstrijdigheden in het rapport van de lijkschouwer, het bizarre gedrag van Esme en haar dreigementen. Jij bent er waarschijnlijk al van overtuigd dat Max nog leefde. Maar het was hoe dan ook een feit dat Max, *mijn* Max, dood was. Er zou geen verrijzenis plaatsvinden. De man die ik had aanbeden was voorgoed uit mijn leven verdwenen.

Als zou blijken dat Max Smiley door een of ander bizar toeval of boze opzet nog in leven was, dat zou hij voor mij een vreemde zijn – of nog erger. De man die ik had gedacht te kennen was een fantasiebeeld, een archetype, de Goede Oom. De echte man bleef een mysterie – een angstaanjagend mysterie en ik wist niet zeker of ik dat mysterie wilde ontrafelen. Maar als hij nog in leven was, dan zou ik hem vinden en hem recht in de ogen kijken. Ik zou van hem eisen zich bloot te geven, van hem willen weten wat er was gebeurd in de nacht van mijn ontvoering en de moord op mijn biologische moeder. Ik zou van hem willen weten wat er met Jake was gebeurd. Ik zou hem dwingen verantwoording af te leggen voor Project Kinderhulp. Ik zou hem dwingen verantwoording af te leggen voor elk greintje woede en hartzeer dat hij had veroorzaakt. Klinkt dat onredelijk? Je moest eens weten.

Ik ging achter mijn vaders computer zitten en startte hem op. Het was een prehistorisch geval dat er een eeuwigheid over deed. In de tussentijd zocht ik wat laden door en vond een paar pennen, verdroogde elastiekjes en paperclips, een stapel mappen met fascinerende zaken als rekeningen voor water, licht en telefoon, de eigendomsakte van een stuk grond in New Mexico, waar mijn ouders nooit iets mee gedaan hadden, hun trouwboekje en nog meer van dat soort officiële documenten. Uiteindelijk lichtte het scherm op en vroeg om een wachtwoord. Daar hoefde ik niet lang over na te denken. Ik tikte *poppedein* in, zijn koosnaampje voor mij. Mijn voortreffelijke deductieve vermogens werden beloond met een elektronisch muziekje.

'Waar zoek je naar?' vroeg ik mezelf hardop af.

Mijn vader was onlangs nog doorgelicht door de FBI. Als er iets verdachts op zijn computer had gestaan, was het gewist of zou het gevonden zijn. Hoogstwaarschijnlijk. Zonder enige schaamte begon ik in de Wordbestanden te zoeken; ik liep de mappen 'Huishouding', 'Lezingen' en zijn correspondentie door. Mijn vader was niet echt handig met de computer, dus er waren niet veel documenten. Het kostte me slechts een minuut of twintig om alles door te kijken en ik vond alleen maar onbenullige dingen, zoals een brief aan een schilder die wel zijn geld had geïnd maar het werk in de keuken niet had afgemaakt, een lezing over hoe artsen de signalen van kindermishandeling kunnen herkennen (ik vraag me af of hem nu nog gevraagd zou worden die lezing te geven), een lijst met organisatorische zaken in en rond het huis.

Daarna doorzocht ik zijn e-mail. Meteen toen ik Outlook opende, gutste de gebruikelijke modderstroom aan spam binnen. Hét middel tegen erectieproblemen, geile blote meiden en de hoofdprijs in een internationale loterij vochten om mijn aandacht. Ik keek in Verzonden items, Postvak IN, Verwijderde items en in zijn Prullenbak. Alles was leeg, gewist, er was geen enkele mail bewaard. Dat vond ik vreemd. Ik dacht aan mijn eigen e-mailmappen. Ik moest van mezelf bijna alles wat ik verstuurde en binnenkreeg bewaren, geordend op naam en onderwerp. Eigenaardig dat hij niets had bewaard, hij was een nog grotere hamsteraar dan ik. Misschien dat het onderzoek hem schichtig had gemaakt.

Ik begon het gevoel te krijgen dat ik mijn tijd aan het verdoen was, toen ik me ineens iets herinnerde wat Jake me had geleerd. Je computer onthoudt iedere website die je hebt bezocht. De websites die je bezoekt sturen een klein berichtje, *cookie* genaamd, naar je computer en je computer bewaart dat cookie om zichzelf bekend te maken zodra je die website opnieuw bezoekt. En er is ook nog een lijst op je computer die laat zien welke websites je, afhankelijk van de instelling van je computer, de laatste weken of dagen hebt bezocht.

Ik opende het cookies-bestand en zag dat er een stel waren van amazon.com en Home Depot, en een paar van websites over investeringen en van nieuwswebsites. Niets ongewoons of interessants. Ik ging naar de lijst van bezochte sites en daar was op het eerste gezicht ook niets bijzonders te zien. Toen kwam ik een site tegen met een vreemd adres, een reeks ogenschijnlijk willekeurige getallen, letters en symbolen. Ik liep de lijst door en zag dat hij deze site de afgelopen anderhalve week tien keer had bezocht. De lijst was zo ingesteld dat alles ouder dan twee weken werd gewist, dus van voor die tijd kon ik niets achterhalen. Maar je kon rustig aannemen dat hij de site bijna dagelijks had bezocht.

Ik kopieerde het adres, en plakte het in de webbrowser en wachtte tot de site tevoorschijn zou komen. Toen dat gebeurde, bleek het een lege pagina te zijn die het scherm helderrood deed oplichten, zo fel dat het pijn deed aan mijn ogen. Ik wachtte tot er een intro of inlogpagina zou verschijnen. Niets. Alleen dat felrode scherm zonder plaatjes of tekst. Het had iets verontrustends. Het was de kleur van gevaar.

Ik sleepte de cursor over het scherm en dubbelklikte een paar keer, maar er gebeurde niets. Na een poosje naar dat rode vlak te hebben gestaard, kreeg ik het benauwd van frustratie. Ik wist dat ik naar iets belangrijks zat te kijken, maar ik kon er niet achter komen wat het was. Mijn ongeduld sloeg om in een kinderlijke boosheid en ik moest een allesoverheersende opwelling onderdrukken om mijn vuist niet door het scherm te rammen. Ik greep me vast aan de rand van het bureau tot mijn driftaanval voorbij was. Er ontsnapte me een diepe zucht; ik had niet eens doorgehad dat ik mijn adem al die tijd had ingehouden. De geheim-zinnige URL schreef ik op een stukje papier dat ik in mijn zak stak. Ik wiste alle junkmail die gedurende mijn bezoek was gedownload en zette de computer uit. (Ik had de neiging om uit de keuken een vochtig doekje te gaan halen en het bureau, het toetsenbord en alles wat ik had aange-raakt schoon te vegen – echt weer iets voor mij.)

Ik maakte nog even snel een ronde door het huis, door de lege kamers van mijn kindertijd. De woonkamer waar we met zijn allen tv hadden ge-keken en spelletjes hadden gedaan was nog hetzelfde, hoewel er sinds kort nieuwe meubels stonden en mijn ouders de oude tv hadden vervan-gen door een nieuwe breedbeeld-tv. De ouderlijke slaapkamer op de be-nedenverdieping keek uit over de tuin van mijn moeder. In het voorjaar zette ze de openslaande deuren open en werd de kamer gevuld met de geur van rozen. Ik kan me herinneren hoe ze zich aan haar kaptafel zat op te maken en haar haren te doen en dat ik haar dan de mooiste vrouw van de hele wereld vond. De kamer, ingericht in een soort Martha Stewart/ victoriaanse stijl met zware geweven stoffen en bloemmotieven, was ui-teraard opgeruimd, de boeken netjes opgestapeld op de beide nachtkast-jes. Boven ging ik even op mijn oude bed zitten en bekeek ik mijn inge-lijste diploma's, de prijzen die ik in debatwedstrijden had gewonnen en het eerste artikel dat ik in de schoolkrant had gepubliceerd. Mijn bed was nog steeds opgemaakt met mijn oude Laura Ashley-lakens. De kamer die ooit het gelukkigste en veiligste plekje op aarde had geleken, was nu koud en donker; de verwarming stond uit en ik trok mijn jas strak om me heen. De klauwen der wanhoop kregen me alweer in hun greep, maar ik schudde ze af en liep haastig de kamer uit en de trap af. Ik verliet het huis van mijn ouders, sloot het af en ging terug naar de stad.

Ik ben uitstekend in staat mijn gevoelens in hokjes te plaatsen. Sommige mensen noemen dat ontkenning, maar ik vind het een vaardigheid om onprettige gedachten een poosje uit je hoofd te bannen om iets anders te kunnen afmaken. Een paar uur lang dacht ik niet aan agent Grace of My-ra Lyall of aan mijn toch wel schokkende ontmoeting met Esme Gray. Ik dacht niet aan Max en aan de vraag of de as die ik van Brooklyn Bridge had uitgestrooid werkelijk van hem was geweest. Ik schreef mijn artikel over Elena Jansen, las het zorgvuldig na en e-mailde het naar mijn redac-teur bij O Magazine. Ik had het grootste deel al in mijn hoofd – het was alleen nog maar een kwestie van opschrijven. Het daadwerkelijke schrijven is voor mij slechts tien procent van het proces, negentig procent bestaat uit nadenken over het onderwerp. Veel daarvan gebeurt onbewust. Volgens mij doe je alles op die manier.

Toen ik het artikel af had, voelde ik me beter. Door de tragedie van Elena Jansen leek het drama in mijn leven dwaas en onbelangrijk... tenminste, voor even. Misschien schreef ik daarom dat soort stukken wel, was dat de reden waarom ik me aangetrokken voelde tot mensen met een overlevingsdrang. Ze wezen mij erop dat mijn eigen verhaal zo erg nog niet was. Dat andere mensen ergere situaties hadden overleefd. Ze gaven me het gevoel dat ik ooit mijn weg naar een normaal, gelukkig bestaan zou terugvinden. Is dat egoïstisch?

Maar ja, zodra ik het artikel had verzonden, begonnen al die andere dingen zich weer aan me op te dringen. Ik haalde het adres van de vreemde website uit mijn zak en tikte hem in mijn eigen browser in. Hetzelfde rode scherm verscheen en even bleef ik geboeid naar het rode vlak staren. Daarna sleepte ik de cursor over de hele pagina, op willekeurige plaatsen klikkend, zoals ik ook op de pc van mijn vader had gedaan. Niets. Ik werd er een beetje gek van. Ik wist dat er íéts moest zijn; als de website niet beschikbaar was, zou er een foutmelding verschijnen. Mijn vader had deze site elke dag bezocht. Er moest een ingang zijn.

Toen ging de telefoon.

'Hallo,' zei Jake toen ik opnam. 'Wat ben je aan het doen?'

'Ik zit aan een artikel te werken dat ik morgen moet inleveren.'

'Wil je dat ik langskom?'

'Vanavond niet. Ik ben behoorlijk afgepeigerd. En ik moet de deadline halen.'

'Is er iets?' vroeg hij na een ogenblik stilte.

'Nee,' jokte ik. 'Niets.'

'Hoe voel je je over alles? Over Max en zo?'

'Om je de waarheid te zeggen, heb ik er vandaag niet eens aan gedacht.'

De lange stilte aan de andere kant van de lijn gaf aan dat hij me niet geloofde. 'Oké,' zei hij ten slotte. 'Morgenochtend dan maar?'

'Zeker weten.'

'Nou, welterusten dan, Ridley.'

'Welterusten, Jake.'

8

Na een beroerde nacht stond ik 's morgens op en voerde een paar telefoongesprekken. De woorden van Esme en alles wat agent Grace me over Myra en Allen Lyall had verteld smeulden nog na in mijn binnenste. Ik had de avond tevoren op de terugreis naar de stad nog een aanplakbiljet met hun gezichten erop gezien. Op het ochtendnieuws werd actuele informatie over het onderzoek gegeven, wat eigenlijk neerkwam op een neerslachtig kijkende rechercheur die zei dat er geen nieuwe aanwijzingen waren en vroeg of iedereen die iets had gezien contact wilde opnemen met de politie.

Ik voelde nu een band met Myra Lyall. Had ik haar telefoontjes maar beantwoord toen ik de kans had. En er was nog iets. Ik vroeg me af of ze iets had ontdekt – iets over Project Kinderhulp of over Max – waarvoor ze was vermoord. Dat jeukte. En natuurlijk moest ik krabben.

Ik kende een paar mensen bij de *Times*: een kunstredactrice die Jenna Rich heette en een sportjournalist met wie ik een poosje was uitgegaan, ene Dennis Bluff (geen gelukkige naam, ik weet het). Ik kon geen van tweeën bereiken, dus liet ik een berichtje achter. Nog een paar keer probeerde ik de geheimzinnige website, met hetzelfde resultaat als gisteravond, en dook onder de douche. Ik was bijna klaar met aankleden, toen de telefoon ging.

'Hé, met Jenna,' zei een jeugdige stem toen ik opnam. 'Dat is lang geleden. Hoe gaat het?'

'Hallo. Fijn dat je terugbelt,' zei ik. 'Ik mag niet klagen. En jij?'

Jenna praatte graag, daarom had ik haar gebeld. Ze was een alom erkende geruchtenmolen. Ze vertelde me dat ze vorig jaar was getrouwd, promotie had gemaakt en zwanger was van haar eerste kind. Ik wist dat we ongeveer even oud waren, maar hoewel ik het haar gunde, voelde het alsof ik een beetje achterliep, alsof zij alle horden met souplesse en gemak aan het nemen was, terwijl ik nog bij de start stond te treuzelen. Ze kletste maar door, en even vroeg ik me af hoe dit gesprek gelopen zou zijn als ik ja had gezegd toen Zack me twee jaar geleden ten huwelijk vroeg. Misschien had ik dit gesprek dan helemaal niet gevoerd. Zou ik zwanger geweest zijn? Zou ik een van de vele vaste redactiebanen hebben gehad die me in de loop der jaren waren aangeboden? Zou ik gelukkig zijn geweest zonder van mijn verleden te weten, getrouwd met een man van wie ik nooit zou houden maar die min of meer gelijkgestemd was? Ik dacht er niet te lang over na, dat had weinig zin. We maken keuzes. We ploeteren voort. Of we trekken ons terug en wentelen ons in spijt. Beide alternatieven hadden hun eigen aantrekkingskracht. Maar nu wilde ik voort.

'Waarom had je gebeld?' vroeg ze, na het uitwisselen van de laatste nieuwtjes. 'Heb je een idee voor me?'

'Niet echt,' zei ik. 'Ik vroeg me af of je iets van Myra Lyall weet. Ze heeft me enkele weken geleden een paar keer gebeld. Ik denk dat het iets met Project Kinderhulp te maken heeft. Ik dacht erover haar terug te bellen, maar wilde eerst weten of jij haar kent.'

Het bleef even stil aan de andere kant van de lijn. 'Heb je het niet gehoord?'

Ik hield me van den domme. 'Wat?' vroeg ik belangstellend en nieuwsgierig.

'God,' zei ze met een zucht. 'Zij en haar man zijn een paar weken geleden verdwenen. Iemand heeft zich toegang verschaft tot onze servers – waarvan wordt beweerd dat het haast onmogelijk is – en heeft haar harde schijf en al haar e-mail gewist. We zijn ons kapot geschrokken hier. Het is verschrikkelijk, Ridley.'

'Néé,' zei ik in een poging geschrokken te klinken. 'Wat afschuwelijk. Wat zegt de politie ervan? Heeft iemand enig idee wat er is gebeurd?'

'Er doen allerlei theorieën de ronde,' zei ze, fluisterend nu. 'Een ervan heeft met haar huisbaas te maken. Haar man en zij hadden knallende ruzie met hem. Ze woonden al sinds de jaren zeventig in een appartement waarvan de huur niet verhoogd mocht worden. Het pand was onlangs verkocht en de nieuwe eigenaar wilde hen eruit hebben, zodat hij hun woning tegen de huidige marktprijs kon verhuren. Plotseling kregen ze enorme overlast van muizen en kakkerlakken en er was steeds iets met de verwarming. Blijkbaar hadden ze besloten de huur aan derden in pand te geven totdat hij de boel gerepareerd had; toen sloegen de stoppen bij hem door. Het gerucht gaat dat hij banden heeft met de Albanese maffia.'

'Maar dat verklaart nog niet hoe de server van de *Times* gewist kon worden, en waarom dat is gebeurd.'

'Nee. Dat klopt,' zei ze zacht.

'Wat wordt er verder gezegd? Ik bedoel, waar werkte ze aan?'

Ik dacht dat Jenna zou dichtklappen. Ik kon haar horen ademen. Ze was een knappe vrouw met fijne, ernstige gelaatstrekken, heldergroene ogen en een roomblanke huid. Het was alweer een tijdje geleden dat ik haar had gezien, maar ik kon me voorstellen hoe ze daar zat, fronsend, met haar pen op het bureau tikkend.

'Veel mensen hier denken dat ze ergens op is gestuit. Het is maar een gerucht.'

'Iets wat met Project Kinderhulp te maken heeft?'

'Dat denk ik niet. Dat verhaal is een maand of wat geleden gepubliceerd. En het was meer een human interest-stuk, anders dan haar gebruikelijke onderzoekswerk. Ze werd er min of meer toe gedwongen door die nieuwe redacteur – je weet wel, laat het gezicht achter de misdaad zien en zo. Bovendien had het wat actuele nieuwswaarde betreft weinig te melden.'

'Dus... wat dan wel?'

'Lang geleden had ik iets met een van de computerjongens. Grant Webster. Hij gaat nogal op in zijn werk – een beetje té, als je het mij vraagt. Dat is een van de belangrijkste redenen waarom het niets werd. Naast zijn werk onderhoudt hij ook nog een website over de geschiedenis van het hacken, vol met technische informatie over complottheorieën. Hoe dan ook, volgens hem is dit geen gewoon staaltje hacken geweest. In een computer inbreken en e-mail lezen, proberen informatie over iemands creditcard te stelen, of de site een tijdje overnemen, dat gaat allemaal nog wel. Maar in het niveau terechtkomen van waaruit je gegevens van een server kunt wissen, dat is andere koek. Hij denkt dat het iemand intern is, iemand die ervoor werd betaald...' De rest van de zin bleef in de lucht hangen.

'Of?' zei ik.

'Of het was een van de federale instanties.'

Die informatie liet ik op me inwerken. 'Zoals de CIA of de FBI?'

'Juist.'

'Dus het gerucht gaat dat ze ergens op was gestuit wat ze niet mocht weten, mogelijk iets waar de federale instanties bij betrokken zijn, dus heeft iemand haar laten verdwijnen en al haar e-mail laten wissen.'

Ze hoorde niet hoe sceptisch ik klonk.

'En haar harde schijf, met daarop alles waaraan ze nu werkte plus alles waar ze in het verleden aan heeft gewerkt, hoewel dat natuurlijk al gepubliceerd is. En haar voicemail,' voegde Jenna toe. 'Maar volgens Grant is dat veel eenvoudiger dan e-mail wissen.'

'Dat is nogal een theorie,' zei ik.

'Ach, weet je, zet een stelletje reporters en computertechneuten met een paar biertjes bij elkaar en je gelooft niet wat er allemaal uit komt,' zei ze met een lachje. 'Die computerjongens geloven alleen maar in complottheorieën.'

Ze ging nog even door over Grant en hoe ze hem ervan verdacht dat hij met zijn hoofd bij programma's schrijven was geweest als ze lagen te vrijen en dat zijn idee van een leuke avond bestond uit een doos Twinkies en een 19 inch flatscreen monitor. Ze gaf me nog een keer de naam van zijn website die ik meteen noteerde: www.isanyonepayingattention.com. Ik liet haar nog wat doorkletsen, giechelde waar toepasselijk en maakte de obligate instemmende geluiden, want ik wilde niet al te gretig vissen naar informatie over Myra Lyall.

Wat onhandig bracht ik dat onderwerp weer ter sprake, maar ze leek het niet op te merken. 'Nog meer wilde theorieën over Myra?'

'Hmm... Het enige wat ik verder nog heb gehoord is dat ze een of andere anonieme tip had gekregen, die ze een paar dagen voor ze verdween aan het natrekken was.'

'Wat voor tip?'

'Geen idee. Volgens haar assistente kreeg ze een e-mail – of was het een telefoontje? – waardoor ze als een speer het kantoor verliet. Meer is er niet bekend, volgens mij. Al haar e-mail, zelfs haar aantekeningen...'

'Zijn weg,' maakte ik de zin voor haar af.

We waren allebei even stil en op de achtergrond hoorde ik haar andere telefoon rinkelen en haar vingers staccato over een toetsenbord gaan.

'Zeg, wil je dat ik je op de hoogte houd?' zei ze. 'Als ik nog iets hoor?'

'Dat zou fantastisch zijn, Jenna. Kun je me ook zeggen hoe ik Grant kan bereiken? Ik ben bezig met een artikel over computercriminaliteit. Ik zou hem graag een paar vragen stellen.'

Ze aarzelde even. 'Natuurlijk,' zei ze. 'Dat klinkt niet als een onderwerp voor jou.'

'Ik ben mijn werkterrein aan het uitbreiden. Ik probeer te vermijden dat ik al te eenzijdig word, snap je?'

Ze gaf me de informatie. Voor ze ophing, zei ze: 'Niets zeggen over wat ik je over hem heb verteld, oké?'

'Geen haar op mijn hoofd,' verzekerde ik haar.

Ik hing op en dacht na over ons gesprek, terwijl ik mezelf nog een kop koffie inschonk en naar het raam liep. Toen ging ik weer achter mijn computer zitten en surfte ik naar de website van Grant. Hij flitste op, met vette witte letters op een zwart scherm: *Letten jullie wel op?* Er volgde een nieuw scherm: *De federale regering naait ons.* Een derde scherm: *En wij kijken naar realitysoaps, eten pizza en laten het gewoon gebeuren. Word wakker!* Het scherm begon te flikkeren. *Het is tijd voor een revolutie.* De intro eindigde en de homepage verscheen. Nogal veel rood en zwart en opgemaakt als een krantenpagina. De belangrijkste kop luidde: **WAAR IS MYRA LYALL???**

Het artikel begon met alle bekende details over de verdwijning van Myra en Allen Lyall, dingen die me al waren verteld of die ik had gelezen in het dossier van Jake. Het ging verder:

De politie van New York en de media willen je laten geloven dat de Albanese huisbaas van de Lyalls verantwoordelijk is voor hun verdwijning, dat de Albanese maffia hen heeft geliquideerd omdat de huur van hun appartement niet kon worden verhoogd. Is dat niet typisch Amerikaans? Schuif alle problemen af op de derde wereld. Het blijft een feit dat maar erg weinig mensen over de middelen en de techniek beschikken om in te breken in de servers van de The New York Times *en alle gegevens te wissen. Haar voicemail? Oké, een makkie. Inloggen en wachtwoord geven en je bent binnen. Maar je toegang verschaffen tot haar e-mail en haar database, niet alleen op haar harde schijf, maar ook de back-up op de servers? Praktisch onmogelijk. Behalve als je van de* CIA *of de* FBI *of een andere duistere overheidsinstantie bent.*

Sommigen van ons denken dat Myra op iets is gestuit wat ze niet mocht weten. Feit is dat het laatste stuk dat ze heeft gepubliceerd over Project Kinderhulp ging (over de ultieme doofpotaffaire gesproken: is daar ooit iemand voor vervolgd? Honderden, misschien wel duizenden kansarme kinderen ontvoerd van hun thuis en VERKOCHT *aan rijke stellen. En er zit zelfs niemand in de gevangenis!!! Vindt dan niemand dat je hier genaaid wordt?*)

Hier schrok ik even, want ik was bang dat hij mijn vader of Max zou noemen, maar dat was niet zo. Het was raar om iemand op die manier over Project Kinderhulp te horen praten. Ik had er nooit over gedacht als een complot en een doofpotaffaire, maar ik begreep wat hij bedoelde.

Feit is dat Myra een telefoontje kreeg op de vrijdag voordat ze verdween en dat ze het kantoor in allerijl verliet. Haar assistente beschreef haar als 'opgewonden en een tikje nerveus'. En dat was de laatste keer dat iemand bij de Times *haar heeft gezien.*

Als Myra een back-up van haar aantekeningen op een schijfje had gemaakt en dat ergens had weggeborgen (wat ik iedereen ALTIJD *aanraad als je aan iets gevoeligs werkt) dan hadden we meer aanwijzingen gehad. Iedereen die inlichtingen heeft over Myra of die ideeën en theorieën heeft, verzoek ik met mij contact op te nemen. Ik wil helpen. Maar let in hemelsnaam op tegen wie je praat, wat je zegt en hoe je het zegt. Uit veiligheidsoverwegingen kun je me beter op het onderstaande nummer bellen om ergens met me af te spreken.*

Ik keek de overige pagina's door en vond artikelen over het griepvaccin, over het Golfoorlogsyndroom en verarmd uranium, over het gevaar van cookies, SARS, reality-tv, en er was een eregalerij van hackers (met alleen hun schuilnamen, natuurlijk). Volgens Grant kon bijna alles wat in de verste verte verontrustend is in de wereld herleid worden tot het 'rijk van het kwaad', de regering van de Verenigde Staten. Hij schreef meeslepend en tegen de tijd dat ik zijn site helemaal had bekeken, was ik het aardig met hem eens.

Ik stond op en liep naar het raam om na te denken. Iets zat me dwars. Ik weet het, keuze genoeg. Ik ging terug naar mijn werkkamer en zocht tussen de papieren op mijn bureau tot ik een klein roze aantekenboekje vond, waarin ik mijn telefoontjes noteerde. Ik bladerde het door en vond de bladzij waar ik de naam van Myra Lyall had opgeschreven: haar nummer, de data en het tijdstip van haar telefoontjes. Jenna had me verteld dat Myra haar artikel een maand of wat geleden had gepubliceerd. Het laatste telefoontje was van tweeënhalve week terug, een paar dagen voor zij en haar man verdwenen, volgens Dylan Grace. Als ze me niet had gebeld voor het artikel over Project Kinderhulp, waarvoor dan wel?

Hoewel Max al jaren dood was, verkeerde zijn appartement nog steeds in dezelfde staat als waarin hij het had achtergelaten. Mijn vader weigerde het te verkopen, ondanks de idioot hoge maandlasten. Na de dood van Max gingen wij er beiden regelmatig naartoe, zoals sommige mensen een graf bezoeken, om iemand te herdenken, om iemands nabijheid te voelen.

Ik ging vaak naar zijn woning om zijn kleren te ruiken. Dan ging ik in zijn kleedkamer staan, een enorm vertrek, groter dan mijn slaapkamer thuis. Met de prachtige houten kasten en middenin een lage, vrijstaande kast met een granieten bovenblad en met laden voor sokken, ondergoed en sieraden, leek het eerder de chique herenmodeafdeling van Barneys dan zomaar een kleedkamer. Ik liep langs de lange rijen zijden en wollen gabardine, raakte de stof met mijn vingers aan en snoof de geur op van zijn pakken. Ik rook hem dan echt – niet alleen het luchtje van zijn eau de toilette dat nog aan zijn colbertjes hing, maar ook nog iets anders. Iets wat uniek was voor Max. Het deed me pijn en tegelijkertijd bood het me troost, de regenboog aan zijden dassen, de keurig gerangschikte dozen met schoenen, de ordelijke parade van overhemden in gedekte kleuren – wit, grijs, blauw – allemaal van honderd procent katoen, ongesteven. Van iets anders kreeg hij uitslag in zijn hals.

'Het zijn maar spullen,' zei Zack, mijn ex-vriend die me had willen vermoorden, als ik erheen ging. 'Nu hij er niet meer is, heeft het geen betekenis meer.' Hij kon niet begrijpen waarom ik op de bank in slaap viel, omringd door talloze foto's van ons gezin, en me daar veilig voelde en verbonden met een gelukkiger verleden, toen iedereen nog bij elkaar was.

Dat was natuurlijk vroeger, toen zijn verlies nog aanvoelde als een nooit meer te vullen leegte in mijn binnenste. Dat was voordat ik wist dat hij mijn vader was.

Toen ik er halverwege die morgen na mijn gesprek met Jenna naar binnen stapte, was dat niet om troost te zoeken in herinneringen. Er viel hier geen troost meer te halen. Mijn verdriet om Max was inmiddels vervlakt. Ik voelde alleen nog maar woede en ik had heel veel onbeantwoorde vragen. Ik kon het me niet meer veroorloven te treuren; ik kreeg er slappe knieën van en het ondermijnde mijn vastberadenheid. En ik had het gevoel dat ik al te lang had lopen aanmodderen. Het maakte me week.

Ik vermoedde dat elk aanknopingspunt – om erachter te komen wie Max *echt* was geweest – al lang weg was. Meer dan een jaar geleden had ik al ontdekt dat justitie al zijn papieren en agenda's (die hij als een soort dagboek gebruikte) en zijn computer hadden meegenomen. Waardevolle spullen, zoals horloges en sieraden, en andere persoonlijke zaken, waren naar mijn ouders gegaan. Dus ik wist eigenlijk niet precies waarnaar ik op zoek was. Ik begon gewoon maar laden en kasten open te maken, oude boeken door te bladeren, achter ingelijste foto's te kijken.

Maar de laden en de archiefkasten waren leeg. Er waren geen geheime opbergplaatsen in de vloer of achter foto's. Alles was precies zoals het was toen hij nog leefde, piekfijn in orde... behalve dat alles doods was. Zonder de vitaliteit van een leven dat wordt geleefd, zonder de essentiële papieren en belangrijke dossiers. Weg.

Iets wat me altijd was opgevallen, was Max' obsessieve precisie. Zijn sokkenla – ieder paar keurig opgerold, op kleur in rechte rijen geordend – deed me eraan denken hoe hij altijd alles recht zette of hing – de schilderijen aan de muur, het tafelzilver, de rangschikking van de voorwerpen op zijn bureau of dressoir. Mijn moeder werd er gek van, waarschijnlijk omdat ze even erg was. Ze leek het als een soort wedstrijd te beschouwen als hij op bezoek kwam en hij de tafel die zij had gedekt opnieuw ging indelen, door te schuiven met het tafelbloemstuk of door het bestek nog strakker in het gelid te leggen.

Natuurlijk had Max altijd mensen in dienst die hem op zijn wenken bedienden en zijn rommel achter hem opruimden, maar die mensen moesten aan zulke hoge eisen voldoen dat het verloop groot was. Secretaresses, meiden en koks kwamen en gingen, het was een komen en gaan van beleefde en afstandelijke vreemden, altijd zenuwachtig als Max in de buurt was, altijd binnen een paar weken of maanden weer vervangen. Alleen Clara, die als dienstmeid, hulpkok en soms als oppas voor mij en Ace fungeerde, bleef al die jaren in dienst en leek nooit uit het veld geslagen door Max of zijn eisen. Wat zei dit over Max? Ik wist het niet. Het kwam toevallig in me op toen ik zijn appartement doorzocht. Misschien had het geen betekenis. Misschien had niets betekenis.

Na een poosje ging ik gefrustreerd en onvoldaan op het bed van Max zitten, een gigantisch kingsize geval, opgemaakt met zware lakens van zuivere Egyptische katoen en een dik, chocoladebruin dekbed van ruwe zijde met daarbovenop hoofdkussens in bijpassende hoezen en een grote hoeveelheid sierkussens. Ik liet me in al die zachtheid achterover zakken en probeerde te bedenken wat ik daar deed, waarnaar ik zocht en wat ik van plan was te doen als ik het had gevonden.

Ik stond weer op en liep naar een open kast in een nis van de muur tegenover me, waar een grote flatscreen tv stond, nog eens een hele serie foto's (voornamelijk van mij), maar waar ook kunstnijverheidsvoorwerpen stonden die hij op zijn wereldreizen had verzameld – een olifant van jade, een grote boeddha, een paar lange giraffen van fijn, diepzwart houtsnijwerk. Mijn ogen vielen op een bekend voorwerp, een lelijke aardewerken asbak, door kinderhandjes gekleid – ik geloof dat we zoiets een knijppot noemden op de kleuterschool. Hij was geschilderd in een baaierd aan kleuren – paars, felroze, groen, oranje. In het midden had ik geschilderd VOOR MIJN LIEFE OOM MAX, en op de onderkant was mijn naam ingekrast. Ik kon me niet meer herinneren dat ik hem gemaakt had, maar ik weet wel dat hij altijd op zijn bureau in zijn werkkamer had gestaan. Ik vroeg me af hoe hij daar terecht was gekomen. Ik nam hem in mijn hand en voelde een golf van diepe droefheid. Toen ik hem weer wilde terugzetten, zag ik dat hij boven op een klein sleutelgat had gestaan. Ik zocht de planken snel af naar een lade of iets anders dat open zou gaan als er een sleutel in werd gestoken, maar het leek een sleutelgat naar niets. Ik vocht tegen de impuls om het asbakje tegen de muur te smijten.

Ik liep terug naar het bed en plofte erop neer.

Toen rook ik het. Een vleugje eau de toilette. Een mannengeur, geen zintuiglijke herinnering aan Max, maar een échte geur in de lucht, of misschien in de lakens. Mijn hart sloeg over. Ik schoot overeind en mijn ogen zochten de kamer af naar iets ongebruikelijks. Het klokje naast het bed leek plots erg hard te tikken, het geluid van de straat was een verre dreun.

Geesten gaan subtiel te werk. De borden vliegen je niet om de oren, het bloed druipt niet van de muren. Geen klaaglijk gekreun in donkere, stenen gangen. Ze werken met geuren en variaties in lichtsterkte, een vaaglijk vertrouwde figuur op een foto, de glimp van een gezicht in een menigte. Deze nuances, deze ogenblikken zijn niet minder schokkend. Ze geven je dezelfde stomp in de maag, gaan met dezelfde koude vinger langs je ruggengraat.

Ik stond met mijn neus in de lucht, totaal verstijfd en ademde zijn geur in. Het was het samenspel van zijn huid en zijn eau de toilette, het kon niemand anders zijn. Net zoals mijn vader regenwater en Old Spice was, of mijn moeder Nivea-crème en iets azijnigs... onmiskenbaar, in je geheugen gegrift. Ik luisterde intens naar de stilte. Een zacht en ritmisch geluid lokte me weg vanwaar ik stond. Ik liep over het tapijt naar de badkamer. Ook al zo'n gigantische ruimte, gênant luxueus met granieten vloeren en wanden, mat chromen kranen, een bubbelbad en een douche-annex stoomcabine. Ik bleef in de deuropening staan en zag dat de deur van de douche en de spiegels licht beslagen waren. Ik liep naar de glazen deur van de douche en opende hem. Aan ieder openingetje in de gigantische douchekop midden aan het plafond hingen kleine waterdruppels, die naar het midden kropen en daar een enorme traan vormden die in de afvoer in de vloer drupte. Ik probeerde redenen te verzinnen die zouden kunnen verklaren waarom de douchekraan onlangs nog was opengedraaid. Dit was immers een veilig gebouw, bewaakt door een portier. Mijn ouders, de enige andere mensen met een sleutel, waren weg. Ik reikte naar binnen om de kraan dicht te draaien; het druppelen hield op.

Mijn adem ging gejaagd en mijn handen trilden licht van de adrenaline. Ik wist dat er eens per maand schoonmakers kwamen. Maar ik wist zeker dat ze deze maand al geweest waren en ik had nog nooit meegemaakt dat ze een kraan lieten lopen of iets niet afdroogden.

Ik liep naar de draadloze telefoon bij het bed van Max en belde de portier.

'Ja, juffrouw Jones,' zei Dutch, de oudgediende die ik bij binnenkomst gepasseerd was.

'Is er vandaag iemand in het appartement geweest?'

'Niet tijdens mijn dienst. Ik ben hier vanaf vijf uur vanmorgen,' zei hij. Ik hoorde hem bladeren. 'Geen bezoek gisteravond, de hele dag gisteren niet. Er staat niets genoteerd.'

'Oké,' zei ik.

'Is er iets niet in orde?'

'Nee, niets aan de hand. Bedankt, Dutch,' zei ik. Ik drukte op de knop om het gesprek te beëindigen voor hij nog meer vragen kon stellen.

Ik had de telefoon nog in mijn hand toen hij over ging. Zonder na te denken nam ik op.

'Hallo?'

Het enige wat ik hoorde was ruis.
'Hallo?' zei ik opnieuw.
Een droge klik.

Ik denk wel eens dat niet de geesten zelf, maar de donkere plekken waar ze zouden kunnen zitten het meest angstaanjagend zijn. Doodsbang zette ik mijn zoektocht door het appartement voort. Iedere ruimte benaderde ik met een soort aarzeling, afgewend, met het gevoel dat ik mijn handen voor mijn ogen wilde houden, alsof ik 's avonds in mijn eentje naar een horrorfilm zat te kijken. Achteraf gezien denk ik dat ik eerder probeerde *niets* te vinden dan dat ik naar iets speciaals op zoek was. Ik wilde doen wat ik nodig achtte, zodat ik, als het slechtste scenario waar bleek te zijn, in ieder geval geen schuldgevoel zou hebben. Ik wilde zeker weten dat ik mijn ogen niet had gesloten voor de signalen, zoals Elena had gedaan.

Buiten was een donkerblauwe avondschemering ingetreden en de vermoeidheid begon toe te slaan. De geur had het appartement verlaten en de badkamer was nu kurkdroog. Ik begon me af te vragen of ik me niet alles had verbeeld. Ik deed wat lampen aan om het sombere gevoel dat me beving te verjagen. Daarmee doende viel mijn oog op iets.

In het lamplicht zag ik iets kleins en wits onder de salontafel liggen. Ik ging op mijn knieën zitten en haalde een luciferboekje tevoorschijn. Ik draaide het om in mijn hand. Op allebei de kanten stond een geïriseerd symbool in reliëfdruk, alleen zichtbaar als het in een bepaalde hoek in het licht werd gehouden. Drie in elkaar grijpende cirkels binnen een grotere cirkel. Het had iets bekends, maar ik kon het niet thuisbrengen. Ik voelde mijn maag samentrekken en er kwam een misselijk gevoel bij me op. Ik sloeg het boekje open. Aan de binnenkant stond iets geschreven: *Laat dit bij de ingang zien. Vraag naar Angel.*

In mijn dromen zit ik bij hem en stel hem al mijn vragen. Hij zit naast me, zoals op de laatste avond die we samen doorbrachten. Hij laat zijn tranen lopen en hij praat, antwoordt me met smekende ogen, zijn handen op mijn schouders. Zijn lippen bewegen, maar ik kan niet horen wat hij zegt. Hij raakt me aan, maar hij staat achter een soort onzichtbaar scherm. Ik kan hem niet bereiken en ik kan zijn stem niet horen. Ik probeer te liplezen, maar dat lukt niet totdat hij de woorden *Het spijt me,*

Ridley uitspreekt. Hij strekt zijn hand naar me uit, maar ik deins terug. De woede en haat die ik in deze dromen voel zijn intenser dan ik ooit in mijn echte leven heb gevoeld. Ik besef dat ik een pistool in mijn hand heb.

Dan word ik wakker, met een wanhopig en machteloos gevoel. Nooit eerder heb ik in terugkerende dromen geloofd. Maar iedere psychiater kan je vertellen dat je geest op die manier iets probeert op te lossen wat je niet in wakende toestand hebt kunnen doen. Dat lijkt me logisch. Alleen jammer dat het bij mij niet werkt.

9

Er lag een ansichtkaart van mijn ouders in de brievenbus toen ik thuiskwam, blijkbaar verstuurd vanuit hun aanleghaven in Positano. *We hebben het heerlijk!* stond erop in het hoekige, kriebelige handschrift van mijn vader. *Je bent, zoals altijd, in onze gedachten.* Ik moet eerlijk zeggen dat ik onpasselijk werd van de gedachte dat ze, foto's makend en kaarten versturend, door Europa rondreisden. Ik gooide de kaart in de vuilnisbak, schonk mezelf een glas wijn in uit de halflege fles op de keukenbar en luisterde mijn antwoordapparaat af. Ik merkte dat ik me niet op mijn gemak voelde, want ik keek voortdurend onrustig om me heen en tuurde naar de deuropening van mijn donkere slaapkamer.

'Hé, met mij.' Jake. 'Zullen we vanavond afspreken? Kom om een uur of acht naar het atelier, als je zin hebt. Dan gaan we naar Yaffa. Of ergens anders heen.'

Ik keek op mijn horloge. Het was halfzeven. Ik had honger en voelde me alleen en bedacht dat het misschien wel een goed idee was om bij hem langs te gaan.

Piep.

'Met mij.' Een lage mannenstem, doorrookt en neerslachtig. Ace. 'Ik heb je al een paar dagen niet meer gesproken. Ik wil je graag zien. Er zitten me een paar dingen dwars.'

Fijn. Weer een waslijst aan verwijten die hij, aangemoedigd door zijn psychiater, mijn ouders voor de voeten wilde werpen. En mij, uiteraard.

'Ja,' zei ik tegen mijn lege appartement. 'Daar verheug ik me echt op.' Plotseling kwam de vreselijke gedachte bij me op dat ik mijn broer als junk aardiger had gevonden. Hij was toen net zo depressief geweest en had ook altijd de schuld op anderen geschoven, maar hij was lang niet zo erg met zichzelf bezig geweest.

Piep.

'Hallo, met Dennis. Leuk je stem weer eens te horen. Bel me terug als je kunt.' Die sportverslaggever van de *Times*, met wie ik korte tijd iets had gehad. Hij klonk enthousiast. Ik wist dat hij altijd tot laat doorwerkte, dus waagde ik het er maar op. Ik liep naar mijn werkkamer, zocht zijn nummer en belde hem op. Ik deed mijn best vrolijk en flirterig te klinken en verkocht hem hetzelfde smoesje als Jenna, dat ik overwoog Myra Lyall terug te bellen.

'Een erg vreemde, beangstigende zaak,' zei hij, nadat hij zijn verhaal had gedaan, dat weinig verschilde met dat van Jenna.

'Wat verschrikkelijk, Dennis,' zei ik. Ik liet een korte stilte vallen. 'Ken je haar assistente goed? Zij heeft me ook gebeld – hoe heet ze ook alweer?' Leugentje.

'Sarah Duvall.'

'O, ja.'

'Ja, ze gaat af en toe mee wat drinken met onze groep. Aardige meid. Ze dobbert een beetje rond op het ogenblik. Niemand weet of Myra terug-komt, en niemand durft te zeggen dat dat niet gebeurt, dus Sarah verkeert in een soort professioneel niemandsland. Een rare toestand voor haar.'

Even viel er een pijnlijke stilte. Ik moest denken aan die avond dat Dennis en ik waren uitgegaan en dat hij bij het eten in het Union Square Café zo veel had gedronken dat hij in de club waar we daarna heen gin-gen zowat bewusteloos tegen de muur was geklapt. Ik had hem moeten ondersteunen om de club uit te komen en was met hem de straat op ge-strompeld, waar ik hem in een taxi had geduwd, terwijl hij me in mijn hals had proberen te likken. Een behoorlijke afknapper.

'En...' zei hij uiteindelijk. 'Zin om nog eens wat af te spreken?'

'Tuurlijk,' zei ik. 'Ik zal even kijken wat mijn plannen zijn voor volgen-de week en dan bel ik terug.'

'Mooi,' zei hij. 'Lijkt me gezellig.'

We hingen op en wisten allebei dat ik niet van plan was terug te bellen.

Er bekroop me een vreemd gevoel toen ik de telefoon neerlegde, alsof iemand me bespiedde. Ik draaide rond in mijn stoel en staarde in de leeg-te achter me. Ik liep mijn appartement door, maar ik vond geen enkele aanwijzing, niets waarvan ik kon zeggen dat het anders was. Ik begon aan mezelf te twijfelen, maar toch voelde er iets niet goed. Maar mijn energie was op; ik wilde zo snel mogelijk weg uit het appartement.

Ik besloot richting downtown te lopen. Dus ging ik Park Avenue South in zuidelijke richting af en stak dwars door Madison Square Park naar Broadway, naar het punt waar het Flatiron Building staat. Ik liep Broadway af en ging via Eighth Street naar het oosten. Ik kan het beste nadenken als ik door de stad loop. Het geeft me energie, dat lawaai en al die verschillende soorten mensen in elke buurt. En terwijl de zelfbewuste arrogantie van Park Avenue South overging in het gejacht van Broadway en daarna in het vertrouwde lef van East Village, dacht ik na over mijn bezoek vanmiddag aan het appartement van Max. Ik probeerde grip te krijgen op de hele toestand, zoals de rode website en het luciferboekje, de spookachtige geur van Max en de natte badkamer, het telefoontje van Myra Lyall en haar verdwijning, het wissen van de servers van de *Times*, de dingen die Jenna me had verteld. Ik kreeg er hoofdpijn van en mijn gespannen schouders gingen even op slot. Hoe meer ik over alles nadacht, hoe mistiger het werd in mijn hoofd. Alles was wazig en er leek een vage dreiging van uit te gaan. En wat te denken van agent Grace, die steeds op een vreemde en agressieve manier opdook, maar net zo snel weer verdween.

'Wat is er toch aan de hand?' vroeg ik me hardop af. Ik schrok van mijn eigen woorden, maar niemand op straat scheen het op te merken. Het was donkerder en kouder geworden. Ik had me, zoals gebruikelijk, niet warm genoeg gekleed. Ik voelde mijn telefoon trillen in mijn zak en haalde hem met mijn rood verkleumde hand tevoorschijn. Er was een anoniem sms'je. Het luidde: *De Cloisters. Morgen. 20.00 uur. Vertrouw niemand.*

Ik bibberde nog na toen ik de deur van het atelier openduwde. Ik vroeg me niet af waarom hij niet op slot zat, stommelde de donkere, smalle trap naar boven op en stapte de grote zolderruimte binnen. Ik had het gevoel alsof iemand me achtervolgde, hoewel ik geen verdachte personages op straat had gezien. Ik was buiten adem en moest even bijkomen. Het atelier was donker, op het licht na dat links uit Jake's kantoortje scheen. Ik zocht op de tast naar de wandschakelaar om het licht aan te doen, maar er gebeurde niets. Het atelier was een ruimte in een oud pakhuis, bijna zonder ramen en kaal, en de stroom viel er regelmatig uit.

'Jake,' riep ik toen ik weer op adem was gekomen. Geen antwoord. Ik liep langs zijn grote, afgedekte sculpturen; ze waren me even vertrouwd als een stel vrienden – de denkende man, de huilende vrouw, het vrijende paartje –, maar vanavond leken ze allemaal vreemd en boosaardig. Even dacht ik dat ze onder hun witte lakens tot leven waren gekomen.

Ik liep snel langs ze heen, naar het licht dat uit Jake's kantoortje kwam. Ik verwachtte hem gebogen over zijn laptop te zien zitten, een koptelefoon schetterend op zijn oren, zich zoals gebruikelijk niet bewust van mijn komst. Maar de kleine ruimte was leeg. Zijn laptop zoemde. Ik liep naar het bureau. Er stond een beker koud geworden koffie, van de pizzeria beneden.

Ik ging in de stoel zitten en legde mijn hoofd op mijn armen op het bureau. Ik voelde mijn hart nog steeds kloppen in mijn keel. De ruimte was me vertrouwd en langzaam begon ik me veiliger, rustiger te voelen. Na een poosje ging ik rechtop zitten en haalde de telefoon uit mijn zak om het sms'je nog een keer te lezen. Daarbij schampte ik langs het toetsenbord van Jake's computer. De schermbeveiliging met de vallende sterren verdween en het duurde een seconde voordat ik registreerde wat ik zag. En nog een seconde voordat ik geloofde wat ik zag.

Ik zag hetzelfde rode scherm waarnaar ik op mijn computer had zitten staren. Dezelfde website. Behalve dat er nu rechts bovenin een klein venster openstond, een soort streaming video van een drukke straathoek, waar goedgeklede voetgangers af en aan liepen. Ik leunde naar voren. Eén blik op de verkeersstroom was voldoende om te zien welke stad het was – de grote zwarte taxi's, de rode dubbeldekkers. Londen. De lage bruine gebouwen, de etalages van de winkeltjes en de caféterrassen deden me vermoeden dat het Soho was, misschien Covent Garden.

Ik bleef kijken. Het was er avond, de straat was in een oranjekleurige gloed gedompeld. De mensen waren warm gekleed en zetten er flink de pas in. Als de webcast live was, moest het na middernacht zijn. De mensen zagen er jong uit, waren meestal in groepjes, misschien op weg naar huis van de pub, waar ze na het theater nog wat hadden gedronken. Ik bracht mijn gezicht dichter bij het scherm, zoekend naar ik weet niet wat. Ik verwachtte half de schimmige gestalte te zien van de foto's waar dit allemaal mee begonnen was. Maar ik zag niets, alleen maar groepjes vrolijke mensen die zich in de koude avond van de ene naar de andere plek spoedden.

Na een poosje ging ik achterover in de stoel zitten en wreef in mijn ogen, die waren gaan prikken en tranen.

'Wat zie ik hier?' vroeg ik mezelf hardop af. 'Waarom zou Jake dit op zijn computer hebben?'

De enige reactie die ik kreeg, was een zacht geluid uit het atelier. Pas toen drong het tot me door dat de deur beneden niet afgesloten was geweest. Al zolang ik hier kwam, had de deur maar één keer opengestaan. Ik voelde mijn keel droog worden en ik stond langzaam op en liep naar de deur die het kantoortje van het atelier scheidde. Ik merkte dat het enige raam daar, een hoog en smal venster, open stond. Het was gaan waaien en de wind die door het raam naar binnen kwam bracht de witte lakens over Jake's sculpturen in beweging. Het kostte een paar tellen voor ik tot mijn opluchting kon vaststellen dat dat het geluid was dat ik had gehoord. Door de luchtverplaatsing leken de afgedekte gedaanten een groep rusteloze geesten, geworteld in de grond, maar dromend van vleugels.

Ik speurde de ruimte af en mijn oog viel op iets anders: een grote, zwarte, niervormige vlek op de vloer bij de studiolampen die Jake altijd aan had als hij aan het werk was. Naast de vlek lag de hamer waarmee hij het metaal boog en in vorm klopte. Ik liep er langzaam op af, me bewust van de ritselende gedaanten achter me. Mijn rechteroor suisde luid (mijn stress-signaal). Ik tastte het statief af waaraan de lamp was bevestigd, voelde naar een schakelaar en vond er een. Hoewel het grote plafondlicht niet aan was gegaan, deed deze lamp het wel. Het felle witte licht verblindde me. Het duurde even voordat mijn ogen zich hadden aangepast.

Toen dat was gebeurd, kon ik zien dat de vlek – logisch – niet zwart was, maar dieprood. Bloed. Een ongezonde hoeveelheid. Ik deed een stap achteruit. De ruimte begon onaangenaam te deinen.

Toen hoorde ik gerommel, een ver en aanhoudend gedreun. Ik dacht dat het in mijn eigen hoofd zat, maar uiteindelijk drong het tot me door wat het was: het geluid van voetstappen op de trap. Ik was in een soort shocktoestand, verdwaald in mijn angstige fantasieën over hoe die plas bloed op de vloer was gekomen, waarbij ik me afvroeg wiens bloed het was, hopelijk niet dat van Jake. Ik draaide me om en zag een man de trap op stormen, met getrokken pistool. Ik wilde instinctief vluchten, maar het atelier had slechts één uitgang.

En toen hoorde ik mijn naam: 'Ridley?' Het was een stem die ik herkende.

Toen hij het licht in stapte, zag zijn gezicht er zachter en vriendelijker uit dan ik het tot nu toe had gezien, zonder die arrogante blik die altijd meer leek te weten. Agent Dylan Grace.

'Ridley,' zei hij, terwijl hij zijn handen op mijn schouders legde. 'Is alles in orde met je?' Zijn blik viel op de bloedplas op de vloer. 'Ben je gewond?'
'Nee,' zei ik. 'Nee.'
'Wat is er gebeurd? Wat doe je hier?' vroeg hij. Ik wilde zijn intense blik niet zien. Ik probeerde me aan zijn greep op mijn schouders te ontworstelen, maar hij hield me stevig vast en dwong me naar hem te blijven kijken.
'Luister,' zei hij. 'Esme Gray is dood. Getuigen hebben Jake Jacobsen op de plaats delict gezien rond de tijd dat ze stierf. Waar is hij?'
Ik schudde het hoofd. 'Ik weet het niet. Er ligt bloed op de grond.'
Het voelde alsof ik door een rietje moest ademhalen. Esme was dood. Er lag een griezelig grote plas bloed. Waar was Jake? Voor mijn ogen begonnen witte vlekken te dansen, als een soort misselijkmakend vuurwerk. Wat er daarna gebeurde, ben ik kwijt.

Ik moet toegeven dat ik onder extreme omstandigheden de neiging heb black-outs te krijgen. Dat is iets waar ik kort geleden achter ben gekomen. Als je me vanaf het begin hebt gevolgd, weet je dat misschien nog wel van me. Het is geen flauwvallen of in katzwijm vallen. Het lijkt meer op kortsluiting. Te veel afschuwelijke ervaringen, te veel angstige en verwarde gedachten en *poef* – licht uit. Maar flauwvallen is het niet. Dus denk dat dan ook niet.
Langzaam werd ik me weer bewust van de dingen om me heen, maar ik voelde me nog steeds draaierig. Ik lag onderuitgezakt in de stoel bij Jake's bureau. Agent Grace toverde een fles water tevoorschijn, draaide de dop eraf en gaf hem me aan. Hij keek triest, had donkere kringen onder zijn ogen.
'Zei je dat Esme Gray dood was?' vroeg ik, want misschien had ik het wel gedroomd.
Hij knikte. 'Ze is dood. Iemand heeft haar met zijn blote vuisten doodgeslagen.'
Hier dacht ik over na. De verschrikkingen die Nick Smiley had onthuld en mijn laatste ontmoeting met Esme kwamen weer terug, haar beeld van mij met een slopershamer, waarmee ik ieders leven kapotsloeg.

Dat ze dood was en dat haar dood zo verschrikkelijk was geweest, deed me weinig. Het leek niet echt en ik voelde niets, op een zwak gevoel in mijn maag na.

'Niet Jake,' zei ik.

Hij haalde de schouders op. 'De laatste die er is gezien was Jacobsen, terwijl hij op haar deur stond te bonzen om binnen gelaten te worden. Ongeveer een uur later hebben ze hem zien weghollen van haar woning.'

'Wanneer?'

'Vandaag, eerder op de dag.'

'Wie heeft de politie gebeld?'

'Iemand die anoniem wenste te blijven.'

'Maar je weet zeker dat hij het was?'

'De buurvrouw van Esme herkende hem van een eerder bezoek. Blijkbaar had Esme haar verteld wie hij was en haar gevraagd de politie te bellen als ze hem signaleerde, mocht ze zelf niet thuis zijn.'

Ik schudde het hoofd. 'Als hij haar had willen vermoorden, zou hij voorzichtiger zijn geweest.'

'Behalve als het niet met voorbedachten rade was.'

Ik schudde mijn hoofd opnieuw. Er was maar één persoon in de hele wereld die ik door en door kende. Ja, ik wist wat voor droefheid en woede er in hem heersten, maar ik wist ook hoe in- en ingoed hij was. Ik *kende* Jake. Hij kon het nooit gedaan hebben.

Het was nog steeds niet tot me doorgedrongen dat Esme dood was. Later zou ik rouwen om haar en om datgene wat ze ooit voor me had betekend. Nu kon ik alleen maar aan Jake denken.

'Geloof me nou maar,' zei ik. 'Ik ken die man. Ik weet zeker dat hij Esme niet gedood kan hebben, en zeker niet op die manier.'

Hij leek iets te willen zeggen, maar hij bedacht zich. Ik kon wel raden wat hij dacht: dat ik eerder mensen verkeerd had beoordeeld, dat ik misschien niet zoveel mensenkennis bezat. Misschien had hij wel willen zeggen dat bijna iedereen die ik gekend had, iemand anders bleek te zijn dan ik had gedacht.

Ik stond op en wees naar het atelier. 'Hoe zit dat met die bloedplas op de grond? Er is hier iets gebeurd. Misschien heeft degene die Esme heeft vermoord Jake ook iets aangedaan.'

Ik dacht aan het rode computerscherm (nu verborgen achter de schermbeveiliging), de straatscène in Londen, het luciferboekje met het vreemde symbool en die aantekening erin, dat ik nog in mijn zak had. Het lag allemaal op het puntje van mijn tong. Maar ik herinnerde me het sms'je: *Vertrouw niemand.* Dat leek me een goede raad. Ik hield mijn mond.

'Wat is er?' vroeg agent Grace. Zijn ogen rustten op mijn gezicht alsof hij mijn gedachten kon lezen. 'Waar denk je aan?'

Ik kon me voorstellen dat ik hem vertrouwde en hem alles zou laten zien, zodat hij kon beoordelen of het onderzocht moest worden of niet. Het is zo gemakkelijk de zaak over te dragen, de verantwoordelijkheid af te schuiven en weg te lopen. Als Jake niet was verdwenen (niet dat hij nou echt *verdwenen* was, maar we wisten niet waar hij zich op dit ogenblik bevond) en er geen bloedplas op de vloer had gelegen, was ik misschien eerder geneigd geweest de hulp van agent Grace in te roepen. Iets diep in mijn binnenste zei me dat ik de raad van het sms'je niet in de wind moest slaan, dat Jake er wellicht voor zou boeten als ik dat deed.

'Ik dénk,' zei ik lichtelijk hysterisch, 'dat er iets met Jake is gebeurd. En ik ben benieuwd wat je eraan gaat doen.'

Hij zei niets, bleef me maar aankijken met die grijze ogen van hem.

'Als iemand Esme heeft vermoord en er hier bloed op de vloer ligt' – ik schreeuwde nu – 'dan is het verband toch wel duidelijk?'

'Ik *kijk* naar het verband, Ridley.'

Nu was het mijn beurt om te zwijgen.

'Mijn vermiste echtpaar, Myra en Allen Lyall. Een dode vrouw, Esme Gray. Een grote plas bloed op de vloer van het atelier van Jacobsen, Jacobsen zelf, die nergens te vinden is en voor het laatst is gezien op de plaats van een moord. Wat hebben al deze mensen gemeen? Wat is de link tussen hen?'

Je hoefde niet geniaal te zijn om te zien waar hij op doelde.

'Ik ben niet de enige link die hen verbindt,' zei ik defensief.

'Nee,' zei hij langzaam. 'We hebben Project Kinderhulp nog. Maar ook daarmee ben je nauw verbonden.'

Ik ging weer zitten. Agent Grace trok zijn stoel dichterbij en leunde, wippend op de achterste poten, met zijn rug tegen de muur. Ik hoopte dat hij achterover zou vallen, zijn hoofd zou stoten en zich volslagen belachelijk zou maken.

'Wanneer heb je je vriendje voor het laatst gezien?' Hij sprak het woord *vriendje* sarcastisch of zelfs vijandig uit, misschien was het allebei.

Ik overwoog hem te vertellen dat Jake eigenlijk mijn vriend niet meer was, maar ik wilde Jake niet afvallen. Of de onvermijdelijke vragen beantwoorden over de huidige aard van onze relatie.

'Eergisteravond.'

'En heb je hem daarna nog gesproken?'

'Hij heeft vandaag een bericht op mijn antwoordapparaat achtergelaten. Met de vraag of ik hier rond acht uur wilde zijn om een hapje te gaan eten.'

'Hoe laat heeft hij dat bericht ingesproken?'

'Dat weet ik niet. Ergens tussen drie en vier, vermoed ik.'

'Hoe klonk hij?'

'Gewoon.' Eerlijk gezegd wist ik niet meer hoe hij had geklonken.

'Belde hij van hier, met zijn vaste telefoon,' zei hij met een knikje naar de telefoon op Jake's bureau, 'of met zijn mobieltje?'

'Geen idee. Ik denk met deze telefoon. Ik weet het niet.' Hij had met zijn mobieltje gebeld, dat had ik aan de achtergrondgeluiden gehoord. Dat dacht ik tenminste, ik zou thuis mijn nummerherkenning even bekijken. Hoe dan ook, ik wilde niet dat agent Grace wist dat hij met zijn mobieltje had gebeld, op een of andere manier maakte hem dat verdachter. Ik popelde om Jake te bellen, maar ik wist niet of dat wel zo verstandig was met agent Grace erbij.

Hij bleef maar doorvragen en schreef al mijn antwoorden op in een klein zwart notitieboekje dat hij uit zijn zak had gehaald. 'Waar ben je vandaag geweest, gezien je zijn telefoontje niet kon beantwoorden?'

Ik aarzelde, wilde eerst liegen, maar besloot dat toch maar niet te doen. 'Ik ben naar het appartement van Max geweest.'

Hij keek op. 'Waarom? Wat moest je daar?'

Ik legde uit waarom ik daar soms heen ging. Aan zijn gezicht zag ik dat hij het niet begreep en dat hij mijn gedrag verdacht vond. Dat was het natuurlijk ook.

'Kan iemand bevestigen dat je daar was?'

'De portier, Dutch.' Ik zag hem schrijven. 'Is ze rond die tijd gestorven?' vroeg ik, omdat ik dat uit zijn vragen meende te kunnen afleiden. 'Vanmiddag tussen drie en vier?'

Hij zei niets, ging door met zijn gekrabbel in het boekje. Ik voelde een golf van paniek in me opkomen, een wanhopige bezorgdheid om Jake, die pijn deed in mijn borst.

'Als ik eerlijk ben, Ridley,' zei agent Grace na een ogenblik, 'geloof ik niet dat je me alles vertelt wat je me zou moeten vertellen. Het valt me moeilijk je te vertrouwen op dit moment.'

Ik probeerde er verontwaardigd uit te zien, maar dat lukte niet zo erg. Dus haalde ik mijn schouders maar op. 'Het kan me geen moer schelen wat je van me denkt, agent Grace,' zei ik op milde toon. Het was waar, het kon me niets schelen. Dat was iets nieuws, want ik had me altijd aangetrokken wat de mensen dachten, ik was altijd tegemoetkomend geweest en deed altijd alles volgens het boekje. Maar dat was vroeger, voordat ik wist dat ik de dochter van Max was. 'Ik vertrouw jou ook niet.'

Ik vroeg me af hoe lang het zou duren voor hij Jake's kantoortje ging doorzoeken, voordat hij naar de computer zou kijken en de vreemde website zou ontdekken. Ik vroeg me af of hij verband zou leggen tussen de streaming video uit Londen en het overzeese telefoontje in mijn appartement. Natuurlijk zou hij dat doen. Verbanden leggen was zijn werk. Ik vroeg me af hoeveel hij al wist. Waarschijnlijk veel meer dan ik.

'Ik laat je naar huis brengen en ik wil dat je daar blijft.'

'Ik wil hier blijven, voor het geval dat Jake terugkomt,' zei ik.

'Als hij terugkomt, kan ik je op een briefje geven dat hij geen tijd heeft om een hapje met je te gaan eten,' zei hij koel. 'Geef me je mobieltje.'

'Wat? Waarom?'

'Ik wil Jacobsen met jouw telefoon bellen. We hebben geprobeerd hem te bereiken, maar hij neemt niet op. Het zou me niet verbazen als hij wel reageert als jij belt.'

Ik wist niet wat mijn rechten waren op dit gebied. Ik voelde de paniek weer door me heen golven, sloeg mijn armen over elkaar en keek naar de grond. Hij stak zijn hand uit.

'Ga je moeilijk doen?' vroeg hij. 'Dwing me er niet toe het van je af te pakken of je te arresteren en je spullen in beslag te nemen en je appartement te doorzoeken. Misschien moet dat uiteindelijk toch, maar nu nog niet.'

Het leek wel of hij niets anders kon dan van dat soort bedreigingen uiten. Ik keek naar zijn gezicht en zag dat het hem ernst was. Na een korte aarzeling gaf ik hem mijn telefoon, keek toe hoe hij het adresboek doorzocht en op de verbindingstoets drukte. Hij zette de luidspreker aan we hoorden allebei de telefoon overgaan. Ik sloot mijn ogen en hoopte stilletjes dat Jake zou opnemen, maar hij ging over op zijn voicemail. De moed zonk me in de schoenen toen agent Grace de verbinding verbrak. Ik hield mijn adem in en vroeg me af of hij zou kijken wie ik gebeld had en of hij mijn berichten zou controleren. Maar dat deed hij niet, hij gaf de telefoon gewoon aan me terug. Dat verbaasde me, het leek me niet meer dan logisch dat hij mijn binnenkomende en uitgaande gesprekken zou controleren. We keken elkaar strak aan en ik overwoog hem alles te vertellen. Later zou ik op dit moment terugkijken als de laatste gelegenheid die ik had gehad om iemand om hulp te vragen, om me uit het moeras te trekken waarin ik dreigde weg te zakken... een gelegenheid die ik voorbij liet gaan.

Een strak kijkende jongeman met kortgeknipt blond stekeltjeshaar en een litteken van zijn hals tot aan zijn oor reed me in een witte Crown Victoria naar huis. Ik herkende hem, hij was de partner van agent Grace. Ik kon me zijn naam niet meer herinneren. In het voorbijflitsende licht van de straatlantaarns leek zijn hoofd op een staalborstel. Ik keek uit het raam en huilde zachtjes, in de hoop dat hij het niet merkte, tot hij me zonder iets te zeggen een tissue overhandigde. Ik maakte me zorgen om Jake, om mezelf en ik wist niet wat me nu te doen stond.

De man aan het stuur zei geen woord toen ik uitstapte. Bijna had ik hem bedankt (zo'n braaf meisje ben ik), maar ik wist het nog net in te slikken en knalde hard het portier dicht. Toen ik mijn gebouw binnenging, merkte ik dat hij de motor uitzette en er het gemak van nam, alsof hij voorlopig niet weg zou gaan.

Mijn herinneringen nemen een loopje met me. Sinds ik erachter ben gekomen dat het meeste wat ik in mijn leven voor waar had aangenomen, een leugen bleek te zijn, heb ik mijn vertrouwen in mijn herinneringen verloren. Hoe het was vroeger? Ik begon mijn herinneringen anders te zien, vreemde schakeringen en nuances kwamen naar boven. En ik wist niet meer of mijn oorspronkelijke herinneringen of de nieuwe aanvullingen op die herinneringen dichter bij de werkelijkheid lagen.

Neem nu de uren die Max met mijn vader in zijn werkkamer doorbracht. Ik had me ze daar altijd lachend en ontspannen voorgesteld, bourbon drinkend en sigaren rokend. Nu vraag ik me af waar ze het daarbinnen over hadden gehad. Over mij? Over Project Kinderhulp? Als Max zo'n afschuwelijke donkere kant had, had mijn vader daarvan geweten? Had hij hem raad gegeven hoe om te gaan met de 'demonen' waar hij het die laatste avond over had?

Of neem de stekelige gesprekken tussen Max en mijn moeder. Zij had geen goed woord over voor de parade van anonieme vrouwen in het leven van Max, ze nam erg veel aanstoot aan hun aanwezigheid in haar huis en haar sociale leven. Ze ruzieden erover, maar alleen als ze dachten dat mijn vader het niet kon horen. Ik vroeg me af waarom ze zich druk had gemaakt over die vrouwen. Had er iets meer achter de boosheid van hun gesprekken gezeten? Intimiteit? Jaloezie?

Ik dacht na over die vrouwen. Waar kwamen ze vandaan? Ik wist me alleen nog maar te herinneren dat ze allemaal blond, mooi en afstandelijk waren, allemaal hoge hakken droegen, maar dat ze ook iets ordinairs hadden. Zouden het callgirls zijn geweest? Een paar misschien wel. Ik had geen idee. Ik had nooit geweten hoe ze heetten en ze nooit vaker dan één keer gezien. Wat zei dat over Max? Op dat punt had ik verbanden kunnen gaan leggen: het beeld dat Nick Smiley van Max had geschetst, de beschuldigingen van moedermoord, dat Max nooit een echte relatie met een vrouw had gehad. Maar dat deed ik niet. Nog niet.

Max was geen knappe man. Zijn huid was vaal en pokdalig door de acne die hij in zijn puberteit had gehad. Zijn donkere haar werd steeds dunner. Hij was groot en onhandig. Maar hij had het charisma dat mensen aantrekt, hij was als een magneet. En daarbij was hij ook nog buitensporig rijk. Dat trok mensen ook aan. Maar hoewel hij altijd door mensen was omringd, hing er een floers van eenzaamheid om hem heen. Hij was eigenlijk de eenzaamste man die ik ooit heb gekend. Misschien omdat hij zoveel geheimen had.

Nadat ik thuis was afgezet, ging ik in het donker op de bank liggen en zocht in mijn herinnering naar Max, naar de ogenblikken waarop ik een glimp van de mens Max had opgevangen en niet van het personage dat ik van hem had gemaakt. Maar ik kon niet om de mythe heen, die waaraan ik mij altijd had vastgehouden. Als kind zat ik met mijn neus boven op de tv om te proberen verder dan het beeld te kijken. Ik wist zeker dat er meer te zien was. Maar er was niets, slechts een tweedimensionaal beeld. Nu probeerde ik dieper in mijn herinnering te kijken. Ook daar vond ik niets.

Ik probeerde niet aan Esme te denken en aan de manier waarop ze aan haar eind was gekomen. Ik herinnerde me wat Jake had gezegd, over hoe bang ze was geweest. Ik had die angst ook gezien. Het leek erop dat ze een gegronde reden had gehad zo bang te zijn. Ik had geen flauw vermoeden wie haar had vermoord en waarom. Ik herinnerde me de laatste woorden die we tegen elkaar hadden gesproken.

Ik blijf met die hamer zwaaien tot ik alle antwoorden heb, had ik tegen haar gezegd.

Dat moet je vooral doen, dan loopt het met jou net zo af als met die ver-slaggeefster van The New York Times, had ze geantwoord.

Het was een afschuwelijke herinnering die me ineen deed krimpen.

Zo nu en dan pakte ik de telefoon op om Jake's mobieltje te bellen. Ik kreeg dan zijn voicemail, liet een boodschap achter en hing op. Ik probeerde niet te denken aan het bloed op zijn vloer of aan de moeilijkheden die hij zich op de hals had gehaald, of dat hij misschien gewond was... of nog erger. Mijn paniek en machteloosheid gingen hun eigen weg in mijn binnenste.

Ik belde Ace.

'Zo, je belt toch nog terug,' waren de woorden waarmee hij de telefoon opnam, waarschijnlijk omdat hij mijn nummer had gezien op zijn num-merherkenning. Of misschien was ik de enige die hem ooit belde. Hij woonde aan Upper West Side, vlak bij het Lincoln Center, in een tweeka-merappartement met uitzicht over de Hudson. Best aardig, ook al was het spaarzaam gemeubileerd met in de woonkamer een bank, een bureau, een computer en een televisie, en een bed en een kast in de slaapkamer. Hij beweerde dat hij een roman aan het schrijven was, een bewering waar-aan ik me om een of andere onverklaarbare reden mateloos ergerde.

'Ik heb zo mijn eigen besognes, Ace,' zei ik, misschien wat scherper dan hij verdiende. 'De wereld draait niet alleen om jou.'

'Jezus,' zei hij. 'Wat heb jij?'

Ik luchtte mijn hart. Ik vertelde hem alles wat er de laatste paar dagen was gebeurd, alles wat ik te weten was gekomen, alles wat ik uitgevonden had, over mijn reisje naar Detroit, over Esme, over de verdwijning van Jake. Ik vertelde hem zelfs van het sms'je, ondanks de onheilspellende waarschuwing. Toen ik klaar was, zweeg ik en verwachtte een sarcastische opmerking. Hij zou vast zeggen dat ik vooruit moest kijken of beweren dat ik ze niet meer op een rijtje had. Maar ik kreeg helemaal geen reactie. Ik hoorde hem ademen.

'Ace, luister je wel?'

Soms was hij aan het zappen als ik tegen hem sprak, of hoorde ik hem op zijn toetsenbord tikken, omdat hij tegelijkertijd online aan het chatten was. Maar o wee als híj aan het praten was en ík een telefoontje kreeg op mijn andere lijn, of als hij het gevoel had dat hij niet mijn onverdeelde aandacht had. Dan werd hij nijdig. Ik weet het, hij is best wel een klootzak.

'Ik luister,' zei hij. Hij klonk raar en ernstig.

Ik zweeg even. 'Heb jij ooit het gevoel gehad dat Max iemand... anders was?' vroeg ik. 'Heb je ooit iets meegemaakt waardoor je ging denken dat er iets mis met hem was? Ik bedoel, echt *mis?*'

Hij zuchtte, of misschien blies hij rook uit – hoewel hij het roken had opgegeven na het afkicken in de ontwenningskliniek.

'Nou,' zei hij zacht. 'Ik heb hem nooit gezien zoals jij hem zag.'

Ik zei niets, ik merkte dat hij zijn gedachten aan het ordenen was.

'Voor jou was hij altijd een held,' zei hij ten slotte. 'Je wist niet dat hij je vader was, maar misschien wist je het wel onbewust, door de chemie tussen jullie. Je keek hem altijd met van die grote ogen aan, je aanbad hem gewoon. Ik heb nooit begrepen hoe het tussen jullie zat. Dat was erg verwarrend voor me als kind. Ik wist nooit wat je in hem zag.'

Ik was verrast door wat hij zei, door zijn tegenwoordigheid van geest en zijn wijsheid.

'Wat zag *jij* dan?'

'Wil je het echt weten? Ik zag iemand met veel woede in zich, iemand die erg eenzaam was en die beslag legde op ons gezin omdat hij er zelf geen had. Hij was altijd dronken, Ridley, en er hing altijd een of andere prostituee aan zijn arm.' Hij zweeg even en inhaleerde diep, waardoor ik zeker wist dat hij rookte. 'Ik snap niet waarom Ben en Grace ons zo vaak met hem alleen lieten, zonder toezicht. Ik wist ook niet goed wat *zij* in hem zagen.'

Ik probeerde het allemaal te verwerken.

'Weet je dat hij me ooit heeft geslagen, keihard in mijn gezicht?' vroeg hij.

'Wanneer?' vroeg ik verbaasd.

'Ik denk dat ik dertien was. Ik had ruzie met mam.' Het was lang geleden dat ik hem haar zo had horen noemen. Hij noemde onze ouders altijd Ben en Grace, om de afstand te verwoorden die hij voelde, neem ik aan. 'We stonden tegen elkaar te schreeuwen – ik weet niet meer waarover. We stonden zo vaak tegen elkaar te schreeuwen. Ik kan me niet herinneren dat het thuis ooit rustig was. Jij?'

Hier had ik geen antwoord op. We hadden zo'n verschillende jeugd gehad, hoewel we in hetzelfde huis met dezelfde mensen waren opgegroeid. Ik heb al eerder gezegd dat wij tweeën verschillende persoonlijkheden in onze ouders losmaakten, verschillende gezichten van hen zagen. In Max ook, denk ik. Max had nooit met enige stemverheffing tegen me gesproken, laat staan dat hij me had geslagen. Hij was nooit streng tegen me geweest.

Ace wachtte niet op mijn antwoord. 'Hij liep snel op me af,' zei hij. 'Zei me niet zo'n toon tegen mijn moeder aan te slaan en stompte me op mijn kaak.'

'Met zijn vuist?'

'Ja. Waarschijnlijk niet zo hard hij kon, maar hard genoeg.'

'Hoe reageerde mam?'

'Ze werd razend. Gooide hem eruit. Ze troostte me, deed ijs op mijn wang, maar liet me ook beloven het niet tegen pap te zeggen.'

'Waarom niet?'

Hij was even stil. 'Dat weet ik niet.'

Ik vond het erg voor hem, was ook kwaad op Max dat hij mijn broer zo geslagen had en ik begreep niet dat mijn moeder dat voor mijn vader had willen verzwijgen.

Ace vertelde vaker leugens, dat doen verslaafden. Als hij het over de ruzieachtige sfeer bij ons thuis had, overdreef hij meestal. Dat vond ik, tenminste. Ik had altijd gedacht dat dat zijn excuus was voor de slechte keuzes die hij in de loop der jaren had gemaakt. Maar nu loog hij niet. Ik bespeurde niets van zijn gebruikelijke, egocentrische theatrale houding. Er volgde geen tirade over de gevoelens die dat voorval bij hem hadden opgeroepen en wat hij zichzelf daardoor had aangedaan.

'Geloof je me?' vroeg hij. Hij klonk bijna droevig. Dat is de vloek van de eeuwige leugenaar: als je eindelijk de waarheid vertelt, gelooft niemand je.

'Natuurlijk,' zei ik. Als we naast elkaar hadden gezeten, zou ik mijn armen om hem heen geslagen hebben. 'Het spijt me, Ace.'

'Wat spijt je?'

Ik dacht even na. Hij leek zo eenzaam in zijn gevoelens over Max. Max, de beste vriend van mijn vader, mijn held, mijn moeders... ik weet niet eens wat. Het leek zo vreemd en droevig dat Ace Max al die tijd als iemand anders had gezien en dat hij het misschien bij het rechte eind had gehad.

'Ik weet het niet,' zei ik uiteindelijk.

Ik hoorde de metalen klik van een Zippo, het knisperen van brandend papier en hoorde hem diep inhaleren.

'Kun je er nou niet één keer voor zorgen dat je niet in moeilijkheden raakt, Ridley?' vroeg hij onder het uitblazen van de rook. Zijn gebruikelijke arrogantie en sarcasme waren weer terug. Ik voelde me bijna opgelucht.

'Ik heb er niet om gevraagd, nergens om.'

'Weet je dat zeker?'

'Wat bedoel je daar nu weer mee?'

'Een jaar geleden had je ervoor kunnen kiezen dit te laten rusten. Dat heb je niet gedaan. Nu heb je de kans het allemaal over te laten aan die vent van de FBI, maar dat doe je ook niet. Jij bent degene die het altijd heeft over keuzes maken, over de gevolgen die ze hebben op ons leven, bla, bla, bla. En wat doe je zelf?'

Het is nooit leuk als je eigen woorden je voor de voeten worden geworpen. Maar ik moet toegeven dat hij in bepaalde opzichten gelijk had. Ik had een paar twijfelachtige keuzes gemaakt. Ik had de moeilijkheden opgezocht, terwijl ik ook de gemakkelijke weg had kunnen kiezen. Maar soms is de andere kant op kijken gewoon geen optie.

'Ik weet het niet,' zei ik. 'Daar moet ik over nadenken.'

'Nou, ik durf te wedden dat ik weet waar jij morgenavond om acht uur te vinden bent.'

Ik dacht aan het sms'je, aan Jake. Ik kreeg bijna geen lucht van angst.

'Ace?' zei ik en ik voelde me weer het kleine meisje dat haar grote broer nodig heeft om haar demonen te verjagen.

'Ja?'

'Ga je met me mee?'

'Shííít,' klonk het zachtjes en langgerekt. Ik dacht eraan hoe hij nooit had gewild dat ik bij hem in bed kroop toen we klein waren, maar wel altijd een eindje opschoof om ruimte voor me te maken.

'Alsjeblieft?' zei ik, verbaasd hoe angstig mijn stem klonk.

Ik hoorde hem zuchten. 'Oké.'

Met mijn mobieltje in mijn hand zakte ik op de bank weg in een rusteloze slaap. Ik werd een paar keer wakker omdat ik dacht dat ik werd gebeld. Elke keer verwachtte ik het nummer van Jake op het schermpje te zien oplichten en elke keer bleek weer dat ik het me had verbeeld. Toen mijn telefoon uiteindelijk overging, antwoordde ik zonder ook maar te kijken wie het was.

'Jake?' zei ik.

'Nee. Niet Jake.' Agent Grace.

'Hoe laat is het?'

'Drie uur.'

'Wat wil je?'

'Jouw vriendje is toch o-negatief?'

Ik dacht aan de plas bloed, hoe dik en donker het was geweest.

'Ja,' zei ik. Dat wist ik alleen maar omdat ik, toen we samen in het ziekenhuis waren, stiekem in zijn status had gekeken. Hij is wat ze 'de universele donor' noemen – hij kan iedereen bloed geven, maar kan zelf alleen maar o-negatief bloed ontvangen. Zoiets oneerlijks. En Jake is absoluut iemand die geeft, hij vraagt nooit iets terug.

'Het bloed in het atelier is AB-positief.'

Ik voelde de druk op mijn borst verdwijnen en de spanning uit mijn spieren wegvloeien. Wat er ook was gebeurd, Jake had niet bloedend op die vloer gelegen. Dat was tenminste iets. Ik vroeg me af of Jake me dat sms'je had gestuurd.

'Ik dacht dat je dat wel wilde weten.'

Ik zei niets. Het was buitengewoon aardig van hem om te bellen. Maar ik bedacht dat er waarschijnlijk iets anders achter stak.

'Heb je toevallig naar zijn laptop gekeken, toen je daar was?' vroeg hij.

Ik overwoog te liegen, maar kreeg de woorden niet uit mijn mond.

'Je hoeft niet te antwoorden,' zei hij. 'Het hele toetsenbord zit onder jouw vingerafdrukken.'

Ik vond het fascinerend hoe hij een heel gesprek kon voeren zonder dat ik een woord hoefde te zeggen. Dat was een echte gave.

'Die website met de streaming video vanuit Londen – zegt dat jou iets?'

'Nee,' zei ik, om me ook even deelgenoot aan het gesprek te voelen. 'Ik heb geen idee wat het is.'

'Heb je het ooit eerder gezien?'

Er werd op de deur geklopt, ik hoorde het ook door de telefoon.

'Mag ik binnenkomen?' vroeg hij.

Ik liep naar de deur en deed hem open. Hij zag er moe uit. Zijn haar zat door de war en er zat een soort vetvlek op zijn overhemd.

Hij brak het gesprek af en stopte zijn mobieltje terug in zijn zak. 'Een van je buren heeft me beneden binnengelaten. Zeker aan het nachtbraken geweest,' zei hij in antwoord op een vraag die ik niet had gesteld.

'Waar is je partner?' zei ik, terwijl ik de deur dichtdeed. Ik begon gewend te raken aan deze kleine inbreuken op mijn privacy en merkte zelfs dat ik het vanavond niet erg vond. Nu ik wist dat het bloed op de vloer niet van Jake was, voelde ik me minder gespannen en kreeg ik mijn gevoel voor humor weer terug. Al het andere leek ver weg, als een nachtmerrie waar je geen vat meer op hebt.

'Die zit in de auto.'

'Doen jullie niet alles samen? Hoe kun je anders dat spelletje van de goede en slechte smeris spelen?'

'We liggen elkaar niet zo.'

'Je meent het.'

Hij keek me vuil aan. 'Je kunt het geloven of niet, maar ik ben niet de slechterik hier. Ik ben misschien wel de enige vriend die je hebt.'

Ik bedacht opnieuw dat hij in niets op een FBI-agent leek. De agenten met wie ik te maken had gehad tijdens het onderzoek naar Project Kinderhulp, hadden het alleen maar over regels en procedures gehad; ze waren ondubbelzinnig en officieel, bureaucratisch en formeel geweest. Met andere woorden: precies het tegenovergestelde van Dylan Grace.

'Was dit de eerste keer?'

'Wat?'

'Dat je de website zag.'

Ik zuchtte en liet me op de bank zakken. De woorden van Ace klonken na in mijn oren. *Nu heb je de kans dit allemaal over te laten aan die vent van de FBI, maar dat doe je ook niet.* Wat was er aan de hand? Was ik gewoon eigenwijs? Wilde ik alsmaar dieper in de problemen raken, tot ik er niet meer uit kon komen? Misschien leefde ik wel in een roes van zelfvernietiging, omdat ik geen plezier meer had in mijn leven. Ik besloot te bewijzen dat mijn broer ongelijk had.

'Ik heb hem ook gezien bij mijn ouders thuis,' zei ik met een zucht. 'Op de computer van mijn vader.' Deze bekentenis voelde aan als een brevet van onvermogen. Alsof ik zei: 'Ik kan het niet meer aan.' Het voelde ook als verraad ten opzichte van mijn vader. Ik wist niet wat voor website het was of voor wie hij bestemd was. Maar hij kon niet goed zijn.

'Daar was het alleen maar een rood scherm, zonder video,' voegde ik eraan toe.

Hij trok een stoel bij van de eettafel, ging er op zijn gebruikelijke manier schrijlings op zitten en liet zijn armen op de rugleuning rusten. Zijn gezicht had een vreemde uitdrukking. Bezorgdheid, misschien, als ik hem daartoe in staat had geacht. Misschien oordeelde ik wel te hard. Maar ja: *Vertrouw niemand.* Dat had ik beter op mijn arm kunnen laten tatoeëren.

'Ik heb met mijn eigen computer ook nog geprobeerd op die site te komen, met hetzelfde resultaat. Alleen maar het rode scherm,' zei ik, toen hij niet reageerde.

Hij knikte onzeker en bleef me aankijken. Hij keek vaak op die manier naar me, alsof hij probeerde te achterhalen of ik tegen hem loog, alsof hij dat van mijn gezicht kon aflezen. Ik wendde me af, er was iets in zijn grijze ogen wat me zenuwachtig maakte. Er was nog veel meer wat ik hem zou kunnen vertellen. Maar dat deed ik niet. Het was als met flirten – een beetje geven, een beetje voor jezelf houden. Misschien had Ace me toch wel goed beoordeeld.

'Heb je enig idee wat voor site het is?' vroeg ik, omdat mijn nieuwsgierigheid de overhand kreeg. Ik wilde helemaal niet praten met Dylan Grace en toch deed ik het weer.

Hij haalde de schouders op. 'Het enige wat ik er op dit punt van kan maken is dat het een soort versleutelde website is. Een plek waar je berichten kunt achterlaten en ophalen. Je moet er kunnen inloggen, maar hoe, daar ben ik nog niet achter.'

'En de video?'

Weer haalde hij de schouders op. 'Wordt aan gewerkt. We zullen het snel genoeg weten.' Zijn stem werd lager aan het eind van de zin, alsof hij me waarschuwde.

Ik legde mijn voeten op de bank en maakte het mezelf gemakkelijk. Mijn oogleden waren zwaar van vermoeidheid. Nu ik wist dat alles goed was met Jake, of tenminste dat het bloed op de vloer van het atelier niet van hem was, leek alles minder angstaanjagend en urgent. Maar dat was slechts een van de vele dingen waarvan in de komende vierentwintig uur zou blijken dat ik me vergiste.

Het eerstvolgende waarvan ik me bewust werd, was het zonlicht, dat door mijn op het oosten gerichte ramen naar binnen viel. Even wist ik niet waar ik was, waarna alle gebeurtenissen van de dag ervoor met verpletterende helderheid terugkwamen. Was agent Grace hier werkelijk geweest? Had hij me echt gezegd dat het bloed op de vloer niet van Jake was? Ik werd naar van de gedachte dat ik het mogelijk had gedroomd. Of dat ik in slaap was gevallen terwijl hij bij me op bezoek was. Kon het nog erger? Toen merkte ik dat iemand de chenille sprei van mijn bed had gehaald en over me heen had gelegd. Ik ging overeind zitten. Achter mijn ogen klopte een doffe pijn. Op mijn salontafel lag een briefje. *Morgen praten we verder*, stond er dreigend op, ondertekend met de initialen *DG*. Het was overduidelijk het handschrift van een arrogante etter – grote ronde letters, enorme initialen. Ik moest glimlachen. Ik had nog steeds de pest aan hem, maar ik begon aan hem te wennen.

Ik probeerde het nummer van Jake. Nog steeds werd er niet opgenomen. Ik zette koffie die zo sterk was dat hij bitter smaakte. Ik liep mijn werkkamer binnen en keek de aantekeningen door die ik had gemaakt tijdens mijn gesprekken met Jenna en Dennis. Ik keek hoe laat het was: zeven uur. Ik had nog dertien uur om zo veel mogelijk uit te vinden over Myra Lyall en die website voordat het tijd was om naar de Cloisters te gaan.

Ik weet wat je denkt. Dat ik in het beste geval roekeloos en dwaas was, in het slechtste geval suïcidaal. Wat kan ik daarop zeggen? Misschien heb je wel gelijk.

Het was nog te vroeg om een would-be hacker als Jenna's ex-vriendje te bellen, maar ambitieuze mensen slapen nooit uit. Een jonge medewerkster van *The New York Times*, vooral een die zich zorgen maakte over haar baan, zou waarschijnlijk al voor zonsopgang achter haar bureau zitten. Ik belde haar via het algemene nummer van de *Times*, maar tot mijn verbazing en teleurstelling kreeg ik haar voicemail. Ik liet een boodschap achter.

'Sarah, je spreekt met Ridley Jones. Voordat Myra Lyall verdween, heeft ze geprobeerd met mij in contact te komen. Ik heb daarna wat vreemde dingen meegemaakt. Ik zou graag met je praten, kunnen we ergens afspreken voor een kop koffie?'

Ik gaf mijn nummer en hing op. Ik weet dat het een behoorlijk riskant bericht was, als je bedenkt hoeveel oren en ogen op mijn contacten waren gericht – om van de hare maar te zwijgen. Maar het bericht moest interessant genoeg zijn om ervoor te zorgen dat ze terugbelde. Binnen vijf minuten rinkelde de telefoon.

'Spreek ik met Ridley?' Haar stem was jong, ze fluisterde bijna.

'Sarah?'

'Ja.'

'Heb je mijn bericht gekregen?'

'Ja,' zei ze. 'Kunnen we ergens afspreken?'

We spraken over een halfuur af in de Brooklyn Diner, een toeristententje in Midtown, waar geen New Yorker ooit zou gaan eten. Een keuze waar ik van opkeek, maar ik vermoedde dat ze niemand van de *Times* tegen het lijf wilde lopen.

'Waar herken ik je aan?' vroeg ik.

'Ik weet hoe jij eruitziet.'

Dan is je slechte naam nog ergens goed voor.

Het restaurant zat erg vol; zodra ik de deur opendeed, kwam me een kakofonie van stemmen en het gerinkel van bestek tegemoet. Sterke geuren vochten om de aandacht: koffie, eieren met spek, het suikerige aroma van een plateau met zoete broodjes op de bar. Mijn maag rammelde. Ik bleef bij de deur staan en zocht naar een jonge vrouw die alleen was. Er was een tenger blond meisje met strak naar achteren getrokken haar, maar die zat met haar neus in de *Post* en dronk afwezig uit een dikke, witte koffiemok. Er zaten verschillende mensen aan de bar. Een roze, zwaarlijvig gezin van drie personen, alle drie met een I ♥ NY t-shirt, zat gebogen over een gids met het Vrijheidsbeeld op de kaft. Ik hoopte voor ze dat ze niet beroofd zouden worden. Een zakenman zat hard in zijn mobieltje te praten, zonder acht te slaan op de geërgerde blikken van de mensen om hem heen. Een oudere dame liet haar servet vallen; de jongeman die naast haar zat, boog zich voorover en pakte het servet op, dat hij haar met een glimlach teruggaf.

Ik keek en ging er, zoals gewoonlijk, helemaal in op mezelf van alles af te vragen over die mensen. Wie zijn ze? Zijn ze aardig of naar, gelukkig of verdrietig? Waarom doen ze zo onbeschoft of zo beleefd? Waar gaan ze heen, als ze hier de deur uit stappen? Wie gaat er de komende week dood? Wie wordt er wel honderd? Wie houdt van zijn vrouw en gezin? Wie overweegt stiekem een andere identiteit aan te nemen, zijn geld veilig te stellen en voorgoed te verdwijnen? Dit soort vragen schiet als snelvuur door mijn hoofd, ik ben me er nauwelijks van bewust. Ik kan mezelf totaal uitputten met mijn mentale lijst van vragen en mogelijke antwoorden. Daarom schrijf ik ook, vermoed ik, daarom vind ik profielen over bepaalde personen zo leuk. Dan krijg ik tenminste de antwoorden die ik van zo iemand wil krijgen – of in ieder geval de antwoorden die ze willen geven.

Iemand pakte me bij de elleboog en ik draaide me om. Ik zag een meisje met een fris gezicht, haren rood als koperdraad en een huid zo bleek en gaaf als een eierschaal. De donkere wallen onder haar ogen die blauwer dan blauw waren gaven aan dat ze gestrest was en slecht sliep. De gespannen uitdrukking op haar gezicht zei me dat ze bang was.

'Ik ben Sarah,' zei ze zachtjes. Ik knikte en we schudden elkaar de hand; die van haar lag koud en slap in de mijne.

We werden verwezen naar een zitje achter in het restaurant en we schoven tegenover elkaar aan tafel. Ik merkte dat ze haar jas niet uittrok, dus hield ik de mijne ook aan.

'Ik kan niet lang blijven,' zei ze. 'Ik moet terug naar kantoor.'

'Oké,' zei ik. Ik kwam meteen terzake. 'Waarom wilde Myra me spreken? Ik dacht eerst dat ze met me wilde praten over haar artikel, maar ik weet nu dat dat gepubliceerd is voor ze contact met me zocht. Wat wilde ze?'

Er kwam een serveerster en we bestelden koffie. Ik vroeg er een appelflap bij.

'Ik weet niet wat ze wilde,' zei ze, vooroverleunend. 'Ik weet dat ze werkte aan het verhaal over Project Kinderhulp. Er stond niets nieuws in, het bestond uit meerdere interviews met mensen die mogelijk tot de kinderen hadden behoord die uit huis waren gehaald. Ze was niet erg betrokken en deed het meer om een nieuwe redacteur bij het *Magazine* een plezier te doen. Maar tijdens haar onderzoek ontdekte ze iets wat haar niet meer losliet.'

'Wat?' vroeg ik. Ze had iets schichtigs, alsof ze elk moment kon opstaan en weghollen. Ik voelde de neiging om mijn hand uit te steken en haar bij de pols te pakken om haar ervan te weerhouden weg te lopen.

Ze schudde haar hoofd. 'Ik heb geen idee.'

Ik keek haar aan en probeerde niet geërgerd te lijken. 'Oké,' zei ik. Ik ademde rustig uit en glimlachte geduldig. 'Laten we bij het begin beginnen. Ze werkte aan die interviews...' Ik liet mijn stem wegsterven. Ze maakte mijn zin af.

'En ze deed wat achtergrondresearch over het onderzoek, over Maxwell Allen Smiley en over jou. Ze sprak met een paar mensen van de FBI. Op een dag was ze echt nijdig. Ze was net terug van een interview op het FBI-hoofdbureau en zei dat ze nog nooit zoveel weerstand had ondervonden bij een achtergrondartikel, vooral omdat het onderzoek al gesloten was. Ze zei dat ze het gevoel had dat er veel meer achter zat dan naar buiten was gebracht.'

'Dus probeerde ze uit te vinden wat dat was?'

Ze keek me met grote ogen aan. Ik begon te denken dat er iets mis was met dit meisje. Ze was óf een beetje traag óf bang en daarom terughoudend. Ik vroeg me af waarom ze bereid was geweest met me af te spreken.

'Ik weet het niet zeker. Ik denk het wel. Alles ging zo vlug.'

Ze hield haar blik op de tafel gericht en toen ze weer naar me opkeek, stonden haar ogen vol tranen. Ik zweeg en wachtte tot ze zichzelf weer onder controle had en verder ging.

'Ze was in haar kantoor. Ik hoorde haar telefoon overgaan. Ze nam op, stond vervolgens op en deed de deur dicht. Ik kon het gesprek niet horen. Ongeveer een halfuur later kwam ze naar buiten en zei dat ze de rest van de dag weg zou blijven om iets na te trekken. En weg was ze.'

'Heb je niet gevraagd waar ze heen ging? Wat ze ging natrekken?'

Ze keek me aan. 'Zo was ze niet. Ze sprak niet over haar werk. Niet totdat alles op papier stond. Ik denk trouwens dat ze het wat mij betreft bij het rechte eind had.'

'Wat bedoel je?'

'Bij mijn laatste functioneringsgesprek zei ze dat ze het idee had dat ik niet *nieuwsgierig* genoeg was, dat ik het "heilig vuur", zoals ze het noemde, niet had. En dat het uitzoeken van achtergrondinformatie me wellicht beter zou liggen dan nieuwsgaring.'

Ik kon zien dat die opmerking haar gekwetst had, maar ook dat het een schot in de roos was geweest.

De serveerster bracht onze koffie en mijn appelflap. Ik had het liefst het hele ding, vet van de boter en mierzoet, in één keer in mijn mond gepropt in een poging om mezelf te troosten.

'Toen ik haar computer uit ging zetten en de lichten uitdeed,' zei ze, na een teug van haar koffie, 'zag ik iets vreemds op haar beeldscherm.'

Mijn beker bleef halverwege de tafel en mijn lippen steken en ik staarde haar aan.

'Er stond een website open. Het scherm was helemaal rood.'

Ze schoof een stukje papier naar me toe. Ik herkende het adres, het was de website die ik gezien had bij mijn vader en Jake. Mijn rechteroor begon weer te suizen. Ik keek snel het restaurant rond om te zien of iemand ons in de gaten hield. Het woord 'website' alleen al maakte me zenuwachtig. Ik weet niet waarom.

'Heb je dit verteld aan de mensen die haar verdwijning onderzoeken?' vroeg ik.

'Ja,' zei ze schouderophalend. 'Ze leken het niet erg belangrijk te vinden.'

'Weet je iets van die site? Wat voor een het is?'

Ze schudde langzaam haar hoofd. 'Ik weet niet veel van computers,' zei ze en sloeg haar blauwe ogen neer.

Ik zette mijn koffiebeker neer en wreef over mijn voorhoofd. Ik kreeg het gevoel dat ze niet meer wist dan ik. Ik vroeg me opnieuw af waarom ze met me had willen afspreken. Dit keer vroeg ik haar dat ook.

'Ik wil haar helpen. Ik heb het gevoel dat ik de politie meer had kunnen vertellen als ik nieuwsgieriger was geweest, meer zoals zij had gewild dat ik was. Dan hadden ze haar misschien kunnen vinden. Ik dacht dat *jij* misschien iets zou weten,' zei ze klaaglijk. 'Is dat zo?'

Ik schudde het hoofd. 'Niet echt.'

'Je zei dat je vreemde dingen had meegemaakt. Wat zoal?'

De waarschuwing in het sms'je schoot me te binnen. Ik had Ace al in vertrouwen genomen en dat was geen slimme zet van me geweest, vond ik achteraf. Ik keek het meisje aan en vroeg me af wat ik ermee zou bereiken als ik haar iets vertelde, of de mogelijke winst die het zou opleveren opwoog tegen het risico. Uiteindelijk schoof ik het luciferboekje over de tafel naar haar toe. Ze pakte het op en hield het bij haar gezicht, waarbij ze haar ogen dichtkneep en rimpels in haar neus kreeg van het turen. Ze pakte een bril uit haar zak, zette hem op, en bekeek het nog een poosje. Ze sloeg het open en las wat er aan de binnenkant stond. Ze gaf het schouderophalend aan me terug.

'Sorry,' zei ze. Haar gezicht had een vreemde uitdrukking.

'Het zegt je niets?' vroeg ik.

Ze begon in haar tas te rommelen. Ze legde vijf dollar op tafel en stond snel op. 'Ik moet weg,' zei ze. 'Ik denk niet dat we elkaar kunnen helpen. Je moet...' Ik merkte dat ze over mijn hoofd naar iets achter me keek. Ik draaide me om en volgde haar blik, maar zag niet wat zij zag.

'Je moet,' begon ze haar zin opnieuw, 'op je hoede zijn.'

'Waarvoor?' zei ik en keerde me weer naar haar toe.

Ze schoof het zitje uit en liep snel naar de deur. Ik legde ook vijf dollar op tafel en volgde haar. Op straat versnelde ze haar pas.

'Sarah!' riep ik, terwijl ik haar probeerde bij te benen. 'Wacht alsjeblieft.'

Ze hield plotseling in, bijna alsof ze van iets was geschrokken. Even bleef ze stokstijf staan, terwijl ik dichterbij kwam. Toen voelde ze met haar hand achter zich, alsof ze op haar rug wilde krabben, maar niet bij de jeukende plek kon. Er ging een stuiptrekking door haar heen. Toen ik haar eindelijk had ingehaald, zat ze op haar knieën en leken alle straatgeluiden om ons heen tot een doodse stilte te verstommen. Ik ging op mijn knieën naast haar zitten. Haar gezicht was vertrokken van de pijn, haar huid zag zo bleek dat hij bijna blauw was. Ze opende haar mond om iets te zeggen en een stroompje bloed liep langs haar kin op de roze kraag van haar blouse. De mensen om ons heen begonnen te merken dat er iets mis was en maakten ruimte. Iemand gilde.

'Kan iemand een ambulance bellen,' riep ik. Ik hield haar vast, terwijl ze slap tegen me aan zakte. Al gauw leunde ze met haar volle gewicht op me. Een jongeman bleef staan en belde met zijn mobieltje het alarmnummer. Hij liet zijn aktetas op het trottoir vallen.

'Wat heeft ze?' vroeg hij.

Ik gaf geen antwoord, want ik wist het ook niet. Hij nam haar van me over en legde haar op de grond, knoopte haar jas open en schoof de riem opzij van de Kate Spade postbodetas die ze diagonaal om haar schouders droeg. Haar haren lagen als een stralenkrans rond haar hoofd. Twee bloedrode bloesems ontsierden de voorkant van haar blouse. Het was alsof er een gebroken engel op het beton lag.

Hij keek me vol ongeloof aan. 'Ze is neergeschoten.'

Ik keek eerst naar hem en daarna langs hem heen. In de menigte die zich om ons heen verzamelde, schuifelde een in zwart geklede man langzaam naar achteren. Hij droeg een lange zwarte jas en een zwarte vilten hoed. Hij leek weg te glijden en ongemerkt in de menigte op te gaan. Ik hoorde het gehuil van sirenes.

'Hé,' gilde ik.

De jongeman, die over Sarah heen gebogen stond, keek me met een verhit gezicht aan. 'Wat is er?'

Maar ik was er al vandoor en baande me een weg door de mensenmassa.

'Je kunt niet zomaar weggaan!' hoorde ik hem me naroepen. 'Ken je haar dan niet?'

Ik hield mijn ogen gericht op de man in het zwart, die zich door de drukke straat voortspoedde. De afstand tussen ons werd steeds groter en regelmatig was ik hem even kwijt. Hij ging in westelijke richting, onvoorstelbaar snel. Tegen de tijd dat we Eighth Avenue overstaken, was ik buiten adem. Bij Ninth was ik hem kwijt. Ik stond op de hoek en speurde de straat naar beide kanten af.

Een dakloze man, die op een stuk karton lag, keek me belangstellend aan. Hij lag er ontspannen en gemakkelijk bij, alsof hij in zijn eigen woonkamer op de bank lag. In de holte van zijn rechterarm lag een chihuahua te bibberen en met zijn linkerhand hield hij een bord vast. Daar stond op NEGEER MIJ NIET. DIT KAN OOK JOU OVERKOMEN. Ik negeerde hem.

'Voor vijf dollar zeg ik je welke kant hij opging,' zei hij na een tijdje.

Ik bekeek zijn smerige gezicht en samengeklitte blonde baard, zijn gescheurde Ranger-shirt, zijn niet bij elkaar passende schoenen. Hij zag er niet eens zo slecht uit voor iemand die op een stuk karton op straat lag. Ik haalde een briefje van vijf uit mijn zak en stak het hem toe. Hij wees naar het zuiden.

'Hij gooide iets in die vuilnisbakken daar en nam een taxi.'

'Nam hij een taxi?' zei ik, terwijl er wanhoop en ergernis in mijn stem kroop.

Hij haalde zijn schouders op. Het hondje kefte vals naar me.

Ik liep naar de vuilnisbakken die hij had aangewezen, er stonden er drie bij elkaar op de stoeprand. Ze stonken een uur in de wind. 'Welke?'

'Die,' zei hij en wees de rechterbak aan. Ik aarzelde.

'Mooi meisje wil geen vieze handjes krijgen,' zei hij tegen het hondje, met een geamuseerde grijns in mijn richting. 'Welkom in mijn wereld.'

Ik wierp hem een vuile blik toe, pakte het deksel vast en tilde het omhoog. Ik werd overvallen door de stank en door wat ik erin zag liggen. Boven op een witte vuilniszak lag een pistool met een geluiddemper op de loop. Ik weet niet of het van de stank of van het pistool kwam, maar ik ging bijna over mijn nek. Toch strekte ik mijn hand uit en pakte het pistool, meer om mezelf van de echtheid ervan te overtuigen dan om iets anders. Het was echt. Ik kon mijn ogen niet geloven. Ik had gezien hoe een meisje op straat werd neergeschoten, had haar aanvaller achtervolgd en zijn pistool met geluiddemper gevonden. Ik kreeg een zwaar gevoel op mijn borst en mijn handen begonnen te trillen. Ik weet niet hoe lang ik zo heb gestaan.

'Leg dat pistool neer. Handen omhoog.'

Ik verstijfde en keek op van het ding dat ik in mijn hand hield. Ik was omsingeld door de politie. Vier geüniformeerde agenten sloten me in. Twee patrouillewagens stopten. De dakloze man was verdwenen.

Depressie is niet opzienbarend, maar wel allesoverheersend. Ze is geniepig – je merkt haar aanvankelijk niet op. Ze besluipt je, als een dief in de nacht. Eerst ontfutselt ze je kleine dingen: je eetlust, je behoefte om telefoontjes te beantwoorden. Dan komt ze terug voor het grotere werk, zoals je levenslust.

Het volgende dat je merkt is dat je benen van lood zijn. Alleen de gedachte aan tandenpoetsen maakt je al benauwd, je kunt het bijna niet meer opbrengen. Je leven is plotseling zwart-wit – niets is meer helder, niets is meer mooi. Muziek klinkt blikkerig en ver weg. Wat je vroeger grappig vond, lijkt nu flauw en vals.

In dat zwarte gat zakte ik weg toen ik op het politiebureau van Midtown North werd ondervraagd door rechercheurs van de afdeling Moordzaken. Ik vertelde hen mijn halve waarheid, op net zoveel verschillende manieren als ze maar wilden: ik had een telefoontje van Myra Lyall willen beantwoorden en Sarah had me over haar verdwijning verteld. Sarah had een afspraak met me willen maken. Er bleek sprake te zijn van een misverstand: zij had gedacht dat ik haar zou kunnen helpen achterhalen wat er met Myra was gebeurd. Ze had het restaurant verlaten toen ze besefte dat ik niet meer wist dan zij. Ik was haar achternagegaan, omdat de situatie me niet lekker zat. Ik had haar zien vallen. Tegen de tijd dat ik bij haar was, bleek ze twee schotwonden in haar borst te hebben en was ze dood. Ik had de man zien wegrennen van wie ik dacht dat hij haar had neergeschoten. Ik was hem achternagegaan en had zijn pistool gevonden.

Als Sarah mijn bericht op haar voicemail had bewaard, dan hadden ze geweten dat dit niet het hele verhaal was. Maar ik vermoedde dat ze het had gewist, zo'n nerveus type had ze me wel geleken.

'Waarom probeerde Myra Lyall met u in contact te komen?' zei de derde man die binnen was gekomen om met me te praten. Hij was ouder, zag er mat en moe uit. Zijn overhemd zat strak gespannen om zijn buik, zijn grijze broek was te kort. Hij had zichzelf voorgesteld, maar ik was zijn naam alweer kwijt. Mijn depressie leek in apathie te zijn overgegaan.

'Ik denk voor een artikel waar ze mee bezig was, een stuk over de baby's van Project Kinderhulp.'

Hij keek me even aan. 'Dus daar ken ik uw gezicht van.'

'Dat zal wel,' zei ik en ik geeuwde, hoe onbeschoft en arrogant het ook leek, of misschien wel juist daarom. Ik werd kotsmisselijk van al die politiemensen met hun stomme spelletjes. Ze vonden zichzelf zo snugger, ze dachten inzicht te hebben in mensen, inzicht te hebben in mij. Maar dat was niet zo. Ze wisten niets over mij. Ik had al zoveel van deze kamers vanbinnen gezien sinds de start van het onderzoek naar Project Kinderhulp. Ik ervoer hun manier van werken niet langer als beangstigend of intimiderend.

De politieman bleef me aankijken. Zijn ogen waren roodomrand, flets en koud. Het was een man die zoveel slechts had gezien dat hij waarschijnlijk niet meer wist wat goed was.

'Bent u moe, juffrouw Jones?'

'U moest eens weten.'

Hij zuchtte even en keek naar zijn kapotgebeten nagelriemen. Toen keek hij me weer aan.

'Er is een meisje vermoord. Doet dat u helemaal niets?'

Zijn vraag bracht me van mijn stuk. Natuurlijk deed me dat iets. Als ik mezelf zou toestaan daarover na te denken, over mijn verantwoordelijkheid voor wat er met haar was gebeurd, over het feit dat ze de tweede persoon was die ik binnen twee jaar voor mijn ogen had zien sterven, dan zou ik in honderdduizend stukjes uiteenvallen.

'Natuurlijk wel,' zei ik zachtjes. Die bekentenis joeg een steek door mijn borst en kneep mijn keel dicht. Ik hoopte dat ik niet zou gaan huilen. Ik wilde niet huilen. 'Maar ik weet niet wie haar heeft vermoord en waarom. Ik kende haar pas twintig minuten.'

Hij knikte plechtig. Hij stond op en ging zonder verder nog iets te zeggen de kamer uit. Ik legde mijn vermoeide hoofd op mijn armen op tafel. Ik probeerde niet te denken aan hoe Sarah op straat ineenzakte, ik probeerde me niet te herinneren hoe Christian Luna die avond op een parkbank met een volmaakt rond cirkeltje in zijn voorhoofd voorover was geklapt. Ik probeerde niet te denken aan het pistool met de geluiddemper op de vuilniszak. Maar natuurlijk flitsten al die beelden als een soort macabere diavoorstelling door mijn hoofd. De zwarte vingers kregen me meer en meer in hun greep.

De deur ging open en dicht. Ik telde tot twee voor ik opkeek om te zien wie mijn volgende ondervrager was. Ik had nooit gedacht dat ik blij zou zijn Dylan Grace te zien, maar de aanblik van hem ontspande iedere spier in mijn lijf. Toen kwamen de tranen. Geen snikken, het bleef bij een beetje gesnotter. Hij liep op me af en hielp me overeind.

'Kom, we gaan,' zei hij rustig.

'Je slaat me toch niet in de boeien?' zei ik, terwijl ik mijn ogen droogde met het papieren zakdoekje dat hij uit zijn zak had gehaald. Ik nam aan dat ik aan de FBI werd overgedragen. Ik kon geen andere reden bedenken waarom de New Yorkse politie me zou laten gaan.

'Nee. Niet als je je gedraagt.'

Zijn partner, wiens naam ik nog steeds niet wist en ook niet echt hoefde te weten, bracht me naar buiten naar de auto, terwijl agent Grace de nodige administratieve rompslomp afhandelde. Ze noemden me nu een federale getuige, hoorde ik in het gesprek tussen agent Grace en een van de rechercheurs die me hadden ondervraagd. Ik wist niet zeker wat dat inhield.

Zijn partner sprak niet tegen me, opende alleen maar het achterportier en sloot het nadat ik naar binnen was geschoven. Hij bleef buiten wachten. Het was een heldere, zonnige dag, koel en winderig. Met enige moeite stak hij een sigaret op en leunde vervolgens tegen de kofferbak. Ik probeerde de deur, hij was vanbinnen niet te openen.

Agent Grace stapte in de auto, we reden richting uptown. Ik nam aan dat we naar het hoofdbureau van de FBI gingen, maar na een poosje kwam ik tot de ontdekking dat dat niet zo was. Ik vroeg niet waar we heen gingen. Ik gebruikte het ritje om mijn ogen even dicht te doen en te bedenken hoe ik me van deze kerels moest verlossen om nog op tijd met Grant in contact te komen en naar de Cloisters te gaan. Je kunt het geloven of niet, maar het was nog niet eens één uur. Ik had nog even de tijd.

Toen de auto stopte, opende ik mijn ogen. Agent Grace gaf zijn partner een bruine envelop.

'Deze formulieren moeten worden gearchiveerd,' zei hij.

'Waarom moet ik dat doen?'

'Dat hoort bij je opleiding,' zei agent Grace met een glimlach. 'Als *jij* een nieuweling opleidt, mag jij hem *jouw* hele papierwinkel geven.'

'Waar ga je met de getuige naartoe?'

Ik kon ze in de achteruitkijkspiegel bekijken en zag de wrevel op het gezicht van de partner en de onverschilligheid op dat van agent Grace. Zonder iets te zeggen stapte agent Grace uit en opende het portier voor me. We waren op de hoek van Ninety-fifth en Riverside. Ik wist niet wat er ging gebeuren. Zijn partner wierp hem door het raampje nog een nijdige blik toe en scheurde vervolgens met gierende banden weg.

'Wat gaan we doen?' vroeg ik.

'Een stukje lopen,' zei hij.

Mijn hart miste een slag. Ik mocht de partner van agent Grace niet, maar hij leek me wel een goede politieman. Hij mocht dan een vervelend sujet zijn, maar gevaarlijk was hij volgens mij niet. Ik denk dat ik agent Grace niet zo erg vertrouwde. Het was rustig waar we liepen, in een woonwijk, arbeidersklasse, grenzend aan Morningside Heights. Riverside Park is een smalle strook land tussen Riverside Drive en de Hudson. Het ligt op een hoogte en de snelweg loopt er parallel aan, alleen een stuk lager. Ik hoorde het verkeer voorbijrazen, maar de boomtoppen belemmerden me het uitzicht op de weg. Op het pad dat het park in ging, werden we ingehaald door een joggend stelletje. Behalve hen leek het park en de buurt eromheen uitgestorven.

Ik bleef staan. 'Wat doen we hier?' vroeg ik hem opnieuw. Ik wilde niet verder lopen voor ik wist wat hij wilde. Hij bleef ook staan, stak zijn handen in zijn zakken en keek me aan. Toen liep hij op zijn gemak naar een van de parkbanken die langs het pad stonden en ging zitten. We hoorden het geluid van een autoalarm, daarna werd het stil. Ik aarzelde even, dacht eraan om ook te gaan zitten, maar besloot te blijven staan.

'Zullen we maar ophouden met die onzin?' zei hij.

'Wat bedoel je?'

'We zijn nu met z'n tweetjes, Ridley. Niemand kan ons horen. Vertel me gewoon wat er aan de hand is.'

'Waarom?'

'Omdat jij en ik een gemeenschappelijk doel hebben. We kunnen elkaar helpen.'

Ik keek door de bomen omhoog naar de blauwe lucht, waarin hoge witte cirruswolken dreven. Ik rook uitlaatgassen en nat gras. Ik hoorde een radio een salsadeuntje spelen.

'Ik zou niet weten wat je bedoelt met ons "gemeenschappelijk doel".'

'Ligt dat niet voor de hand?'

'Nee.'

'We zijn allebei op zoek naar je vader.'

Ik wist dat hij Max bedoelde, maar ik vond het een rotstreek van hem om het zo te verwoorden. Misschien omdat het waar was. Ik was ook op zoek naar mijn vader, letterlijk en figuurlijk. Misschien was ik altijd al naar hem op zoek geweest. Tante Ontkenning stak de kop weer op, maar hield zich gedeisd.

'We zijn allemaal naar hem op zoek,' ging hij verder. 'Jij, ik, en je vriendje ook.'

'Max is dood.'

'Je zou best eens gelijk kunnen hebben. Maar dat neemt niet weg dat je hem toch moet vinden. Je moet toch weten wie hij was... of wie hij is.'

Ik vermeed het hem aan te kijken.

'En weet je waarom?' vroeg hij, terwijl hij met zijn ellebogen op zijn dijbenen naar voren leunde. Ik voelde weer zo'n eenzijdig gesprek aankomen. 'Want pas als je dat weet, *echt* weet, kun je een antwoord krijgen op een vraag die nog belangrijker is. Pas dan weet je wie je *zelf* bent. Want wie is Ridley Jones?'

'Ik weet wie ik ben,' zei ik uitdagend. Maar hij had een van mijn angsten aangeboord, de angst dat hij gelijk zou kunnen hebben, dat ik pas zou weten wie ik was als ik wist wie Max was. Het enige wat ik sinds het afgelopen jaar zeker wist, is dat ik niet de dochter van Ben en Grace ben. Dat ik niet het brave kind ben van brave ouders. Ik wist niet echt wiens dochter ik wel was. Ik was meer te weten gekomen over mijn biologische achtergrond, maar dat was dan ook alles.

Misschien ben je het niet met me eens. Misschien vind je wel dat als Ben en Grace me hebben opgevoed, me van alles hebben bijgebracht en hebben liefgehad, dat zij dan de mensen zijn van wie ik afstam – dat zij mijn echte ouders zijn. En natuurlijk klopt dat deels ook. Maar we zijn toch meer dan onze ervaring, meer dan de som van de dingen die we hebben aangeleerd? We zijn toch ook een mysterie? Iedere moeder kan je vertellen dat haar kind is geboren met iets van een eigen persoonlijkheid, met leuke en niet leuke trekjes die niets met leren of ervaring te maken hebben. Dat stukje van mezelf was me onbekend. Mijn eigen mysterie was me vreemd, het stukje dat al bestond voordat ik werd geboren, dat leefde in de strengen van het DNA van Max. Als ik hem niet kende, hoe kon ik mezelf dan ooit kennen? Om een of andere reden had ik niet van die brandende vragen over Teresa Stone, mijn biologische moeder. Zij leek niet echt met me verwant, ze was een mythe waarin ik niet helemaal geloofde. Misschien kwamen die vragen later nog. Max nam zo gigantisch veel ruimte in mijn leven in beslag.

Ik heb Jake zijn obsessie voor Max bijna verweten. Ik denk dat ik erg kwaad op mezelf was dat ik nu net zo geobsedeerd was als hij.

'Is dat zo?' vroeg agent Grace. 'Weet je wie je bent?'

'Ja,' zei ik defensief.

'Waarom zit je hem dan achterna?' vroeg hij.

Ik lachte kort. '*Ik* zit hem niet achterna. Waarom zit *jij* hem achterna?'

'Dat is mijn werk.'

'Nee,' zei ik, terwijl ik naast hem ging zitten en hem doordringend aankeek. 'Er zit meer achter.' Nu was het zijn beurt om zijn blik af te wenden. Pas toen besefte ik waarom ik deze man niet vertrouwde. Hij had een dubbele agenda, er was nog een reden om zijn werk goed te willen doen. Hij had ook iets nodig van Max. Ik had het de hele tijd al aangevoeld, zonder dat gevoel te kunnen benoemen.

'Wat, Dylan?' Het was de eerste keer dat ik hem zo noemde. Het voelde direct goed, het maakte ons tot gelijken. Het was me opgevallen dat hij me een poosje geleden al Ridley was gaan noemen, hoewel ik hem dat voorrecht meerdere malen had ontzegd. 'Waar ben jij naar op zoek?'

Ik verwachtte dat hij tegen me zou uitvallen of zou zeggen dat hij mijn vragen niet hoefde te beantwoorden. Maar hij slaakte een diepe zucht en ontspande zijn schouders een beetje. Ik zag iets wat ik nog niet eerder in zijn gezicht had gezien. Het maakte hem wat ouder, wat getekender en droeviger rond de ogen.

'Max Smiley...' begon hij, maar zweeg meteen weer, zijn mond vertrokken tot een verbeten, dunne streep. Het leek alsof de woorden hem in de keel bleven steken. Hij keek naar iets in de verte, iets heel erg ver weg. Ik drong niet aan, richtte mijn blik op het pad zodat hij niet zou denken dat ik hem aanstaarde. Ik stopte mijn handen in mijn zakken om ze te beschermen tegen de toenemende kou.

Na een poosje, een minuut of zo, of misschien wel vijf, zei hij: 'Max Smiley heeft mijn moeder vermoord.'

Zijn woorden bleven in de lucht hangen, vermengden zich met de verkeersgeluiden en de verre salsamuziek. Ik hoorde een basketbal op het beton stuiteren, langzaam en alleen. In de verte zag ik een ongezond magere jongen alleen op een basketbalveldje. Een schot... Mis.

Ik wist niet wat ik hem als eerste moest vragen. Hoe? Wanneer? Waarom? De mededeling zong rond in mijn lijf. Ik begon ervan te tintelen; achter mijn ogen begon een doffe hoofdpijn te dreunen.

'Ik begrijp het niet,' zei ik.

'Laat maar zitten,' zei hij. 'Het is niet belangrijk.'

Ik legde mijn hand op zijn arm, maar hij trok die snel terug.

'Niet doen,' zei ik. Hij staarde nog steeds in de verte. 'Vertel me wat er is gebeurd. Als je dat niet had gewild, had je me niet hierheen gebracht, dan had je niets gezegd.'

Toen moest ik aan Jake denken, aan alle geheimen uit zijn verleden waar ik stukje bij beetje achter was gekomen door het uitziften van de ene na de andere laag vol leugens en halve waarheden. De onzekerheid over zijn lot, waar hij was en waarom hij niet belde, voelde aan als een verstuikte enkel – ik kon wel lopen, maar voelde voortdurend pijn. Hij was één keer eerder zomaar verdwenen sinds we elkaar kenden, midden in een wanhopige situatie. Ik had me meer dan eens afgevraagd of hij Esme misschien toch had vermoord en nu op de vlucht was. Maar ik vond het niets voor hem. Of misschien wilde ik de mogelijkheid niet onder ogen zien dat Jake's woede uiteindelijk de overhand had gekregen.

'De bijzonderheden doen er niet toe,' zei hij.

'Maar je denkt dat hij haar heeft vermoord.'

'Dat weet ik zeker.' Eindelijk draaide hij zich om en keek me aan.

'Hoe?' vroeg ik.

Zijn gezicht bleef ondoorgrondelijk en hij zweeg.

'Je kunt niet zomaar zoiets verschrikkelijks beweren en dan dichtklappen. Wie was ze? Hoe heeft ze Max leren kennen? Hoe is ze gestorven?' vroeg ik. 'Waarom denk je dat Max haar heeft vermoord?'

Hij zuchtte diep. 'Haar lichaam werd in een steegje achter een hotel in Parijs gevonden. Ze was doodgeslagen,' zei hij. Er voer een huivering door mijn hele lichaam. Ik dacht aan alles wat Nick Smiley me had verteld. Maar de stem van Dylan klonk vlak, van zijn gezicht was niets af te lezen. Hij leek zijn emoties uitgeschakeld te hebben.

'Wat vreselijk,' zei ik.

Geen reactie. Ik kon geen vat krijgen op de manier waarop deze man communiceerde. Het ene moment was zijn woordenstroom niet te stuiten, en het volgende moment gaf hij een perfecte imitatie weg van een stenen muur. Ik zuchtte, stond op en liep een beetje heen en weer om de bloedsomloop in mijn ijskoude ledematen weer op gang te brengen. Er klopte iets niets. Ik hield de tijd in de gaten.

'Waarom denk je dat Max haar heeft vermoord?' vroeg ik opnieuw. Zonder verdere informatie leek het allemaal een verzinsel. Het klonk niet echt.

Hij deed zijn mond open en weer dicht. Toen zei hij: 'Laten we zeggen dat hij een goed motief had en ruim de gelegenheid.'

Ik schudde het hoofd. Ik wilde best medeleven tonen voor hem en die tragische gebeurtenis in zijn leven, maar dit was nou niet echt sluitend bewijs.

'Daar kan ik niets mee. Trouwens, ik zie niet in wat dat met mij te maken heeft. Ik bedoel,' zei ik, toen hij niet antwoordde, 'als je je op mij focust omdat je denkt dat ik iets over Max weet, dan heb je de verkeerde voor je.'

'Dat denk ik niet,' zei hij. 'Ik denk dat jij precies de persoon bent die ik moet hebben. Ik heb je al eerder gezegd dat ik denk dat je me niet alles vertelt wat je weet. Ik geef je er nu de gelegenheid voor, we zijn nu alleen. Jij bent nu geen federaal getuige, ik ben geen agent: we zijn gewoon twee mensen die elkaar kunnen helpen om dat te vinden wat we nodig hebben om verder te gaan met ons leven. Jij moet je vader vinden. Ik moet degene vinden die mijn moeder heeft vermoord. Dat is een en dezelfde persoon. We kunnen elkaar helpen of elkaar pijn doen. De keuze is aan jou.'

'Ik heb een beter idee. Waarom laten we elkaar niet met rust? Ik heb vandaag iemand zien sterven. Ik wil naar huis en vergeten dat dit allemaal is gebeurd. Waarom ga jij niet weer aan je werk en ga ik weer terug naar mijn leventje en vergeten we dat we elkaar ooit hebben ontmoet? Je kunt in therapie gaan. Misschien doe ik dat ook nog wel.'

Ik begon langzaam van hem vandaan te lopen.

Misschien wilden we allebei wel hetzelfde. We wilden allebei Max Smiley ter verantwoording roepen voor zijn vermeende daden. Maar ik geloofde geen moment dat we aan dezelfde kant stonden. Het kon net zo goed een truc van hem zijn om mijn vertrouwen te winnen, zodat ik hem als bondgenoot zou zien en hem zou vertellen wat ik wist en hem misschien naar de arrestatie van zijn leven zou leiden – streber die hij was.

Ik voelde me verward en bang, ook boos. Ik voelde me murw geslagen door de gebeurtenissen van de afgelopen dagen en door deze man die me wilde laten denken dat hij mijn vriend en bondgenoot was. Ik deed het enige wat ik dacht dat ik op dat moment kon doen. Ik zette het op een lopen.

10

Hardlopen is bepaald niet mijn sterkste punt. Ik ben er niet op gebouwd. Geen snelheid, geen uithoudingsvermogen. Toch slaagde ik erin aan Dylan Grace te ontsnappen, vermoedelijk alleen maar omdat hij niet direct opsprong om de achtervolging in te zetten... en omdat ik een taxi wist aan te houden voordat hij de straat had bereikt.

'Ridley, doe niet zo stom!' schreeuwde hij.

Ik zwaaide naar hem terwijl de taxi wegreed.

'Je moet niet bij je vriendje weglopen,' las de taxichauffeur me de les. Ik keek op zijn registratiekaart: Obi Umbabwai. Hij had een zwaar Afrikaans accent. 'Zoveel goede mannen zijn er niet.'

Ik wierp hem in de achteruitkijkspiegel een nijdige blik toe.

'Waar gaat het naartoe?' vroeg hij, nadat hij een paar straten in zuidelijke richting had gereden.

'Weet ik nog niet,' antwoordde ik. 'Rijd gewoon maar even wat rond.'

'Geld genoeg, zeker,' zei hij.

'Ik zou het op prijs stellen als u zich tot chaufferen zou beperken, meneer,' zei ik. Ik pakte mijn mobieltje uit mijn zak en belde het nummer dat ik van de website van Grant had gehaald. De telefoon ging over en ik hoopte vurig dat ik niet zijn voicemail zou krijgen. Het was halftwee.

Hij nam op met: 'Ja?'

'Ik moet je spreken,' zei ik.

Het was even stil. 'Ken ik jou?'

'Je maakt een grapje zeker? We hebben elkaar gisteren bij Yaffa ontmoet. Je zei dat je me nog eens wilde zien.'

Hij begon te sputteren. Toen had hij het door. Niet echt bij de pinken voor iemand die overal complotten ziet. Waarschijnlijk zat hij elke donderdagavond met zijn maten om de tafel om Dungeons and Dragons te spelen en was dat spelletje het enige echte complot waar hij ooit bij betrokken was geweest.

'O, ja,' zei hij respectvol. 'Blij dat je belt.'

'Kunnen we nu afspreken?'

'Nu?' zei hij. Hij klonk verbaasd en een beetje aarzelend.

'Nu of nooit. Zoveel tijd heb ik niet.'

Opnieuw stilte. Hij ademde zwaar, opgewonden. 'Waar?'

Ik zei waar ik hem zou opwachten en verbrak de verbinding. Ik denk dat ik hem de dag, misschien wel het jaar, van zijn leven bezorgde. Ik herhaalde het adres tegen de taxichauffeur, die me in zijn spiegeltje afkeurend aankeek.

'Wat je wilt, schatje.'

Mijn mobieltje ging over en ik zag dat het Dylans nummer was. Ik drukte op de gesprekstoets en bracht de telefoon naar mijn oor, maar ik zei niets.

'Je begaat een grote vergissing, Ridley,' zei hij. 'Wil je verdomme echt dat er een opsporingsbevel tegen je wordt uitgevaardigd?'

Aan de hoogte van zijn stem en aan het feit dat hij vloekte kon ik horen dat hij *echt* uit zijn doen was. Ik hing op en sloot mijn ogen, leunde tegen de met skai beklede rugleuning van de smetteloos schone taxi en liet me naar Times Square brengen.

Hoewel je het uit mijn volwassen bestaan niet zou afleiden, is mijn puberteit zonder al te veel dramatische toestanden verlopen. Mijn broer maakte problemen voor twee, dus voelde ik het altijd als mijn verantwoordelijkheid om het brave kind te zijn, het meisje dat het niemand moeilijk maakte. Ik ben een keer betrapt met sigaretten (en ze waren niet eens van mij) en ik ben wel eens te laat thuis gekomen. Daar bleef het bij. Ik kan me niet herinneren dat ik ooit ergens huisarrest voor heb gekregen.

Maar in de periode na het vertrek van Ace had ik het best wel moeilijk. Ik was zo bedroefd en kwaad. Het voelde alsof al dat verdriet binnen in me zat opgekropt zonder dat het weg kon. Ik merkte dat ik niet goed meer kon slapen en me niet meer kon concentreren op school. Ik had geen zin meer in uitjes naar het winkelcentrum en wilde niet meer met mijn vrienden naar de bioscoop. Ik wilde alleen maar op mijn kamer blijven en eindeloos slapen. Ik deed steeds alsof ik ziek was, zodat ik thuis kon blijven. Lastig als je vader kinderarts is. Ik zei meestal dat ik buikpijn had en dat leek hij altijd klakkeloos te geloven.

Ik geloof niet dat mijn ouders mijn verdriet opmerkten, misschien omdat ze zelf zo'n moeilijke periode doormaakten. Ze hadden geprobeerd mijn broer tegen zijn zin op te laten nemen in een afkickkliniek met als gevolg dat hij zijn biezen had gepakt. Hij woonde ergens in New York City en deed zichzelf god weet wat aan. Een paar maanden voor zijn eindexamen was hij van school gegaan. En mijn ouders konden er niets tegen doen, want hij was inmiddels achttien geworden. Ze waren er kapot van. Soms ging ik 's nachts, als ik niet kon slapen, naar de keuken om wat te eten. Ik heb mijn vader twee keer horen huilen achter de gesloten deuren van zijn werkkamer.

Op een ochtend kregen mijn ouders tijdens het ontbijt knallende ruzie. Het was alsof ik niet meer voor ze bestond. Ik pakte mijn spullen en verliet het huis zonder ze gedag te zeggen. In plaats van op de hoek op de bus te wachten, liep ik de heuvel af naar het station en pakte de trein van 7.05 uur. Ik ging naar Hoboken, nam daar de PATH naar Christopher Street en slenterde wat rond in West Village. Uiteindelijk vond ik mijn weg naar Fifty-seventh Street. Tegen de tijd dat ik er aankwam, was Max al weg naar zijn werk. Dutch, de portier, liet me naar boven gaan en Clara, het dienstmeisje van Max, liet me het appartement binnen. Ze maakte een paar kaastosti's voor me en gaf me een beker chocolademelk. Daarna ging ik naar de logeerkamer, trok de jaloezieën dicht en viel in slaap.

Clara stelde geen vragen, keek een keer om het hoekje en deed de deur weer dicht. Ik voelde me beschermd in de koele, donkere kamer. Ik genoot van de stilte en van de zachte lakens die naar seringen roken. Ik sliep ik weet niet hoe lang.

Clara moet Max gebeld hebben, want hij kwam vroeg in de middag thuis. Hij maakte me wakker door zachtjes op de deur te kloppen.

'Kom, we gaan lunchen,' zei hij, zittend op de rand van mijn bed.

Hij nam me mee naar de American Grill op Rockefeller Plaza. We keken naar de schaatsers die hun rondjes op de ijsbaan draaiden, terwijl ik een enorme kaasburger, frieten en een milkshake naar binnen werkte. Hij stelde me geen van de vragen die ik verwachtte. Ik kan me eigenlijk niet herinneren dat we veel zeiden. We zaten gewoon gezellig samen in stilte te eten tot ik niet meer kon. Daarna nam hij me mee naar de film. Ik weet niet meer naar welke film – iets grappigs voor volwassenen, waarin mijn ouders nooit toegestemd zouden hebben. Max lachte uitbundig, wat hem boze blikken en venijnig gesis om stilte opleverde van het handjevol andere bezoekers aan de matinee. Het enige wat ik me kan herinneren is dat het geluid van zijn idioot harde gelach aanstekelijk werkte en het niet lang duurde voor ik ook zat te lachen. Het zware gevoel in mijn borst verdween, mijn verdriet werd een beetje verdreven. Ik kon weer ademhalen.

In de limousine op de terugweg naar zijn appartement zei Max: 'Het leven is soms echt balen, Ridley. Sommige dingen gaan verkeerd en komen niet meer goed. Maar over het algemeen gaan we er niet dood aan. En het goede dat we meemaken is genoeg om ons op de been te houden. Veel mensen hebben er alles aan gedaan ervoor te zorgen dat er meer goeds dan slechts op je pad komt. Dat gedoe met Ace...' Hij zweeg en haalde de schouders op. 'Daar kan niemand meer iets aan doen.'

'Ik mis hem,' zei ik tegen Max. Het was een opluchting het hardop te kunnen zeggen. 'Ik wil dat hij weer thuiskomt.'

'Dat willen we allemaal, Ridley. En het is niet erg dat je er verdriet over hebt. Wat ik bedoel is dat je moet voorkomen dat het je niet kapotmaakt. Help je leven niet naar de klote, omdat Ace dat het zijne doet. Spijbel niet van school en loop niet weg van huis. Verstop je niet in het donker. Je bent een helder licht. Laat de Ace's in de wereld dat licht niet doen doven.'

Ik knikte. Het was fijn te kunnen praten met iemand die niet zoveel verdriet had als ik.

'Je ouders zijn er stuk van. Maak het ze niet te moeilijk.'

Mijn vader zat me op te wachten in het appartement van Max. Midden in de spits kropen we in een slakkengangetje naar New Jersey terug, pratend over alles wat ik voelde. Maar hij vroeg me er niet met mijn moeder over te praten.

'Als ze er klaar voor is, gaan we er samen over praten. Nu is het allemaal nog veel te pijnlijk voor haar.'

De naam van Ace is nooit meer genoemd bij ons thuis.

Ik belde Ace een paar keer vanuit de taxi. Geen antwoord. Geen voicemail. Ik onderdrukte de angst dat hij me zou laten stikken, dat ik alleen naar de Cloisters zou moeten gaan.

Terwijl we langs de Hudson snelden, drong de vraag zich aan me op waarom de mannen in mijn leven zo beschadigd waren. Wat was er met mijn karma aan de hand dat het dit soort energie mijn leven binnenzoog? Ik dacht aan Max en vroeg me af of het mogelijk was dat hij nog in leven zou zijn, dat hij me op zou staan wachten bij de Cloisters. Of misschien zou Jake er staan. Ik zag die twee, waar ze ook waren, als twee donkere manen om mijn leven cirkelen. Het leek wel alsof ze op een soort ramkoers lagen, en als ik er niet in zou slagen vóór die tijd een van de twee te bereiken, zouden ze beiden door de klap vernietigd worden – of anders ik. Voeg nog wat Dylan Grace aan dit mengsel toe en de ravage zou niet meer te overzien zijn.

Vlak bij Times Square ligt een virtual reality-speelhal annex internetcafé met de naam Strange Planet. De drie verdiepingen met de meest recente videospelletjes zitten van 's morgens vroeg tot 's avonds laat vol met mafkezen en excentriekelingen. Een ideale plaats voor een onopvallende afspraak met een computernerd, want het was er donker en druk en er waren veel uitgangen. De ramen waren geblindeerd, dus toen ik naar binnen glipte leek het alsof ik een bizarre toekomstwereld betrad. Surfdudes, skatechicks, punkers en hackers schuifelden van spel naar spel, dronken smoothies en probeerden er cool uit te zien. Rond een veel te dik joch dat zich voor een kung fu-spel stond uit te sloven had zich een groepje mensen verzameld. Uit de grote luidsprekers dreunde technomuziek waarnaar niemand leek te luisteren. Een Aziatisch meisje dat wild stond te dansen voor een raar discospel leek op haar eigen ritme te bewegen.

Op een vreemde manier deed het me denken aan de drugscafés die ik tijdens mijn wanhopige zoektochten naar mijn broer had bezocht. Donkere holen, bevolkt door zombies die alleen dachten aan hun volgende shot. Waar ze waren, het hier en nu, ging aan hen voorbij; hun ogen stonden glazig en keken naar dingen die ik niet kon zien of begrijpen. Daar, net als hier, had ik me anoniem en onzichtbaar gevoeld. En dat was precies wat ik wilde tegenwoordig.

Ik holde een trap op achter in het gebouw, die naar het internetcafé leidde. Ergens achterin vond ik een vrije nis, ik bestelde een cappuccino, en doodde de tijd dat ik zat te wachten op Grant met het checken van mijn e-mail. Ik zou hem vast herkennen als ik hem zag.

Mijn postbus zat vol met de gebruikelijke onzin. Ik scrolde door de junkmail tot ik een mail van mijn vader tegenkwam. De onderwerpregel jubelde: *We hebben het heerlijk hier!* Het was een kort berichtje om te melden dat ze in Spanje waren en hun hart ophaalden aan 'de spectaculaire architectuur' en 'het overheerlijke eten en de wijn'. Ik moest mijn hoofd ondersteunen om een woedeaanval te bezweren die zo heftig was dat ik dacht dat ik mijn cappuccino uit zou kotsen. Ik drukte op de toets 'Bericht verwijderen'. Zoals gewoonlijk hadden mijn ouders zich weer in hun eigen wereldje teruggetrokken, terwijl die van mij aan het instorten was. Ik begon te begrijpen waarom Ace zo'n hekel aan hen had. Toen zag ik een e-mail van Ace, zonder onderwerpregel. Het bericht luidde: *Ik kan vanavond niet komen, Ridley. Volgens mij moet je er nog eens goed over nadenken. Sorry.*

Mijn antwoord was kort: *Lafaard.* Ik drukte op 'Verzenden'. Ik had mezelf de laatste tijd wijsgemaakt dat je in zware tijden op je familie kon terugvallen. Ineens wist ik weer wat ik het vorige jaar had geleerd: *Je staat er alleen voor.*

Ik viste mijn mobieltje uit mijn zak en probeerde het nummer van Jake nog eens. Voor de telefoon overging, sprong hij al op voicemail. 'Mijn god,' zei ik zachtjes in de telefoon. 'Waar zit je?'

Er zat van alles en nog wat in het café – studenten met rugzakken, zakenlui met laptoptassen, zelfs een oudere vrouw met een rollator naast haar stoel – hun gezichten verlicht door de gloed van het scherm vóór hen. Maar ik had me nog nooit zo alleen gevoeld. Ik keek op mijn telefoon hoe laat het was. Grant was al vijf minuten te laat. Ik had nog zes uur tot mijn afspraak bij de Cloisters – een afspraak, vreesde ik, waar ik alleen naartoe zou moeten. Ik voelde in de binnenzak van mijn jas en diepte mijn portemonnee op, die, op wat kleingeld na, vol zat met kassabonnen en visitekaartjes. Ik zocht net zo lang tot ik vond wat ik zocht: het kaartje van de enige FBI-agent die me fatsoenlijk had behandeld tijdens het onderzoek naar mijn vader. Claire Sorro, ongeveer tien jaar ouder dan ik. Ze was professioneel en beleefd, en ze was aardig tegen me geweest, in tegenstelling tot de meeste anderen, die kil en formeel waren. Ik belde haar nummer en boog me voorover in de privacy van de nephouten wanden.

Ze nam op met: 'Sorro.'

'Agent Sorro, met Ridley Jones.'

'Ridley,' zei ze. Haar stem klonk aarzelend en ik vroeg me af of intussen al bekend was dat ik aan agent Grace was ontkomen.

'Ik moet met iemand praten over speciaal agent Dylan Grace.'

'Oké...' zei ze, nog steeds aarzelend.

'Ze hadden hem niet op de zaak-Lyall mogen zetten. Hij heeft een voorgeschiedenis met Max Smiley – hij gelooft dat Max zijn moeder heeft vermoord. En hij gebruikt mij om erachter te komen of Max nog in leven is.'

'Ridley,' begon ze. Maar ik onderbrak haar. Als ik mezelf had gehoord, zou ik in de gaten hebben gehad dat het vrij onbegrijpelijk klonk. Ik ging ervan uit dat ze van alles afwist.

'Ik weet dat ik niet weg had moeten lopen, maar ik ben bereid naar de FBI te komen als hij van de zaak wordt gehaald. Morgen, in de loop van de dag. Ik heb niets te maken met de moord op Sarah Duvall.' Ik stopte even om adem te halen.

'Ridley,' zei ze snel, 'ik heb geen idee waar je het over hebt.'

'Agent Dylan Grace,' herhaalde ik.

'Ik heb nog nooit van hem gehoord.'

Mijn hart begon te bonken.

'Wat ik wel weet, Ridley, is dat je gezicht overal op het nieuws wordt vertoond. Ze zeggen dat je mogelijk bent betrokken bij de moord op Sarah Duvall en dat je met hulp van een handlanger bent ontsnapt uit het politiebureau.'

'Nee, geen handlanger,' zei ik en ik voelde mijn mond droog worden. 'Agent Grace heeft me opgehaald. Ik ben een federaal getuige.'

'Dat ben je allang niet meer. De zaak-Project Kinderhulp is definitief gesloten.'

'Ik word al een jaar in de gaten gehouden. Een van jullie mensen zoekt nog steeds naar Max Smiley. Ze dachten dat hij wel op mij af zou komen, omdat hij van me houdt.'

In de stilte die volgde besefte ik dat ik behoorlijk gestoord moest overkomen. Als een meelijwekkende, wanhopige dwaas op zoek naar een dode man die ooit van haar hield.

'Ridley,' zei agent Sorro voorzichtig, met sussende stem. 'Max Smiley is dood. Dat weet je toch?'

Ik probeerde terug te halen wat agent Grace me had verteld en dat leek plotseling allemaal erg vaag. Had mijn eigen verbeelding me parten gespeeld? Hoeveel had hij echt gezegd? Ik vertelde haar dat hij zich die dag op straat had geïdentificeerd en me meegenomen had om me uit te horen over mijn foto's, ik vertelde dat hij mijn gangen naging, dat hij toegang had tot mijn telefoongegevens en hoe hij me van het politiebureau had opgehaald. Ik moet hysterisch geklonken hebben, misschien wel alsof ik aan waandenkbeelden leed. Ik vroeg me af of ze dit gesprek aan het natrekken was, of ze het signaal kon peilen en uitvinden waar ik me bevond.

Weer volgde een beladen stilte. 'Hoe zei je ook alweer dat hij heette?'

'Dylan Grace,' zei ik. Ik voelde me met de seconde meer in mijn hemd staan. 'Wilt u echt zeggen dat u nog nooit van hem hebt gehoord?'

'Ik kan je verzekeren dat ik nog nooit van hem heb gehoord,' zei ze. 'En ik kijk gelijk even in de database.' Ik kon haar vingers horen tikken op het toetsenbord. 'Bij ons staat niemand met die naam geregistreerd. De FBI heeft in de Verenigde Staten geen medewerker met die naam in dienst.'

Ik liet deze mededeling goed op me inwerken. Even vroeg ik me af of ik me hem ingebeeld had, of alles niet gewoon een hersenspinsel van me was. Misschien moest ik me laten opnemen en had ik medicijnen nodig.

'Hoor eens, Ridley, ik denk dat je je alleen maar meer moeilijkheden op de hals haalt als je jezelf niet aangeeft. De politie wil alleen maar *praten*,' zei ze met een lievig stemmetje, waaruit ik afleidde dat ze dacht dat ik ze niet meer op een rijtje had. 'Als je wilt, kunnen we ergens afspreken en dan ga ik met je mee. Dan komt alles in orde. We moeten weten wie die vent is, waarom hij zich als FBI-agent uitgeeft en wat hij van je wil. We kunnen elkaar helpen.'

Op dat moment hoorde ik een heel zacht klikje op de lijn. Dat bracht me weer tot mezelf. Ik woog de voors en tegens van mezelf aangeven tegen elkaar af. Ze had gelijk, dat zou waarschijnlijk het beste zijn. Maar eigenlijk had ik al besloten dat die afspraak bij de Cloisters de enige weg tot Max was. Iets in me had zich daarin vastgebeten en, hoewel ik geen reden had aan te nemen dat het waar was, kon ik hem niet laten schieten. Als ik die afspraak van acht uur zou negeren, zou Max me voor altijd ontglippen. Ik wist niet zeker of ik daarmee kon leven.

'Oké, agent Sorro, bedankt,' zei ik.

'Waar zullen we afspreken?'

'Eh... ik denk er nog even over en dan bel ik u terug.'

'Ridley...'

Ik verbrak de verbinding en bleef even roerloos zitten, mijn hele lijf tintelde van de zenuwen, mijn maag kwam in opstand. Dylan Grace, zogenaamd mijn vriend, had me belogen en bedrogen. Vreemd genoeg voelde ik me niet eens zo erg gechoqueerd of verraden. Op een of andere manier had ik altijd al gedacht dat hij niet was wie hij voorwendde te zijn. Het was bijna een opluchting te weten dat ik dat goed had aangevoeld.

Ik keek rond. Niemand keek in mijn richting, iedereen zat gebiologeerd naar het scherm voor zich te staren. Ik wilde om hulp roepen, maar dat deed ik natuurlijk niet. Toen zag ik een jonge vent puffend en hijgend de trap op komen. Hij zag er papperig en week uit, maar had een knap gezicht omlijst door massa's gouden krullen; hij droeg een zilverkleurig ziekenfondsbrilletje. Dit moest Grant zijn. Ineens werd ik overvallen door een gevoel van paniek. Stel dat ik de arme jongen in gevaar bracht, dat ik straks over zijn dode lichaam gebogen zou zitten. Ik overwoog ervandoor te gaan, maar hij had me al gezien en kwam op me af.

'Ik zag dat jij het was,' zei hij, terwijl hij hijgend ging zitten. Hij zette zijn bril af en poetste zijn brillenglazen schoon met zijn t-shirt. Op zijn shirt stond DE TRIOMF VAN HET KWAAD IS TE WIJTEN AAN HET GEBREK AAN DAADKRACHT VAN GOEDE MENSEN.

Ik zei niets, uit verbazing dat hij me had herkend.

'Man, zit jij even in de nesten.' Ik hoorde bewondering in zijn stem. 'Je moet in je vorige leven wel aardig wat hebben uitgevreten, dat er nu zoveel shit op je neerdaalt.'

Dat vond ik een behoorlijk ongevoelige opmerking, en dat zei ik ook.

'Sorry,' zei hij. 'Je hebt gelijk. Hoe ben je uit het politiebureau ontsnapt?'

Zijn vraag bracht me van mijn stuk. Het was dus *echt* algemeen bekend. Ik had stiekem gehoopt dat agent Sorro had overdreven, of het misschien wel allemaal had verzonnen, als onderdeel van een of andere ingewikkelde truc om een onderzoek naar het al dan niet in leven zijn van Max te verdoezelen.

'Ik had geen idee dat ik was ontsnapt,' zei ik verdedigend. 'Ik dacht dat de FBI het overnam.'

Hij hield zijn hoofd schuin en keek me aan. 'Wat bedoel je?'

Ik vertelde hem het hele verhaal, beginnend met de dag waarop Dylan me op straat had benaderd en eindigend met het moment waarop ik hem in Riverside Park van me af had geschud. Ik vertelde Grant zelfs over het sms'je en mijn afspraak bij de Cloisters.

'Man,' zei hij hoofdschuddend. 'Hier steekt meer achter dan ik dacht.'

Hij vond het een beetje al te leuk. Dat ergerde me.

'Best dapper van je om te komen, als je bedenkt dat meerdere mensen met wie ik de laatste paar dagen contact heb gehad, dood of verdwenen zijn,' zei ik, om hem terug te pakken voor zijn opmerking van daarnet.

'Niemand durft mij iets te doen. Ik ben te bekend,' zei hij met een achteloos schouderophalen en een onzekere blik in zijn ogen. Ik dacht dat hij een grapje maakte. Vond hij zichzelf echt bekend? Ik schoot bijna in de lach, maar zag dat het hem ernst was en knikte bevestigend.

'Natuurlijk ben je dat,' zei ik. Hij leek het sarcasme in mijn stem niet te horen.

'Hoe ben je aan mij gekomen? Via mijn website?'

'Nee,' zei ik. 'Jenna Rich heeft me over je verteld.'

'O,' zei hij met een gegeneerde blik. Ik vroeg me af of de niet zo leuke dingen die zij over hem rondvertelde hem ter ore waren gekomen. Ik had plotseling met hem te doen.

'Ze zei dat je een computergenie was en dat je interessante theorieën over Myra Lyall had. Ik heb je site bekeken en dacht dat je me misschien zou kunnen helpen.'

Dat leek hem een beetje op te beuren. 'Op wat voor manier?' vroeg hij en boog zich bereidwillig naar me toe.

Ik typte de URL in op mijn gehuurde computer en daar verscheen het rode scherm.

'Ik wil weten wat dit voor website is,' zei ik. Ik vertelde hem over de streaming video van Covent Garden die ik op Jake's computer had gezien.

Hij schoof dichter naar me toe en duwde zijn brilletje omhoog voor zijn ogen. Hij rook niet onaangenaam naar Krispy Kreme-donuts. Hij had iets knuffeligs, als een teddybeer, en dat maakte hem aantrekkelijk. Hij tikte even op het toetsenbord en twee kleine vensters gingen open. In een van de witte blokken knipperde een cursor, wachtend op de volgende handeling.

'Hij vraagt een inlognaam en een wachtwoord,' zei hij, terwijl hij zich naar me omdraaide.

'Hoe heb je dat voor elkaar gekregen?' vroeg ik afgunstig.

Hij snoof met arrogante minachting. 'Dit is een simpel spionageprogramma. Handboek voor amateurspionnen, hoofdstuk één.'

Ik zag dat zijn voorhoofd glom van het zweet en vroeg me af of hij zenuwachtig was of het gewoon warm had. Hij had geen goede conditie, maar het was hier veel te warm en zelfs ik had me een beetje buiten adem gevoeld na die trap.

Ik schudde mijn hoofd. 'Zegt me niets.'

'Het heet steganografie. Dat komt uit het Grieks en betekent "versluierd schrijven". Je kunt er berichten mee inbedden in andere, schijnbaar onschuldige, berichten. Er bestaat software, zoals Noise Storm of Snow, waarmee je nutteloze of ongebruikte stukjes data kunt vervangen in gewone computerfiles... afbeeldingen of geluid, zelfs video. Ik heb gewoon rondgeklikt tot ik op het venster kwam waar de toegang verborgen lag.'

Ik keek naar de vensters, terwijl ik nadacht over wat de inlognaam en het wachtwoord van mijn vader zou zijn. Waarschijnlijk hetzelfde als op zijn computer thuis, want als iemand voorspelbaar was, was hij het wel. Mijn hand ging al naar het toetsenbord.

'Wacht. Niet zomaar iets proberen. Als je iets verkeerds invoert, kun je de webmaster attenderen op een onbevoegde poging om de website binnen te komen. De vensters of de site zelf kunnen dan verdwijnen.'

Ik keek hem alleen maar aan en trok mijn hand terug.

'Dit is trouwens geen gewone steganografische site,' zei hij, alsof hij hardop dacht. 'Ik bedoel, normaal doet zo'n site zich voor als iets anders, een pornosite, of een boekwinkel gespecialiseerd in detectives. De berichten zitten in elementen van de site verborgen, zoals ik al zei... in plaatjes of geluidsfiles.'

'Of streaming video,' zei ik en dacht aan Jake's computer. Hij knikte.

'Die boodschappen kunnen bovendien nog versleuteld zijn. Er bestaat een programma dat Spam Mimic heet. Stel dat er op een site als deze een bericht voor je is. Je krijgt dan in je Postvak IN een bericht dat eruitziet als gewone spam, dat de meeste mensen zouden verwijderen. Maar jij zou weten dat het een oproep is om op de site te kijken.'

Ik dacht aan de computer van mijn vader, met al die junkmail. Ik vroeg me af of een van die spams een hint was dat er een bericht op hem lag te wachten.

Grant ging verder. 'Als je op de link klikt, word je naar de berichtensite geleid. Je krijgt je bericht en dan hoor je een programma te hebben om de versleuteling op te heffen.'

'Wie zet zoiets op?'

Hij haalde de schouders op. 'De overheid maakt zich de laatste tijd nogal druk over het feit dat terroristen gebruikmaken van dit soort sites.

Ze willen strengere regels voor de software die het creëren van dit soort versleutelde boodschappen mogelijk maakt. Ze zijn absoluut niet op te sporen. Je komt er met geen mogelijkheid achter, tenzij iemand toevallig op zo'n site stuit en weet wat hij ermee moet. Aan dit soort communicatie wordt steeds meer de voorkeur gegeven boven telefonie. Dat maakt de overheid nerveus, want het betekent een aanzienlijke afname van *chatter*, die ze kunnen volgen met gewone antiterreurmaatregelen.'

Ik wist niet precies wat hij bedoelde met chatter, hoewel ik de term eerder had gehoord. Ik vroeg hem ernaar.

'De overheid kan terroristische activiteit volgen door de frequentie van de communicatie tussen bekende terreurgroepen in de gaten te houden. Als ze een verhoogde communicatie waarnemen – of zelfs juist een afname – gekoppeld aan iets anders, zoals taps of satellietobservaties, weten ze dat er iets broeit. Maar dit soort websites, prepaid mobieltjes en internetcafés maken hen het werk een stuk moeilijker. Natuurlijk gebruiken organisaties als de FBI en de CIA dit soort sites zelf ook continu om te communiceren met hun agenten in het veld of hun freelance contacten en weet ik wie allemaal. Ze willen alleen niet dat anderen ze ook gebruiken.'

'Sarah Duvall zei me dat dit scherm open stond op Myra Lyalls computer, die middag dat ze bij de *Times* wegging.'

'Je meent het,' zei hij. 'Kan ik dat op mijn site zetten?'

Ik keek hem aan. 'Ik zou het je niet aanraden.'

Hij zette zijn bril weer af en poetste hem schoon met zijn T-shirt. Hij zweette nu als een otter.

'Kun je er op een of andere manier achter komen wie deze site heeft gemaakt en waar hij vandaan komt?'

'Ik kan de URL meenemen naar huis en kijken wat ik ermee kan doen,' zei hij, terwijl hij zijn bril weer opzette. 'Er zijn manieren om deze dingen op te sporen en ik ken wel wat lui die me misschien kunnen helpen.' Hij deed zijn best om heel cool over te komen, maar het werkte niet. Langs zijn gezicht gleed een klein zweetdruppeltje.

'Zal ik wat water voor je halen of zo?'

'Sorry,' zei hij en wiste zich het zweet van zijn voorhoofd met een hand die hij daarna aan zijn broek afveegde. 'Ik ga altijd zweten in spannende situaties. En dit is behoorlijk spannend allemaal. Ik bedoel, daar zit ik dan, met Ridley Jones.'

De manier waarop hij mijn naam uitsprak, met ontzag en eerbied, maakte me een beetje onpasselijk. 'Waar heb je het over?'

'Ik schrijf al maanden over dat hele Project Kinderhulpgedoe. Als jij er niet was geweest, zou er niets aan het licht zijn gekomen. En nu ben je op de loop voor de politie. Max Smiley kan nog in leven zijn. Het is te veel.'

Ik begon te gloeien van boosheid en ergernis. 'Dit is mijn leven, Grant, niet een of andere film van de week. Er zijn mensen gestorven. Dit is menens.'

'Dat weet ik,' zei hij. 'Daarom is het zo spannend.'

'Luister,' zei ik, terwijl ik in mijn ogen wreef. Ik voelde me plotseling doodmoe. 'Kun je me helpen of niet?'

'Wat wil je dat ik doe?'

'Ik wil weten waar deze website vandaan komt, hoe ik moet inloggen en wat voor berichten hij verbergt.'

Hij zette zijn bril opnieuw af en keek me strak aan. Weg was de knuffelbeer. 'En wat levert dat me op?'

Ik haalde de schouders op. 'Wat wil je?'

'Een exclusief interview met Ridley Jones voor mijn website,' zei hij zonder aarzelen.

Wat een aasgier, dacht ik. Plotseling had hij kraaloogjes en hing er een waas van zelfvoldaanheid om hem heen terwijl hij op zijn stoel achteroverleunde. Ik wilde hem in zijn dikke, weke buik stompen.

'Oké,' zei ik. 'Als alles achter de rug is.'

Hij trok zijn wenkbrauwen op. 'Neem me niet kwalijk, maar hoe weet ik of jij het wel haalt? Je hebt zelf gezegd dat iedereen die bij deze toestand betrokken is óf verdwenen, óf dood is. Waarom zou het jou anders vergaan?'

Dat kwam aan als een voltreffer. Wat kunnen mensen toch kloterige dingen zeggen, hè?

Ik deed me zo zelfverzekerd voor als ik maar kon en glimlachte zoetjes. 'Dat risico moet je maar nemen, Grant.'

Ik vroeg me af of hij weg zou lopen. Hij hoefde het niet te doen, waarschijnlijk was het beter voor hem als hij het niet deed. Maar ik rekende erop dat zijn nieuwsgierigheid het zou winnen.

'Hoe kan ik je bereiken?' vroeg hij.

Ik schoof hem een van mijn visitekaartjes toe, met daarop mijn naam, telefoonnummer thuis, mobiel nummer en e-mailadres. 'Ik neem binnen een paar uur contact met je op.'

'Een paar *uur*,' protesteerde hij met opgeheven handen. '*Dude*. Onmogelijk.'

'Ik heb niet veel tijd, Grant. Doe je best.'

Hij knikte, schreef de URL op de achterkant van mijn kaartje en schoof het in de kontzak van zijn spijkerbroek. 'Dan moest ik maar gaan.' Hij gaf me ook zijn kaartje. 'Hier staan mijn nummers op. En een veilig e-mailadres.'

Ik liet het in mijn jaszak glijden en keek toe terwijl hij opstond. 'Ik meen het, echt,' zei hij, terwijl hij me aankeek. 'Je gezicht is overal te zien, op de tv, de website van de *Times*... en waarschijnlijk ook in de avondkranten. Als je niet gearresteerd wilt worden, zou ik maar voorzichtig zijn.'

Ik dacht aan de vorige keer dat mijn gezicht overal te zien was geweest, net nadat ik Justin Wheeler had gered. Ik werd op straat aangehouden, mensen wilden me omhelzen, me geluk wensen. En toch was mijn leven naar de klote gegaan als gevolg van al die aandacht. Ik vroeg me af wat er gebeurt als je gezicht overal te zien is omdat de politie je zoekt. Ik besefte dat het niet zo eenvoudig zou zijn om bij de Cloisters te komen.

'Dat geldt ook voor jou,' antwoordde ik. 'Zet niets op je site, Grant. Niets over mijn telefoontje of over deze afspraak – dan bezorg je ons beiden veel ellende.'

Hij knikte en maakte aanstalten om weg te gaan.

'Oké, eerste vraag,' zei hij, terwijl hij zich omdraaide. 'Hoe is het om een Project Kinderhulp-kind te zijn?'

Ik keek hem aan.

'Klote, dude,' zei ik. 'Knap klote.'

Ik bleef nog wat rondhangen in het veilige duister van Strange Planet en probeerde te bedenken wat ik moest doen. Ik nam nog een cappuccino. Ik had het gevoel dat ik onmiddellijk herkend en gearresteerd zou worden zodra ik me in het daglicht zou begeven. Niet dat dat het slechtste zou zijn voor mijn algeheel welbevinden. Onder het drinken van mijn koffie keek ik nog een poosje naar het rode scherm en dacht na over het advies van agent Sorro, maar ook aan Dylan Grace en wat hij in het park had gezegd. Hij bleek een leugenaar te zijn en wie weet voor wie hij werkte of wat zijn bedoelingen waren, maar op één punt had hij gelijk. Ik was op jacht naar Max, dood of levend.

In plaats dat de kennis over mijn verleden me helderheid had verschaft, voelde ik dat mijn beladen zelfbeeld steeds waziger werd. Ik voelde me met de dag minder verbonden met de vrouw die ik was.

Het was duidelijk dat het opsporen van Max, mijn vader, de enige manier was om inzicht te krijgen in mezelf. Als ik hem niet vond zou ik mezelf volledig kwijtraken. Dat stond als een paal boven water. Als ik me liet arresteren, zou ik nooit de antwoorden kunnen krijgen die ik nodig had. Er was een deur aan het dichtgaan en als ik er niet in slaagde naar binnen te glippen voordat hij in het slot viel, zou hij voor altijd gesloten kunnen blijven.

Ik moest denken aan die dag in het bos achter ons huis. Max had gezegd: 'Onze harten zijn verbonden met een gouden ketting. Geloof me maar, ik vind je altijd terug.' Hij had gelijk. Dat wist ik toen, dat wist ik nu. En ik wist dat ik de enige was die Max thuis kon brengen. Die band had altijd aangevoeld als een gave. Nu voelde hij aan als een vloek.

Daarnaast waren er natuurlijk andere zaken waar ik bij betrokken was geraakt, of, afhankelijk van hoe je het bekijkt, waar ik met de haren was bij gesleept: de verdwijning van Myra Lyall, de moord op Esme Gray en die op Sarah Duvall, de kwestie Dylan Grace. (En, niet te vergeten, waar was Jake, verdomme?) Myra Lyall had Sarah ervan beschuldigd niet dat heilig vuur te hebben, die brandende nieuwsgierigheid om de waarheid te willen achterhalen. Mij had ze nooit van hetzelfde kunnen betichten. Wat was er zo verschrikkelijk dat mensen het met de dood moesten bekopen, dat mensen moesten verdwijnen? Wat hadden ze ontdekt? Wie wilde hen het zwijgen opleggen? Wie was de man in het zwart, die Sarah zo onbeschaamd midden op straat had vermoord en vervolgens was verdwenen? Wat had ik met dat alles te maken?

Ace had me ervan beschuldigd de moeilijkheden op te zoeken. Misschien had hij wel gelijk. Maar soms vond ik dat de moeilijkheden mij opzochten.

Ik wachtte tot het volgens mij schemerig moest zijn buiten, verliet Strange Planet en ging naar een drogisterij, waar ik het een en ander kocht. Ik nam een kamer in een pension voor daklozen vlak bij Fortysecond Street. Het was het soort onderkomen waarvan nette meisjes uit de voorsteden het bestaan niet kenden, bevolkt door passanten, thuislozen, hoeren en mensen die zich nog maar net aan het bestaan konden vastklampen, nauwelijks in staat van dagelijks de huur op te brengen.

Donkere trappenhuizen, donkere gangen, waardoor uitgeteerde mensen strompelden – waarlijk het land van de verlorenen.

De kamer was klein en vies, ondanks de geur van ontsmettingsmiddel. Ik hoorde geschreeuw en het lawaai van talloze tv's dat door de dunne wanden schetterde. Ik bleef er niet, ik had alleen maar even de kleine badkamer nodig. In mijn plastic tas zaten een fles haarverf, een tondeuse, een zonnebril en een zwarte pet.

Toen ik de badkamer uit kwam, bevonden mijn volle, kastanjebruine lokken, waar ik altijd zo trots op was geweest, zich in de zorgvuldig dichtgevouwen tas van de drogist, die ik in mijn hand hield om buiten in de afvalbak te gooien. Ik had mijn leren jasje binnenstebuiten gekeerd en de etiketten eruit geknipt, zodat je alleen de zijden voering zag. Ik drukte de donkere glazen uit de zonnebril en droeg alleen het montuur (iemand die 's avonds een zonnebril draagt oogt wel erg verdacht). Ik zette de pet op mijn gloednieuwe, platinablonde piekhaar.

Dat meisje in de spiegel? Ik zou niet weten wie het was.

11

Ik ben altijd aantrekkelijk geweest – niet opwindend mooi, niet adembenemend mooi, maar mooi genoeg voor het leven van alledag. Dus niet zo knap dat ik ongewenste aandacht trok. Vreemd genoeg ben ik daar altijd dankbaar voor geweest. Ik heb er nooit zo uit willen zien als de meisjes in de catalogus van Victoria's Secret, met hun uitstekende botten en verleidelijke oogopslag, of als de modellen op de cover van tijdschriften, met alle oneffenheden weggeretoucheerd. Ik heb me nooit aangesteld of opgetut of uitgehongerd om aandacht van het manvolk te trekken – dat soort pogingen vond ik altijd wat triests en wanhopigs hebben. Mijn moeder placht te zeggen: 'Jij bent degene die kiest, lieverd. Niet degene die wacht tot ze gekozen wordt.' Zij wist iets wat de meeste vrouwen vergeten lijken te zijn, dat zelfbewustzijn de alleraantrekkelijkste eigenschap is. Dat een vrouw die uitgaat van haar eigen kracht zich nooit hoeft uit te hongeren of hoeft te onderwerpen aan zelfverminkende chirurgische ingrepen, dat ze er zelfs voor kan kiezen haar grijzer wordende haar niet te verven. Zij bezit een schoonheid waar leeftijd of veranderende modegrillen geen vat op krijgen.

Mijn moeder zei ook: 'Als je dingen doet die je omlaaghalen, zullen mannen de waarde van je niet inzien en gebruik van je maken.' Met die 'dingen' bedoelde ze het verven van je haar, het nemen van een piercing, het dragen van naveltruitjes en netkousen. Zelfs in de tijd dat ik dit soort beperkingen verfoeide en me er ook tegen verzette, besefte ik drommels goed hoe waar haar woorden waren. Haar woorden kwamen weer bij me boven door de verlekkerde blikken die ik kreeg met mijn nieuwe platinablonde haar dat onder mijn pet vandaan piekte. Ik werd nooit zo wellustig bekeken op straat. Oké, ik woon in New York, en natuurlijk lopen daar van die ordinaire types die je nafluiten of obscene geluiden maken als je langsloopt. Maar meestal was het niet meer dan een vluchtige blik of een glimlach. Ik liep over Broadway naar de ondergrondse, achtervolgd door de meest rare blikken en oneerbiedige grijnzen. Ik versnelde mijn pas en moest me ervan weerhouden met mijn hand door mijn haar te gaan. Was het mijn haarkleur? Of was er iets aan me dat mijn angst en wanhoop verried?

Ik snelde de trappen af naar het station van Times Square om de 1 of de 9 te nemen. Ik stapte in de eerste trein die kwam en liep door tot de leegste wagon. Ik ging in de verste hoek zitten en sloot mijn ogen.

Ik voelde dat er iemand naast me ging zitten en schoof zonder mijn ogen te openen een stukje naar het raam.

'Je ziet er interessant uit. Een beetje Madonna, de *Vogue*-jaren.'

Ik opende mijn ogen. Jake, met een geamuseerde glimlach. Ik wist niet of ik hem moest slaan of omhelzen. Ik koos voor het laatste. Hij hield me stevig vast, even stevig als ik hem vasthield.

'Het spijt me,' fluisterde hij zacht in mijn oor. 'Het spijt me.'

We stapten uit bij 191st Street en vonden een Cubaanse koffiebar, midden in de rommelige drukte van Inwood, in het noorden van Manhattan; nog net niet de Bronx, maar het scheelt niet veel. De trein rijdt hier bovengronds en de straten bestaan uit een groezelige mix van familierestaurants en wasserettes, bodega's en woonblokken. Het is een redelijk veilige arbeiderswijk, maar hij ligt zo dicht bij de slechte buurten dat de drankwinkels hekken hebben en het kassapersoneel achter kogelwerend glas zit. De buurt trekt veel Latino's, met als gevolg dat de koffie er fantastisch is en er een aroma van geroosterd varkensvlees, rijst en bonen en knoflook in de lucht hangt.

We namen een tafeltje achterin en ik zette mijn belachelijke bril af.

'Ze denken dat je Esme hebt vermoord,' zei ik.

'En jij wordt gezocht omdat ze je willen ondervragen over de moord op die medewerkster van de *Times*,' antwoordde hij, 'en omdat je uit het politiebureau bent ontsnapt.'

Hij zag er moe en bleek uit, maar zijn ogen stonden helder. Hij was gespannen op een manier die ik niet van hem kende. De serveerster kwam en we bestelden café con leche met Cubaanse toast.

'Ik ben gisteren zelfs niet eens in de buurt van Esme Gray geweest,' zei hij. 'De laatste keer dat ik haar heb gezien, was toen ik haar met de feiten over Max confronteerde.'

'En dat bloed in je atelier?'

Hij schudde het hoofd. 'Ik ben gisteravond naar mijn atelier teruggegaan, in de hoop dat jij zou komen. De deur stond open. Ik wist dat ik hem niet open had laten staan, dus schoot ik Tompkins Square Park in. Ik wilde je tegenhouden voor je naar boven ging, maar ik lette even niet op en toen ik je zag, liep je zo snel dat ik niet op tijd bij je was. Ik wilde achter je aan naar binnen gaan, maar de FBI was me vóór. Ik hield me gedeisd. Uiteindelijk zag ik je met een van hen weggaan. Ik ben 'm gesmeerd.'

'Je had kunnen bellen,' zei ik knorrig. 'Ik was doodongerust. Ik heb wel honderd berichten achtergelaten.'

Hij hield zijn mobieltje omhoog. 'Lege batterij. En ik wist dat ze jou en je telefoon in de gaten hielden. Het leek me beter je op straat te benaderen.'

Ik knikte en keek naar het tafelblad. Het viel me op dat hij niet verbaasd leek over het bloed in zijn atelier, dat hij me niet uithoorde over wat ik verder nog had gezien of over wat de FBI (als het de FBI tenminste was) had gevonden. Ik heb niet gevraagd of hij dat niet wilde weten.

'Ik herkende je bijna niet,' zei hij en voelde met zijn hand aan mijn haar. 'Waarom heb je jezelf dat aangedaan? Geef je toch gewoon aan. Dit is waanzin.'

'Dat kan ik niet,' antwoordde ik. Ik streek met een hand over mijn hoofd en voelde de harde, stijve pieken.

'Waarom niet?'

'Je weet best waarom niet.'

'Hij is dood, Ridley.'

'Dat geloof je zelf niet. En zelfs al zou dat zo zijn... dan nog...' Ik merkte dat ik mijn zin niet kon afmaken.

'Wat dan nog?'

'Dan nog moet ik weten wie hij was. Als er iemand is die dat zou kunnen begrijpen, ben jij het wel.'

Hij boog zich over de tafel heen om mijn handen te pakken. Ik keek naar zijn mooie gezicht, die zeegroene ogen, de zachte lijntjes bij zijn ooghoeken, het donkere waas op zijn volmaakte kaaklijn. Zijn mond had de allerverrukkelijkste roze kleur, die van een frambozensnoepje. Daar was die fysieke aantrekkingskracht weer.

Hij sloeg zijn ogen even neer en keek me toen weer aan.

'Ik heb nagedacht over wat Esme zei. Over een andere naam aannemen en weggaan, zo ver weg als we kunnen. Misschien moeten we dat doen. Jij en ik. De hele wereld staat voor ons open. Gewoon opnieuw beginnen. Samen een gezin stichten. Gewoon verdwijnen. Ik wil het achter me laten. Ik wil verder. Ik heb al te veel tijd verspild aan dat gedoe en aan al mijn woede. Dat kan toch, gewoon de boel de boel laten?'

Alles in mij wilde het beamen, ja, dat kan, kom op, we gaan. We kunnen een tiki-bar beginnen in het Caribisch gebied of een olijvenboomgaard zoeken in Toscane. Mijn waardeloze familie en de nachtmerrie Max, wie hij ook is geweest, kunnen me gestolen worden. We krijgen kinderen en vertellen ze dat we allebei wezen waren, zonder familie. Het gif in ons verleden kan hen niet raken. Ze beginnen met een schone lei. Het leek een schitterend idee en even geloofde ik dat het zou kunnen. Maar dat doe je niet, hè? Het kan wel, alle bestaande banden doorsnijden, maar niet zonder een deel van jezelf te verliezen. Je kunt weglopen en je schuilhouden voor de mensen die je hebben gemaakt, maar je zult altijd je naam blijven horen roepen. Zo werkt dat bij mij, tenminste.

Dat zei ik allemaal niet, maar ik wist dat hij mijn gevoelens van mijn gezicht kon aflezen. Hij liet mijn handen los en leunde achterover in zijn stoel. Met zijn nagel begon hij te peuteren aan een hoekje van het fineer dat losliet. Ik zag dat hij met een lange zucht zijn fantasie liet varen.

'Dus wat nu?' vroeg hij. Ik hoorde geen teleurstelling, slechts berusting in zijn stem, alsof hij geweten had dat we het niet zouden kunnen. Na een lichte aarzeling vertelde ik over het sms'je, over mijn afspraak bij de Cloisters. Over Grant en het telefoontje dat ik moest plegen.

'Jij hebt hem ook gezien,' zei ik. 'De website. Hij stond open op je computer. Er was een streaming video van een straat in Londen. Hoe ben je daar in gekomen?'

Hij schudde zijn hoofd. 'Die heb ik nooit gezien. Ik heb je toch gezegd dat ik die avond niet terug ben gegaan naar mijn atelier?' Zijn gezicht had nog steeds iets vreemds en ik wist niet of ik hem kon geloven. Maar ik knikte. 'En dat sms'je was niet van jou?'

Hij schudde zijn hoofd. 'Nee, natuurlijk niet.' Meteen daarna gevolgd door: 'Wie denk je dat dat bericht heeft gestuurd, Ridley? Wie verwacht je daar aan te treffen?'

Daar had ik geen antwoord op. Verwachtte ik dat Max me zou staan opwachten, met antwoorden op al mijn vragen over hem? Dat zijn antwoorden me in staat zouden stellen me te verzoenen met degene die hij was en met wat hij had gedaan? Misschien hoopte ik dat stiekem wel, maar eigenlijk had ik geen idee, was ik er niet zo van overtuigd dat dit een goed plan was. Ik weet het, *duh*.

Jake en ik bevonden ons allebei op die plek waar zwijgen een antwoord is, waar je elkaar zo goed kent dat sommige vragen geen antwoord behoeven.

Ik nam een slok van mijn koffie en bleef de deur naar buiten in de gaten houden, wat ik al deed vanaf het moment dat we waren gaan zitten.

'Je moet me iets beloven,' zei ik.

'Wat?'

'Als hij nog in leven is, áls we hem vinden, moet ik zeker weten dat je hem niets zult aandoen.'

Hij keek me met een effen blik aan. 'Denk je dat echt, dat ik me wil wreken op Max Smiley?'

'Niet dan?'

Hij zei niets, sloeg alleen maar zijn ogen op naar het plafond. 'Waarom wil je hem zo graag beschermen?'

'Hij is mijn vader,' zei ik.

'Hij is je *biologische* vader,' zei hij, terwijl hij naar voren schoof in zijn stoel.

'Ja. En dat betekent ook iets. Ik heb nog steeds dingen van hem nodig, net zoals jij dingen van je biologische ouders nodig hebt. Dat begrijp je toch wel?'

Hij knikte langzaam. 'Dat begrijp ik. Maar het gaat me er voornamelijk om jou te beschermen. Ik wil niet dat jou iets overkomt. Dat is mijn enige streven.'

'Waartegen moet je me beschermen?' vroeg ik.

'Hoofdzakelijk tegen jezelf. Ik probeer te voorkomen dat je kopje-onder gaat.'

'Ben je expres zo vaag? Wat probeer je te zeggen?'

We bleven elkaar net zo lang aanstaren tot een van ons de ogen zou neerslaan. Hij verloor; hij richtte zijn blik op het tafelblad en keek niet meer op. Soms leek Jake net een zwarte doos. Pas als onze levens in brandende wrakstukken om ons heen lagen, zou ik alles over hem te weten komen.

'Bel die webjongen van je,' stelde Jake voor na een kort stilzwijgen. 'Misschien krijgen we dan een beter idee waarin we ons begeven.'

Hij had mijn vragen niet beantwoord. Hij had me de belofte niet gedaan waar ik om had gevraagd. Ik begon er spijt van te krijgen dat ik hem over de afspraak had verteld.

Ik haalde mijn mobieltje uit mijn zak en merkte dat de batterij bijna leeg was. Ik belde alle nummers die Grant me had gegeven, maar kreeg steeds zijn voicemail. Dat verbaasde me, ik had gedacht dat hij naast de telefoon zou zitten wachten tot ik belde. Er bekroop me een onheilspellend gevoel.

'Geen antwoord?' zei Jake.

Ik schudde mijn hoofd en wreef in mijn ogen. Een snelle blik op de klok boven de bar zei me dat ik nog twee uur had. Jake leek plotseling onrustig, keek steeds over zijn schouder het restaurant in en naar de deur.

'Laten we hier weggaan. We kunnen beter niet te lang op één plek blijven.'

Dicht tegen elkaar en gearmd spoedden we ons voort over Broadway. Ik weet zeker dat we er voor iedere voorbijganger uitzagen als een gewoon jong stelletje, na een lange dag op weg naar huis. Hoe anders was de werkelijkheid, ieder met een eigen agenda, ieder met een hoofd vol angsten, een hart vol vragen, met een gedrevenheid die we zelf nauwelijks begrepen. Als ik een paar uur vooruit had kunnen kijken, had ik op dat moment een taxi genomen naar JFK en waren we de volgende ochtend in Toscane geweest.

12

Toen ik wakker werd, had de duisternis een melkachtige glans, waaruit ik afleidde dat de morgen niet ver meer kon zijn. Het gebonk in mijn hoofd was van het soort dat je krijgt na een avondje doorzakken tot je er letterlijk bij neervalt, of na een botsing met de auto. De pijn was zo erg dat ik mijn hoofd nauwelijks durfde te bewegen. Toen werd ik me bewust van een stekende pijn in mijn rechterzij. Ik kon me niet oriënteren. Ik vocht tegen het gevoel te moeten overgeven. De kamer waarin ik mij bevond was me onbekend. Ik kon wel zien dat het een hotelkamer was, chic en fraai gemeubileerd, met beigegrijze wanden en een dik, bloedrood tapijt. Het dekbed waaronder ik lag was van ivoorkleurig peau de pêche en de kussenslopen van fijne katoen. Ik was kortademig van de angst, die als een steen op mijn borst drukte. Er stond een donkerhouten nachtkastje naast mijn bed met daarop een kleine wekker, die 05:48 gloeide. De kamer geurde naar lavendel.

Ik probeerde rechtop te gaan zitten, maar mijn hoofd en mijn zij beletten dat. Mijn keel deed pijn en was kurkdroog. Ik reikte naar de telefoon, bracht de hoorn met moeite naar mijn oor en drukte op de nul.

'Goedemorgen, juffrouw Jones. Waarmee kan ik u van dienst zijn?' Een opgewekte mannenstem. Brits.

'Waar ben ik?' vroeg ik met schorre stem. Droomde ik?

Hij grinnikte kort. 'Wat een nacht, hè? U bent in het Covent Garden Hotel. In Londen.'

Mijn hoofd zat ineens vol beelden. Hoge stenen muren en vreemde mannen die vanachter de bomen tevoorschijn kwamen. Ik hoorde schoten en het geluid van mijn eigen gegil. Ik zag Jake vallen. Ik zag bloed, veel bloed. De man die ik op straat had gezien toen Sarah Duvall werd vermoord kwam dichterbij, maar ik kon zijn gezicht niet onderscheiden.

Steeds maar weer vroeg hij: 'Waar is de geest? Waar is de geest?' Ik had geen tijd om geschokt te zijn, om me af te vragen of die beelden herinneringen of dromen waren. Ik ging weer van mijn stokje.

Op het verre gefluister van het verkeer op de Henry Hudson na was het stil in Fort Tryon Park. Jake en ik waren hier eerder geweest, die avond dat Christian Luna was doodgeschoten. In zijn auto op de parkeerplaats had Jake me getroost, terwijl ik hysterisch naast hem had zitten huilen. Dat was een rotavond geweest, ik hoopte dat dit een betere avond zou worden. We staken het grasveld over en liepen in de richting van de Cloisters. De lucht was vochtig en koel, maar ik voelde een zweempje transpiratie op mijn voorhoofd toen we tussen de bomen door liepen.

Onder het lopen bleef ik Grant maar bellen, intussen de batterij in de gaten houdend. Er werd maar niet opgenomen en ik kreeg een angstig voorgevoel, dat groter werd toen we vanuit de betrekkelijke beschutting van de bomen het beton van de toegangsweg op stapten. Tegen de sterrenhemel staken de gotische contouren van de Cloisters donker en dreigend af. Ik greep Jake bij de arm.

'Misschien is het toch niet zo'n goed idee,' zei ik, toen we het gebouw naderden.

Hij keek me aan. 'Daar kom je nu mee,' fluisterde hij op scherpe toon. 'Ik ben alleen meegekomen omdat ik dacht dat je zonder mij toch zou gaan. We kunnen nog terug.'

Ik stond op het punt om me naar hem te schikken, toen we de koplampen zagen van een auto die vanaf Broadway langzaam het park in reed. Terwijl we de auto met onze ogen volgden, werden de koplampen gedoofd, maar hij bleef op ons af rijden.

Ik werd weer wakker, maar nu was het donker. De klok gaf 09:08 aan. Het gebonk in mijn hoofd was wat afgenomen, maar nog niet verdwenen. Het laken onder me was klam. Ik voelde eraan en toen ik mijn hand terugtrok, zag ik dat hij donker was van mijn bloed. Vechtend tegen een misselijkmakende pijn hees ik me met moeite overeind en deed het licht aan. Het bloed was door mijn hemd gedrongen. Ik trok het op en zag een verband om mijn middel, donker van het bloed.

Ik kan me niet herinneren dat ik ergens aan dacht, alleen maar dat ik merkwaardig kalm was – bijna leeg. Enigszins duizelig stond ik op. In de spiegel boven een rijkversierde antieke schrijftafel zag ik een jonge vrouw die ik nauwelijks herkende. Ze was bleek, met donkere wallen onder haar ogen, en ze stond onvast op haar benen. Haar blonde piekhaar was samengeklit en vies. Ze had een akelige snee onder haar oog en haar hals zat onder de blauwe plekken. Ik boog me over de prullenmand en braakte gal.

Steun zoekend bij allerlei meubelstukken – een overdadig gestoffeerde stoel, een kaptafel, een boekenkast – slaagde ik erin de badkamer te bereiken. Ik bekeek mezelf in de spiegel en verwijderde voorzichtig het verband. Uit een gapend rood gat druppelde bloed, ik lekte leeg. Bij de aanblik hiervan voelde ik me licht worden in het hoofd, maar ik probeerde uit alle macht niet flauw te vallen op het koude marmer onder mijn voeten. Ik nam aan dat degene die me had verbonden ook de kogel had verwijderd die de wond had veroorzaakt. Voorzichtig betastte ik de randen van de wond, maar voelde niets hards of vreemds onder mijn huid. De pijn was zo erg dat ik nog meer gele gal uitkotste in de wastafel.

Ik maakte een washandje nat met warm water en ging op het toilet zitten. Ik duwde het washandje tegen mijn zij – ik wist echt niet wat ik anders kon doen. Het kwam geen moment bij me op om de politie of een ambulance te bellen. Ik verkeerde vast in een shock. De pijn was trouwens te hevig. Het werd weer zwart voor mijn ogen.

De auto stopte en ik stond als aan de grond genageld. Ik voelde Jake achter me. Als ik mijn instinct had gevolgd, waren we op dat punt misschien nog weggehold, maar er was iets waardoor ik bleef kijken. In mijn hart en maag heerste een bizarre wanorde van opwinding en angst, van vrees en hoop. Was hij het? Was hij het, was hij net zo dichtbij als die auto? Had hij me zien staan? Jake begon aan mijn arm te trekken. We liepen terug naar de beschutting van de bomen. Ik voelde mijn telefoon trillen in mijn zak en haalde hem snel tevoorschijn. Het nummer van Grant was zichtbaar op het scherm.

Ik nam op, terwijl Jake nog dringender aan mijn mouw trok. 'Dit is niet het moment om de telefoon op te nemen, Ridley.' Hij had een nog grotere hekel aan mobieltjes dan ik.

'Grant?' zei ik, zonder acht te slaan op Jake.

'Ridley,' zei hij met een vreemde en afgeknepen stem. 'Doe het niet. Ga niet naar de Cloisters. Je bent erin geluisd.'

'Wat?' Ik probeerde me wanhopig te herinneren of ik hem over de Cloisters had verteld. Ik dacht van niet.

'Ze denken dat jij weet waar hij is. Ze denken dat jij hen naar hem kunt brengen.' Zijn stem klonk ineens akelig gesmoord. Ik had geen idee waar hij het over had.

'Grant!' gilde ik in de telefoon. Ik hoorde een afschuwelijk gerochel. 'Grant,' zei ik opnieuw, maar nu meer als een smeekbede.

Voor de verbinding werd verbroken slaagde hij erin nog iets te zeggen. Hij zei: 'Vlucht, Ridley. Vlucht.'

Ik werd weer wakker in het bed in de hotelkamer. Ik voelde me beter. Of beter gezegd, verdoofder, alsof iemand me medicijnen had gegeven. Ik had gezelschap. Op de bank in de keurige, comfortabele zithoek naast mijn bed zat Dylan Grace. Zijn ogen waren dicht, zijn hoofd steunde op zijn gebalde vuist en hij had zijn voeten op de salontafel gelegd. Ik kon niet zien of hij sliep. Hij zag er bleek en slecht uit. Ik was niet eens bang voor hem, ik had er de fut niet voor. Ik voelde me zo zweverig en kalm, ik was vast en zeker gedrogeerd.

'Wie *ben* jij?' vroeg ik hem. Het was meer een filosofische vraag. Hij opende zijn ogen en ging overeind zitten.

'Je weet toch wel wie ik ben?' Hij trok zijn wenkbrauwen licht op, alsof hij aan me twijfelde.

'Ik weet wie je gezegd hebt te zijn. Ik weet ook dat je een leugenaar bent,' zei ik met dubbele tong.

'Iedereen om je heen liegt,' antwoordde hij. 'Ik ben nog je minste probleem.'

Dat vond ik een tamelijk ongevoelige opmerking. En ik wist ook niet precies wat hij ermee bedoelde.

'Waar is Jake?' vroeg ik.

Hij wreef in zijn ogen, maar gaf geen antwoord.

'Waar is hij?' vroeg ik opnieuw, nu met stemverheffing. Ik probeerde overeind te komen, maar hij stond snel op van de bank en ging naast me zitten.

'Rustig nou maar. Zo word je niet beter,' zei hij, terwijl hij een hand op mijn schouder legde en me voorzichtig terugduwde. 'Ik weet niet waar Jake is. Maar ik beloof je dat we hem zullen vinden.'

'Wat is er met me gebeurd? Hoe ben ik hier verzeild geraakt?'

'Dat komt later wel. Nu moet je rusten.'

Hij zocht naar iets op het nachtkastje. Een injectiespuit.

'Nee,' zei ik, met een snik die in mijn keel bleef steken. Mijn stem klonk zwak en dunnetjes, als die van een kind, en de hand waarmee ik hem wilde tegenhouden was krachteloos. Hij keek me niet aan en tikte tegen het plastic buisje.

'Sorry,' zei hij en stak de naald in mijn arm.

De pijn was kort maar heftig, de duisternis die erop volgde, was compleet.

'Wat zei hij?' vroeg Jake. Hij liet mijn arm los en keek me bezorgd aan.

'Hij zei dat ik moest vluchten,' zei ik, nog vol ontzetting naar de telefoon starend.

Jake pakte mijn hand vast. 'Dat lijkt me een goede raad. Wegwezen hier. We hadden nooit moeten gaan.'

Terwijl hij me in de richting van de bomen trok, zag ik lichtbundels van zaklantaarns door de duisternis priemen. We bleven stokstijf staan. In het bos waar we zojuist doorheen waren gelopen, zagen we vijf, misschien nog meer, bewegende witte lichtpunten onze kant op komen. Mijn hart sloeg over. Ik zag Jake kijken op de manier waarop hij altijd keek als we in de problemen waren, intens en donker, met de concentratie van een strateeg.

Er waren twee mannen uit de auto gestapt, waardoor onze weg terug naar de straat werd afgesneden. Het dichtslaan van hun portieren klonk als geweervuur in de stilte van het park. Ik keek naar hun gestalten, ze waren allebei lang en mager. Met grote stappen liepen ze op ons af. Geen van beiden was Max, dat kon ik zelfs in het donker nog constateren, hoewel ik hun gezichten niet kon onderscheiden. Natuurlijk was het Max niet. Hoe had ik zo dom kunnen zijn om hierheen te komen en Jake mee te nemen. Ik had mezelf laten leiden door een stomme fantasie. *Ze denken dat jij weet waar hij is. Ze denken dat jij hen naar hem kunt brengen.* Wat had Grant bedoeld? Wie waren deze lui? Ik stond als aan de grond genageld, iets maakte dat ik als verlamd bleef staan kijken. Zelfs het getrek van Jake voelde ik amper nog.

'Ridley, kom op nou. We moeten hier weg,' zei Jake. Hij legde zijn handen op mijn schouders en duwde me vooruit.

We draaiden ons om en renden langs de zijkant van het museum, het geluid van onze voetstappen weerkaatste op het beton. We hadden geen keuze, want we konden niet terug naar de straat. We holden om het gebouw heen en rammelden aan een paar van de zware houten en gietijzeren deuren en aan de luiken van de spits toelopende ramen. Alles zat op slot, natuurlijk. Het museum was allang dicht. Binnen waren middeleeuwse Franse binnenhoven en eindeloos veel gangen die leidden naar ruimten met hoge plafonds, honderden mogelijkheden om je te verstoppen. Buiten waren we blootgesteld aan onze achtervolgers. De stenen muur die het terrein omzoomde was niet ver meer. Ik hoorde het geluid van rennende mensen. Ik wist niet welke opties we nog hadden. Volgens mij niet veel meer.

'Waar gaan we heen?' vroeg ik Jake, in de richting van de muur rennend.

Onder zijn jas vandaan haalde hij een pistool, dat ik niet eerder had gezien. 'We lopen tussen de bomen door langs de muur naar het zuiden. Hopelijk geven ze het snel op en gaan ze weg.' Ik vroeg me af of hij grappig probeerde te zijn. Toen hoorden we het geluid van een helikopter.

Hij doemde voor ons op alsof hij van de snelweg onder ons was opgestegen. Binnen de kortste keren werden we overweldigd door het lawaai en de wind en verblind door het zoeklicht op de neus. De mannen die we door de bossen hadden zien lopen waren ineens niet ver meer. We zetten het op een lopen.

Ik werd wakker terwijl ik om Jake riep. Voor mijn geestesoog zag ik hem vallen. Ik werd wakker terwijl ik mijn armen naar hem uitstrekte, maar ik wist dat hij allang weg was. Ik bleef die ene vraag maar horen: *Waar is de geest?* Ik vervloekte mijn troebele brein en mijn zwakke, vreemde lichaam, dat aanvoelde als een zandzak. Er was iets verschrikkelijks gebeurd met Jake en mij en ik had geen flauw idee wat.

Er was niemand in de kamer en ik vroeg me af of Dylan wel echt naast mijn bed had gezeten. Hoe dan ook, ik moest weg. Hier kon ik niet blijven. Ik kwam gemakkelijker uit bed dan eerst. Het verband om mijn middel was droog en schoon. Ik zag mijn spijkerbroek, schoenen en jasje op de grond bij de deur liggen en met veel pijn wist ik alles aan te trekken. Ik keek de kamer rond of er nog iets van me lag, maar zag niets.

De gang was verlaten en de lift kwam snel. Ik had niets – geen tas, geen geld en geen paspoort, geen enkele vorm van identificatie. Hoe was ik in

Londen terechtgekomen? Was ik wel in Londen? Hoe zou ik weer thuis kunnen komen? Ik was te verward en chaotisch om zelfs maar bang te zijn.

De chique foyer – donkere houten vloeren met Perzische tapijten, donkerrode wanden, met pluche beklede meubels – was verlaten. Ik hoorde straatgeluiden, het restaurant en de receptiebalie waren gesloten. Het moet heel vroeg in de ochtend zijn geweest. Ik keek rond of ik een klok zag en vond er een op de receptiebalie – 02.01. Ik duwde op het belletje. Uit de deur naast de balie kwam een man tevoorschijn, jong en tenger, met asblond haar en heel donkere ogen. Hij had een arendsneus en dunne lippen. Erg bleek en erg Engels.

'Ah, juffrouw Jones. U wilt uw spullen natuurlijk,' zei hij. 'Mag ik uw reçuutje?'

Ik voelde in mijn zak en (hoe is het mogelijk?) haalde een reçustrookje tevoorschijn. Ik overhandigde het zonder een woord te zeggen. Ik was bang dat ik op de glimmende houten vloer zou moeten overgeven. Hij knikte hartelijk en ging de garderobe in om even later terug te komen met de versleten postbodetas waarmee ik had rondgelopen voor dit alles (wat het dan ook was) was gebeurd. Ik nam hem aan en sloeg hem open. Mijn portemonnee, notitieboekje, paspoort, sleutels, make-up, mobieltje, alles zat er nog in. Op een of andere manier voelde ik me nog ellendiger en banger bij de aanblik van al mijn oude, vertrouwde spullen.

'Ik hoop dat u het niet erg vindt dat ik het zeg,' zei hij vriendelijk. Ik keek hem aan. 'Maar u ziet er niet goed uit.'

Ik schudde het hoofd. De hele situatie was zo surrealistisch dat ik me afvroeg of het wel echt gebeurde. De grond onder mijn voeten begon te deinen. 'Ik voel me ook niet goed. Ik weet niet meer hoe ik hier terecht ben gekomen. Weet u dat? Hoe ik hier ben gekomen, bedoel ik. Hoe weet u mijn naam? Hoe lang ben ik hier al?'

Hij kwam vanachter de balie vandaan, sloeg een arm om mijn schouders en ondersteunde mijn elleboog. Ik liet me naar een bank leiden en hij zette me tussen de kussens.

'Juffrouw Jones, zou het een goed idee zijn een dokter voor u te bellen?'

Ik knikte. 'Dat lijkt me een goed idee.'

Ik zag dat hij naar beneden keek. Ik volgde zijn blik en zag dat het bloed weer door het verband was gesijpeld. Er bloeide een roos van bloed op mijn sneeuwwitte shirt. Een shirt dat ik niet herkende.

'Juffrouw Jones,' hoorde ik hem zeggen. Hij keek me met oprechte bezorgdheid aan en zijn stem klonk licht paniekerig. Hij leek me erg aardig.

'Juffrouw Jones, blijft u hier rustig zitten en...' zei hij. Maar hoe de zin eindigde, kreeg ik niet meer mee.

De geest

13

Volgens Jung is een van de voornaamste oorzaken van geweld tegen vrouwen een niet geïntegreerde Anima, het archetypisch 'vrouwelijke' in het onderbewustzijn van de man. Hij geloofde dat alle mannen vrouwelijke eigenschappen hebben en alle vrouwen mannelijke. Mannen hebben echter geleerd dat het vrouwelijke in hen iets beschamends is wat verdrongen dient te worden. Het resultaat van deze verdringing is een soort algemene vrouwenhaat, onbezielde seksuele betrekkingen en hele culturen waarin vrouwen in hun eigen huis niet veilig zijn. Deze theorie maakt deel uit van Jungs theorieën over de Schaduw, onze duistere kant, die we hardnekkig proberen te verhullen of kapot te maken. Dat leidt er alleen maar toe dat we er telkens weer mee geconfronteerd worden, meestal in de vorm van een 'ander'. Hij geloofde dat dit aspect van de menselijke psyche de basis vormt van racisme, culturele vooroordelen en de strijd der seksen, dat de wij-tegen-hen mentaliteit een denkpatroon is van mensen die hun Schaduw niet erkennen, die datgene wat ze van zichzelf haten projecteren op een groep mensen van wie zij denken dat het hun tegenpolen zijn.

Ik ben het brave meisje, huiswerk af, pyjama aan, en ik zie Max op zijn fiets de straat op en neer rijden. Het is laat en koud maar ik ben stikjaloers op zijn vrijheid. Ik vraag me af of hij stikjaloers is op mijn Howdy Doody-pyjama en mijn frisse, gewassen gezicht. Misschien zijn we hetzelfde. Misschien zijn we elkaars Schaduw.

Ik word wakker van sirenes, met al deze vreemde gedachten en met dat beeld van Max in mijn hoofd. De sirenes in New York klinken heel anders dan die in Londen. Londense sirenes zwellen aan en sterven weg en klinken veel beleefder. *We moeten erdoor,* lijken ze wanhopig te smeken. *Ga even opzij.* De sirenes in New York dringen zich gewoon aan je op, zo onbeschoft als wat. *Wat sta je daar nog?* willen ze weten. *Maak als de sode-mieter dat je weg komt. Zie je dan niet dat het hier om een noodgeval gaat?* Als je in New York woont, leef je met het geluid van sirenes aan de rand van je bewustzijn. Ambulances, brandweerwagens, politieauto's – het lijkt of er altijd wel iemand in de problemen zit in die stad, of er altijd iemand dringend gered moet worden. Op een gegeven moment hoor je het niet meer, maakt het deel uit van de muziek die de stad maakt.

Londense sirenes klinken klaaglijk. Ze lijken te zeggen: *Er is iets afschu-welijks gebeurd, we proberen te doen wat we kunnen, maar het zal wel te laat zijn.* New Yorkse sirenes zijn schaamteloos overtuigd van hun overwinning.

Het was een Londense sirene die ik hoorde, hij zwol aan en stierf weg, terwijl hij in de verte verdween. Het duurde even voor ik doorhad dat ik in een ziekenhuiskamer lag, koel en stil. Het was er schemerdonker, door een raampje in de deur en door de kieren tussen de neergelaten jaloezieen en het raamkozijn viel wat licht binnen – niet van de zon, maar van de straatverlichting. Ik had geen idee hoe laat het was.

Ik bleef stil liggen en liet mijn ogen door de kamer gaan. Toen ze zich aan het halfduister hadden aangepast zag ik een tengere vrouw in een stoel bij de deur zitten. Er viel een strook licht op haar. Ze had witblonde haren en haar brede mond met dramatisch neerhangende mondhoeken was een karikatuur van een pruilmondje. Ze zat enigszins scheef onderuit, haar hoofd met haar hand ondersteunend, maar toch kwam ze kordaat en ambtelijk over in haar marineblauwe pakje en praktische, laaggehakte pumps. Ze staarde naar de muur en was mijlenver weg.

Ik schraapte mijn keel en probeerde overeind te gaan zitten. Mijn mond voelde kurkdroog aan en ik reikte naar de waterkan die ik naast mijn bed zag staan. De vrouw stond ogenblikkelijk naast me. Ze schonk een beker water in en gaf hem me aan.

'Gaat het een beetje?' vroeg ze.

Gezien de omstandigheden was dit een lastige vraag om te beantwoorden.

'Dat ligt er maar aan,' zei ik, met een pijnlijk schorre stem.

Ze keek me niet-begrijpend aan.

'Aan waar ik ben, aan hoe ik hier ben gekomen. Aan wat ik mankeer.'

Ik deed cool en gevat, maar ik voelde me uitgehold vanbinnen.

Ik probeerde een slokje te nemen uit de beker in mijn trillende hand, waarbij ze beleefd haar blik afwendde. Toen ze zag dat het niet lukte, schoot ze me te hulp door mijn pols vast te pakken. Dat ging beter.

'Ik had gehoopt,' zei ze, 'dat u het antwoord op die vragen zou weten.' Ze had een sterk Londens accent, hoewel ik kon merken dat ze haar uiterste best deed dat te verhullen.

'Wie bent u?' vroeg ik.

'Ik ben inspecteur Madeline Ellsinore. Ik onderzoek uw zaak.'

'Mijn zaak?' zei ik. Ik zette de beker terug en leunde achterover in de kussens.

'Eh, ja,' zei ze, terwijl ze haar armen over elkaar sloeg en haar ogen op mijn gezicht liet rusten. 'Een Amerikaanse vrouw komt aan in een Londens hotel en laat twee dagen lang het bordje "Niet storen" op haar deur hangen. Slechts éénmaal laat ze iets van zich horen, als ze naar de receptie belt om erachter te komen waar ze is. Aan het eind van de tweede dag strompelt ze de hotellobby in en blijkt een lelijk geïnfecteerde schotwond te hebben. Ze zakt in elkaar en wordt in allerijl naar het dichtstbijzijnde ziekenhuis gebracht. Ze is in het bezit van een identiteitsbewijs, heeft een paspoort, geld en een creditcard, maar op geen enkele passagierslijst van de reguliere vluchten die het laatste halfjaar in Londen zijn geland komt haar naam voor. Genoeg om een zaak te openen, dacht u niet?'

Ik knikte langzaam. Ze klonk formeel, maar niet onaardig. Ze had lichtblauwe ogen en een kleine, smalle maar ranke gestalte. Type hardloopster, snel en sterk.

'Hoe bent u naar Engeland gekomen, juffrouw Jones? En wat komt u hier doen?'

Ik schudde mijn hoofd. 'Ik heb geen flauw idee.'

Zoiets toe te moeten geven is een bizarre ervaring. Ben je ooit na een nacht stappen wakker geworden in een vreemde flat, met een onbekende naast je in bed? Daar leek het een beetje op, maar dan veel en veel erger. Het voelde alsof ik wakker was geworden in het lichaam van iemand anders.

Ze knipperde tweemaal met haar ogen. 'Dat vind ik moeilijk te geloven,' zei ze ten slotte.

'Het spijt me,' zei ik. 'Toch is het waar.'

Ze nam me op met een blik die niets verried. Ondanks haar aantrekkelijkheid, ondanks haar zachte, hese stem had ze iets kouds en robotachtigs.

'Goed. Wie heeft er op u geschoten?' vroeg ze zakelijk, alsof ze dan maar met dat stukje informatie genoegen moest nemen.

Weer schudde ik mijn hoofd. Ik had geen vaste grond meer onder mijn voeten en ik zweefde in een leven dat niet van mij was.

'Bent u zich ervan bewust, juffrouw Jones, dat de politie van New York belangstelling voor u heeft, dat ze u willen ondervragen in verband met de moord op Sarah Duvall?'

In een flits kwam de ochtend terug waarop ik Sarah voor me had zien vallen en sterven, waarop ik de man in het zwart achterna was gerend en door de politie was aangehouden en meegenomen naar het bureau. Dylan Grace had me daar weggehaald en meegenomen naar Riverside Park, waar ik de benen had genomen. Vanaf dat moment was het alleen maar erger geworden. Ik dacht aan Grant en zijn stomme website. Aan Jake die viel. Ik zocht mijn geheugen af naar wat er met ons was gebeurd nadat de helikopter uit het niets was opgedoemd en we door licht en lawaai waren overweldigd. Maar hoe meer ik mijn hersens pijnigde, hoe ongrijpbaarder het werd. Ik werd ineens vreselijk misselijk en kreeg pijn achter mijn ogen.

'Ook de FBI wil u graag ondervragen, over een zekere Dylan Grace.'

Ik dacht aan alles wat hij me in het park had verteld. Waren dat ook leugens geweest? Kon ik wel van hem op aan? Was hij in mijn hotelkamer geweest of had ik dat gedroomd? Ik herinnerde me dat hij er ook slecht had uitgezien, dat hij me met een naald had geprikt. Weer schudde ik mijn hoofd.

'U weet echt niet wat er met u is gebeurd, hè?' vroeg ze ongelovig, terwijl ze me een tissue aangaf uit de doos naast mijn bed. Ik depte mijn ogen droog en snoot mijn neus. Ik had allerlei flashbacks: ik zag mezelf met Jake langs de muur van de Cloisters rennen, hoorde knallende geweerschoten in het duister, ik zag mezelf op de grond vallen, alsof ik een duw had gekregen, ik zag de donkere schaduw van een man wiens gezicht ik niet kon zien, die aan me vroeg: 'Waar is de geest?' Maar er was vooral pijn geweest, witheet, allesomvattend, bijna onbeschrijflijk in zijn intensiteit, het soort pijn dat je geheugen gelukkig niet vasthoudt.

'Nee,' zei ik uiteindelijk. 'Nee, echt niet.'

Maar onder ons gezegd en gezwegen, dat was de halve waarheid.

Mijn herinneringen kwamen snel terug. Ik herinnerde me een knie in mijn rug, een zwarte zak die over mijn hoofd werd getrokken. Ik kon er alleen geen touw aan vastknopen. Het leek wel een nachtmerrie.

'Zegt de naam Myra Lyall u iets?'

Ik knikte langzaam.

'Een Amerikaanse misdaadverslaggeefster bij *The New York Times*,' zei ze. 'Er is een verband tussen u en haar, als ik me niet vergis. Ze wilde u spreken met betrekking tot een artikel waaraan ze werkte, over Project Kinderhulp. Maar ze verdween.'

'Klopt,' gaf ik toe.

'Sarah Duvall was haar assistente.'

Weer knikte ik.

'Gisteren hebben we het lichaam van Myra Lyall gevonden, in een kanaal op anderhalve kilometer van King's Cross, in een van onze rosse buurten. Het zat in een koffer. In stukken.'

Ik vermoed dat ze de informatie met opzet doseerde, om een zo groot mogelijk effect te sorteren. Ik probeerde haar woorden op me te laten inwerken, zonder over het hoe en waarom na te denken. Mijn misselijkheid en trillen waren net iets afgenomen, maar kwamen nu dubbel zo hard terug.

'Ook van haar zijn er geen reisgegevens naar Londen,' vervolgde ze.

Ik zei niets. Ik wist niet wat ik moest zeggen. Ik voelde verdriet over Myra Lyalls dood en afgrijzen over hoe ze aan haar eind was gekomen. Ik vroeg me af hoe ik in een chic hotel in Covent Garden terecht had kunnen komen en zij in een koffer in een Londens kanaal. In stukken.

'Juffrouw Jones, mocht u ook maar het geringste idee hebben over wat hier gaande is, dan raad ik u sterk aan alles wat u weet aan mij te vertellen,' zei ze. Ze liep naar de stoel bij de deur, trok die bij tot naast mijn bed en ging er eens goed voor zitten, alsof ze zich opmaakte voor een goed en lang gesprek. 'Ik kan u niet helpen en ook niet beschermen als u niets zegt. U lijkt me heel aardig, maar u lijkt ook bang, en dat neem ik u zeker niet kwalijk. Er zijn veel mensen vermoord, en zo te zien mag u van geluk spreken dat u niet een van hen bent. Misschien kunnen we elkaar helpen.'

Ik heb er niet om gevraagd, nergens om, had ik tegen Ace gezegd.

Weet je dat zeker? had hij willen weten.

Na wat wikken en wegen besloot ik dat dit mijn pet te boven ging. Ik vroeg om haar legitimatiebewijs, dat ze me zonder aarzelen voorhield. Een ezel... Enfin, je begrijpt wel. Toen ik me ervan had overtuigd dat ze was wie ze zei te zijn, vertelde ik inspecteur Ellsinore alles – alles wat ik me kon herinneren. Ondertussen was het een komen en gaan van artsen en verpleegkundigen die in me knepen en porden en met lichtjes in mijn ogen schenen en het verband van de wond in mijn zij controleerden en vervingen.

Inspecteur Ellsinore maakte uitgebreid aantekeningen. Toen ik mijn verklaring had afgelegd, vroeg ik of ze de Amerikaanse ambassade voor me wilde bellen. Dat deed ze, en daar beloofden ze een advocaat naar het ziekenhuis te sturen.

Na het telefoontje legde ze een hand op mijn arm en zei: 'Dat was verstandig van je, Ridley. Alles komt goed.'

Ik knikte onzeker. 'Hoe gaat het nu verder?'

Ze keek op haar horloge. 'Jij gaat rusten. Ik neem contact op met de Amerikaanse autoriteiten en laat ze weten dat je je medewerking verleent. En morgen gaan we uitzoeken wanneer en hoe we je thuis kunnen krijgen. Kan ik soms iemand voor je bellen?'

Mijn ouders toerden vrolijk rond door Europa, maakten kiekjes en stuurden ansichtkaarten. Ze zouden waarschijnlijk binnen een paar uur hier kunnen zijn, maar aan hen had ik geen behoefte. Ace was blijkbaar niet in staat me enige hulp of steun te bieden. Volgens mij had hij niet eens een paspoort. Ik had geen idee waar Jake uithing en hoe hij eraan toe was. Bij de gedachte aan hem sprongen de tranen me in de ogen en stak het inmiddels vertrouwde paniekerige gevoel ten aanzien van zijn toestand weer de kop op.

'Nee. Maar als u kunt achterhalen wat er met Jake Jacobsen is gebeurd... Ik moet het weten. Alstublieft.'

'Ik zal zien wat ik te weten kan komen. Probeer je geen al te grote zorgen te maken.'

Ze legde haar kaartje op het tafeltje naast mijn bed, zocht haar spullen bij elkaar en liep naar de deur. Met haar hand al op de kruk draaide ze zich nog een keer om. 'En het spijt me, Ridley, maar er staan twee agenten voor deze deur. Zowel om jou te beschermen...'

'Als om ervoor te zorgen dat ik niet ontsnap,' maakte ik haar zin af.

Ze knikte. 'Tot we precies weten wat er met je is gebeurd en hoe je hier bent beland. Dat begrijp je vast wel. Blijf lekker liggen en rust uit. Je hebt een paar drukke dagen voor de boeg, vrees ik.'

De kamer was koel en steriel en ik lag daar maar, klaarwakker, voor ik weet niet hoe lang. Eén keer stond ik op om te gaan plassen, maar de hele expeditie was zo pijnlijk dat ik besloot het op te houden als ik weer moest. Er stond een po bij mijn bed, maar ik zag me echt niet in een po plassen. Dat ging me te ver. Ik voelde me verdoofd en somber en heel, heel erg alleen. Naast mijn bed stond een telefoon, maar er was niemand op de hele wereld die ik kon bellen. De waarheid was dat ik er alleen voor stond. Dat was al zo sinds de dag dat Christian Luna me de foto had gestuurd die mijn leven veranderde. De enige persoon op wie ik sindsdien steeds had kunnen bouwen was Jake, en zelfs die relatie had hij met leugens en halve waarheden kapotgemaakt. Ik probeerde het beeld te verdringen dat ik hem bloedend van een grote hoogte zag vallen.

Ik probeerde na te denken over alles wat er was gebeurd, over alles wat ik wél wist: over Dylan Grace en Myra Lyall, over de dingen die Grant had gezegd, over de streaming video uit Covent Garden en over het feit dat ik wakker was geworden in een hotel dat slechts een paar straten van die hoek vandaan lag. Ik probeerde mijn schrijversgeest los te laten op al deze verschillende gebeurtenissen om mogelijke verbanden te onderscheiden en theorieën op te stellen, maar dat maakte me alleen maar misselijk en bang. Ik dacht aan Myra Lyalls afschuwelijke einde, aan Sarah Duvalls dood op straat, aan Esme Gray, aan Grants laatste telefoontje naar mij. Ruim voor deze recente gebeurtenissen had Dylan me ervan beschuldigd dat ik het punt was waar alles bij elkaar kwam. Nu zag ik in dat hij gelijk had.

Alles was in gang gezet door het feit dat ik wilde weten wie Max was. Ik wilde zijn ware gezicht zien om een beter inzicht te krijgen in wie ik zelf was. Maar ik was geen stap dichter bij hem gekomen. En ik was nog nooit zo ver van mezelf verwijderd geweest – ik herkende amper nog mijn eigen spiegelbeeld. Alles welbeschouwd was de hele onderneming één gigantische, volslagen mislukking.

Er draafde een verpleegster naar binnen die me een paar pillen voorhield. 'Om te slapen, *love*,' zei ze vriendelijk. Ik nam ze aan en deed alsof ik ze doorslikte, waarna ik haar dankbaar toelachte. Toen ze weg was, haalde ik ze uit mijn mond en ik deponeerde ze in de beker naast mijn bed. Ik wilde niet op pillen slapen. Daar voelde ik me hier niet veilig genoeg voor.

Nu eens dommelde ik weg, dan weer lag ik onrustig te woelen, tot ik iets vreemds op de gang hoorde waardoor ik in één klap klaarwakker was. De angst greep me bij de keel. Het was een zacht geluid, zomaar uit het niets; ik hoorde geschuifel, gevolgd door een doffe klap, en voor ik het wist was het voorbij. Maar iets klopte er niet... Het leek wel of de energiebalans in de lucht was verstoord. Ik bleef even met wijd opengesperde ogen zitten luisteren.

Na een paar minuten ontspande ik een beetje. Op de achtergrondgeluiden na – een televisietoestel dat ergens zachtjes aan stond, het metronomische piepje van een apparaat, een eigenaardig, alomtegenwoordig gezoem, vermoedelijk afkomstig van de tl-buizen en alle medische apparatuur – heerste er stilte. Ik begon net weer weg te suffen toen ik opnieuw een geluid aan de andere kant van mijn deur hoorde, een stoel die plotseling werd weggeschoven. In het licht dat onder de deur door scheen zag ik dat er iemand voor mijn deur stond. Ik hees me met moeite uit bed en keek de kamer rond. De badkamer was een val, die had geen uitgang. In mijn conditie kon ik niet tussen het bed en het raam wegduiken. Ik ging zachtjes naast de deur staan en speurde rond naar iets om me mee te verdedigen. Het kostte me allemaal onwaarschijnlijk veel inspanning.

Het moet een fraai gezicht zijn geweest, ik op kousenvoeten in mijn blote kont in mijn ziekenhuishemd. Ik probeerde mijn pijn te verbijten en bukte me om een van mijn schoenen op te pakken, die onder de stoel stonden waarop inspecteur Ellsinore met al haar vragen had gezeten. Dat was het enige wat ik op kon tillen met het restje kracht dat ik nog in me had, en het enige wat me solide en zwaar genoeg leek om iemand een optater mee te geven.

Mijn ademhaling werd oppervlakkig en ik voelde de adrenaline door mijn aderen stromen. Ik zag de telefoon staan, met het kaartje van inspecteur Ellsinore ernaast, en ik zag ook de alarmbel, waarop ik had moeten drukken toen ik nog in bed lag. Ik overwoog terug naar het bed te lopen, maar de afstand van hooguit anderhalve meter leek me onoverbrugbaar, zowel lopend als kruipend, gezien de energie die het me had gekost de deur te bereiken. Ik leunde tegen de muur, schoen in de aanslag, en spitste mijn oren. Er ging een minuut of wat voorbij en ik begon me al af te vragen of ik paranoïde was geworden (waar je je iets bij kunt voorstellen) of aan posttraumatische stress leed. Ik wilde net mijn schoen neerzetten toen de deur openging, zo langzaam dat het me pas opviel toen ik de donkere gedaante van een man naar binnen zag glippen. Hij stond met zijn rug naar me toe en staarde naar mijn lege bed.

Vóór ik de moed er niet meer voor had, haalde ik uit met mijn schoen en sloeg hem met kracht tegen zijn slaap. De klap was zo hard dat hij golven van pijn in mijn eigen gewonde lijf teweegbracht. Ik wankelde achteruit en liet de schoen op de grond vallen, terwijl de man kreunend in elkaar zakte. Ik was van plan geweest een klap uit te delen en dan gillend de gang op te rennen, maar ik had zo'n heftige pijn in mijn zij dat ik naar adem snakte en me amper kon bewegen. Mijn eigen lijf liet me in de steek, mijn fysieke zwakte maakte me razend. Door woede en frustratie gedreven schuifelde ik langzaam in de richting van de gang, steunend tegen de muur.

'Niet doen, Ridley.'

Ik draaide me naar hem toe. Het was vrij donker in de kamer, maar ik zag hem zitten, zijn hand tegen zijn slaap gedrukt, terwijl er een straaltje bloed langs zijn wang sijpelde. Het was Dylan Grace. Er waren wel duizend dingen die ik hem wilde vragen, maar het enige wat ik kon uitbrengen was: 'Laat me met rust... eikel.'

Ik liet me langs de muur op de vloer zakken. Ik besloot te proberen of kruipen wellicht minder pijnlijk was. Het is vreselijk en verbazingwekkend om te ervaren dat je gezondheid en fysieke kracht, die je altijd als volkomen vanzelfsprekend hebt beschouwd, je in de steek laten. De deur had net zo goed een kilometer verder kunnen zitten.

Dylan greep mijn pols vast. Hij had geluk dat ik niet bij mijn andere schoen kon.

'Ze zitten je op de hielen, Ridley.' Zijn stem klonk wanhopig. 'Ga met me mee. Of sterf hier. Zeg het maar.'

Ik hing tegen de muur, uitgerangeerd, uitgeteld. De dood, of in ieder geval bewusteloosheid, begon iets aantrekkelijks te krijgen. Langzaam op zwart gaan, geen pijn en angst meer voelen – was dat wel zo erg? Hij kwam mijn kant op en ik wilde net het laatste beetje lucht uit mijn longen gillen toen ik op de gang een geluid hoorde. Het was een geluid dat ik ergens van kende, hoewel ik op dat moment niet kon zeggen waarvan. Het was het geluid van metaal dat metaal spuugt, van een projectiel dat de lucht doorklieft zonder dat er een knal aan voorafgaat – van een vuurwapen met een geluiddemper. Misschien had ik het op straat gehoord toen Sarah Duvall werd vermoord, zonder te beseffen wat ik hoorde. Het werd gevolgd door de doffe dreun van iets, van iemand, die op de grond viel. De gil bleef steken in mijn keel.

Dylan kroop naar me toe en legde zijn vinger op zijn mond. Uit een binnenzak van zijn jas haalde hij een pistool tevoorschijn. Het was plat en zwart, net zo een als Jake had gehad. Met eenzelfde soort pistool had ik een paar slecht gemikte schoten afgevuurd in een leegstaand pakhuis in Alphabet City. Ik wist niet wat voor een het was, maar ik was blij het te zien.

Ik wist niet of de stilte die volgde minuten of uren duurde. Waar waren de agenten die voor mijn deur hoorden te staan? (Heten ze wel agenten in Engeland, of noemen ze die bobby's? Hoe dan ook, ze hadden die arme jongens een wapen moeten geven.) Het antwoord leek me duidelijk. Ik probeerde moed te houden. De angst en de pijn en de vermoeidheid werden me bijna te veel. Ik kreeg een vreemd gevoel, alsof ik moest giechelen, iets wat ik vaker had onder grote stress of als er gevaar dreigde.

De deur ging open. Een lange, slungelige gestalte gleed als een geestverschijning naar binnen. Hij had een pistool in zijn hand. Hij bleef doodstil staan, met zijn rug naar ons toe. Ik rook het luchtje dat hij op had, zag dat er een scheur zat in de zoom van zijn jas. Ik hield mijn adem in. Dylan kwam stil als een schaduw overeind en richtte zijn pistool. De gestalte voelde dat Dylan achter hem stond en draaide zich met een ruk om. Dylan schoot en het duister explodeerde. Het lawaai was oorverdovend. Het kruit brandde in mijn neus en achter in mijn keel en de man smakte tegen de grond voor hij ook maar de kans kreeg zijn wapen te richten. Ik staarde naar de gevallen gedaante van de man die me had willen vermoorden en hoorde het afschuwelijke gereutel dat uit hem opsteeg.

Dylan stak zijn hand uit. 'Kun je lopen?'

Ik aarzelde en liet mijn ogen van Dylan naar de man op de grond gaan. Misschien had hij me wel uit de klauwen van Dylan Grace willen redden. Misschien hadden ze het allebei op me voorzien, ieder met een eigen, misdadige reden.

'Je hebt geen tijd om te bedenken of je me kunt vertrouwen of niet,' zei hij. Ik hoorde tumult op de gang. 'Deze mensen kunnen je geen bescherming bieden.' Ik nam aan dat hij doelde op de politie en het ziekenhuispersoneel. Ik gaf mijn verzet op. Ik stak hem mijn hand toe en liet me omhoogtrekken. Met een tegenwoordigheid van geest waar ik niet van terug had, graaide hij mijn tas uit de kast. Ik zou er geen seconde aan hebben gedacht. Ontzet herinnerde ik me dat mijn paspoort was ingenomen door inspecteur Ellsinore. Ik kon geen kant op.

We liepen de deur uit, ik zwaar op hem leunend. De twee agenten belast met mijn bewaking hingen in hun stoel. Onder een van hen vormde zich een plas bloed. Een verpleegster lag met haar gezicht op het linoleum, haar nek in een vreemde hoek, een van haar vingers nog stuiptrekkend.

'Hoeveel nog?' vroeg ik. Ik weet nog steeds niet of ik bedoelde hoeveel doden er nog zouden vallen, of hoeveel mensen er nog achter me aan zouden komen.

'Ik zou het niet weten,' antwoordde hij bedaard.

We passeerden een deur en kwamen in een trappenhuis. Ik hoorde mensen schreeuwen en rennen. Dylan sloeg zijn warme wollen jas om mijn schouders en keek naar mijn kousenvoeten.

'Tja, daar kunnen we niets aan doen, hè?' Hij sprak met een ander accent dan anders, maar ik had geen idee waarom en ik had ook geen puf om ernaar te vragen.

We daalden meerdere trappen af. Ik kan nu gaan uitweiden over hoe traag het ging en hoe pijnlijk het was, maar ik denk dat je dat zo ook wel snapt. We kwamen uit in een steegje. Achter ons op de trap klonk gestommel. In de koude, natte nacht stond een Peugeot te wachten. Dylan hielp me op de achterbank; mijn sokken waren nat, en de bekleding voelde kil aan.

'Ga liggen,' zei hij.

'Waar gaan we naartoe?' vroeg ik, terwijl hij het portier sloot.

'Probeer je nu maar te ontspannen. We redden het wel,' zei hij, terwijl hij plaatsnam op een stoel voorin en het portier met een klap dichttrok. Even dacht ik dat hij op een chauffeur zat te wachten, tot me te binnen schoot dat ze hier links rijden. Hij draaide het contactsleuteltje om. De motor klonk blikkerig en zwak.

'Heb je iets van een plan?' vroeg ik, terwijl hij achteruit het steegje uit draaide en langzaam een rustige straat in reed. Een bataljon politieauto's met gillende sirenes racete ons in tegenovergestelde richting voorbij. Ik begon één ding door te krijgen van hem. Als hij wist dat zijn antwoord op je vraag je niet zou aanstaan, gaf hij gewoon geen antwoord.

'Probeer je nu maar geen zorgen te maken,' zei hij uiteindelijk.

Hij had een Engels accent. Hartstikke Engels. Of misschien wel Iers. Of Schots. Ik was niet goed in accenten. 'Wie ben je, verdomme?' vroeg ik hem voor de tweede keer.

'Ridley...' In de achteruitkijkspiegel zag ik dat zijn ogen even op me bleven rusten. 'Ik ben de enige vriend die je hebt.'

Dat had hij vaker gezegd. Ik vond het moeilijk hem te geloven.

14

Het allesoverheersende lawaai van de helikopter had een verlammend effect op me. Jake trok me aan mijn arm mee en we renden zo dicht mogelijk langs de muur. De kluiten aarde vlogen ons om de oren door de kogels die om ons heen insloegen. We werden beschoten vanuit de helikopter, het was niet te geloven. Ik wierp een blik over mijn schouder. De mannen die ik had gehoord waren nergens te bekennen. Waar zaten ze? Het feit dat ik ze niet meer kon zien maakte me nerveuzer dan wanneer ze ons op de hielen hadden gezeten. Stel dat ze ons ergens heen dreven, net als schapen, stel dat ze ineens voor ons opdoken?

'Tussen de bomen kan hij ons niet volgen,' schreeuwde Jake, wijzend naar het punt waar de muur ophield en een dichtbebost terrein begon, dat zich tot aan de snelweg uitstrekte. Onder de beschutting van de bomen zouden we helemaal tot beneden, tot aan de Henry Hudson Parkway kunnen lopen. In het oorverdovende geronk van de heli klonk Jake's geschreeuw als gefluister, maar ik verstond hem en knikte. We renden ons de benen uit het lijf om onszelf, naar ik vurig hoopte, in veiligheid te brengen. Daar waar de zuidelijke en oostelijke muur een hoek vormden, klom hij eerst omhoog en probeerde daarna mij omhoog te helpen.

Lastig. De eerste keer viel ik en moest ik het opnieuw proberen, maar uiteindelijk lukte het me eroverheen te klimmen. Als de angst niet zoveel adrenaline door mijn lijf had gepompt, was ik er nooit overheen gekomen. Ik wist de muur op te klauteren en viel aan de andere kant naar beneden. Jake's landing naast me was iets bevalliger. We hoorden het geluid van de helikopter iets wegzakken, maar hij bleef in de buurt. We luisterden. Geen stemmen, geen geluid van voetstappen.

'Het spijt me,' zei ik. 'Het spijt me dat ik hier per se heen wilde.'

'Nee, Ridley. Ik ben degene die spijt moet hebben.'

'Jij kunt er toch niets aan doen? Jij wilde alleen maar mee om me te beschermen,' zei ik, terwijl ik naar hem opkeek. Hij legde zijn arm om mijn schouders en trok me tegen zich aan. Ik draaide me naar hem toe, sloeg mijn armen om hem heen en liet mijn hoofd in het kuiltje van zijn hals rusten.

'Ik heb de afgelopen paar dagen goed nagedacht,' zei hij. Hij klonk heel ernstig. 'Het kan, Ridley. We kunnen het laten rusten. Het is een simpele keuze. Eentje die we best kunnen maken. We hoeven niet alle antwoorden te hebben om verder te kunnen leven. Het kan ook anders.'

Hij drukte zijn lippen op de mijne en hij was zo heerlijk. Ik kon alle verrukkelijke mogelijkheden proeven van een leven samen. Op dat moment geloofde ik hem. Geloofde ik dat hij gelijk had.

'Als we ons hieruit redden,' fluisterde hij in mijn oor, 'dan beloof ik je dat alles anders zal worden. Ik zweer het, Ridley. Ik zweer het.'

Zo bleven we zitten, tot de lucht om ons heen plotseling aan flarden werd gereten. We schoten overeind om weg te rennen, maar ik zag dat Jake's schouder naar achteren schokte en dat er een bloedvlek op zijn jack verscheen, en ook nog een op een broekspijp. Achterovervallend strekte hij zijn armen naar me uit. Ik gilde zijn naam en probeerde zijn hand te grijpen. Toen voelde ik een verzengende hitte in mijn zij en ik klapte zo hard voorover alsof iemand me van achteren een harde duw had gegeven. Ik zag zijn gezicht grauw en uitdrukkingsloos worden. Op mijn tong proefde ik bloed en aarde.

Met een snik in mijn keel schrok ik wakker. De auto reed snel, we zaten op een snelweg.

'Is hij dood?' vroeg ik.

'Wie?' vroeg hij, zijn blik op het wegdek gericht. Daarbuiten was alles donker. We waren vast al een eind van de stad verwijderd.

'Jake.'

'Dat weet ik niet, Ridley,' zei hij zacht.

'Lieg niet.'

'Ik lieg niet. Ik weet het echt niet.'

Je kunt allerlei doden sterven. De dood van het lichaam is de minst erge. Maar de dood van je wezen, van je hoop... Dat hakt erin.

Ik ben nooit bang geweest voor de dood. Niet dat ik dood wil, natuurlijk niet. Voor mij betekent dood gewoon dat de lichten uitgaan. Dan ben je weg. Het kan het einde zijn, of een nieuw begin. Hoe dan ook, van achteromkijken zal weinig sprake zijn. In die lariekoek van hel en verdoemenis, het idee van beloning of straf na je dood, heb ik nooit geloofd. Het idee dat ze daarboven je goede en slechte en al je andere daden zitten te turven en dat je ziel op basis daarvan voor de eeuwigheid een plaats krijgt toegewezen, lijkt me erg onwaarschijnlijk. Dat is een menselijke manier van oordelen. Ik ben geneigd te denken dat God niet zo is. Hij of Zij blijft gewoon je eindeloos de les lezen, net zo lang tot je het door hebt, in dit of in een volgend leven. Zij heeft tenslotte de tijd.

Rouwen om iemand is erger dan de dood, vermoed ik. Als iemand van wie je houdt doodgaat, is dat bijna met geen mogelijkheid te bevatten. De onherroepelijkheid ervan, het feit dat je er helemaal niets tegen kunt doen, geeft je het gevoel dat je bijna ontploft van pure wanhoop. Toen Max dood ging deed dat zoveel pijn dat ik niet kon geloven dat ik gewoon rond bleef lopen, dat ik de alledaagse dingen bleef doen. Het ging zelfs zover dat ik hoopte dat ik aangereden zou worden of van een niet al te grote hoogte zou vallen. Niet dat ik dood wilde; ik wilde in tractie liggen, ik wilde dat mijn lichaam net zo gebroken zou zijn als mijn geest, zodat ik kon gaan liggen om weer heel te worden.

Ik ben dus niet bang om dood te gaan. Ik weet dat het erger kan.

Aan dat soort dingen dacht ik, terwijl Dylan met mij op de achterbank over de donkere snelweg reed. Als hij me dood had willen hebben, had hij alle gelegenheid gehad. Ik voelde me zo ver van huis, zo ver verwijderd van mijn eigen leven, dat er geen terugkeer meer mogelijk leek.

'Waar neem je me mee naartoe?'

'Naar een plek waar we voorlopig veilig zijn, tot we hebben bedacht wat onze volgende stap wordt. Daar moet ik me over beraden.'

'Vertel me wat er aan de hand is. Nu meteen,' zei ik.

Geen antwoord. Hij verliet de snelweg en reed een smalle weg op. Kilometers lang reden we door volslagen duisternis, met grote tussenpozen onderbroken door geel schijnsel uit de ramen van een enkel huis in de verte. Ik rook gras en mest. Hij sloeg rechtsaf en we reden verder over een met hoge bomen omzoomd onverhard pad. Aan het eind doemde een klein, donker stenen gebouwtje op. Een huisje. Het zag er leeg en verlaten uit.

'Dit was het zomerhuisje van mijn familie.'

'Was?'

'Ik heb niet veel familie meer over. Dus zal het wel van mij zijn.'

'Je moeder was toch vermoord, agent Grace? Weet je nog, dat onzin-verhaal in het park? Of heeft Max soms je hele familie uitgemoord?'

Hij kromp ineen, alsof ik hem had geslagen.

'Dat verhaal was waar,' zei hij, terwijl hij uitstapte. 'Het was niet de hele waarheid, maar ook geen leugen.'

Hij opende het portier en hielp me uit de auto. Ik baalde ervan dat hij me moest ondersteunen. Ik was vies en nat en ik had het koud. Mijn voeten zakten weg in de modder. Toen mijn benen me niet meer konden dragen, tilde hij me op, wat lang niet zo gemakkelijk is als het er op het witte doek uitziet.

'Laat me los, eikel,' zei ik geïrriteerd. Ik geneerde me.

'Dat is de tweede keer dat je me zo noemt vanavond,' merkte hij droog op, snel naar het huis lopend.

Hij zette me neer op het stoepje, tastte op de richel boven de zware houten deur naar een sleutel en draaide de deur van het slot. De lucht binnen was muf en koud, als de adem van een graf. Ik hobbelde naar een bank die ik zag staan. Hij was rood en stoffig en stond naast een bijpassende stoel en sofa. Hij zat hard en ongemakkelijk, maar het was beter dan staan. Verder zag ik nog een eenvoudige houten salontafel en een open haard met een stapel hout ernaast. Ik rolde me op om de kou niet al te erg te voelen en keek met een openlijk vijandige blik in mijn ogen toe hoe Dylan Grace het vuur aanmaakte, waarna hij een lelijke, beige, stinkende deken over me heen legde. Hij verdween uit het zicht, naar de keuken, aan het gerammel van potten en pannen te horen. Ik doezelde weer weg.

Toen ik wakker werd, zat hij in de stoel, met zijn benen op de sofa. Het haardvuur verlichtte één helft van zijn gezicht. Hij was knap, op een ruige manier, zoals ik al eerder heb opgemerkt. Ook al was hij behoorlijk toe-getakeld en zag hij er dodelijk vermoeid uit, bleek met donkere kringen onder zijn ogen, hij had nog steeds een harde, sexy uitstraling. Ik kon me voorstellen dat ik hem aantrekkelijk zou vinden, als hij niet een leuge-naar en een moordenaar was geweest. Niet dat dat soort dingen me daar eerder van hadden weerhouden.

'Niemand is wie je denkt dat hij is,' zei hij. Blijkbaar had hij gevoeld dat ik wakker was. 'Ik niet, Max Smiley niet, zelfs Jacobsen niet.'

Hij keek me niet aan, maar bleef in de vlammen turen. Ik vond het zo'n gemeenplaats dat ik de moeite niet nam er iets op te zeggen.

'Wie is de geest?' vroeg ik. Hij draaide zich om en wierp me een onderzoekende blik toe.

'Waar heb je dat vandaan?'

Ik schudde mijn hoofd. 'Dat weet ik niet precies. Het maalt steeds door mijn hoofd als ik in slaap sukkel. Dan hoor ik een man vragen: "Waar is de geest?"'

'Er zijn veel mensen die graag antwoord zouden krijgen op die vraag,' zei hij, zijn ogen nog steeds op me gevestigd.

'En jij bent een van hen?'

Hij haalde zijn schouders op. 'Eerst eten, dan praten.' Hij stond op en liep snel de kamer uit. Ik deed geen moeite hem tegen te houden. Ik begon een beetje gewend te raken aan mijn hulpeloosheid. Ik had geen kleren, ik had geen kracht. Ik werd gezocht door de politiemacht van twee landen, om van de FBI maar te zwijgen. Dit was een oefening in geduld, dus ik bleef zitten en staarde in het vuur, terwijl ik de duizenden puzzelstukjes in elkaar probeerde te passen. Zonder resultaat. Ik hield er, zoals gewoonlijk, alleen hoofdpijn aan over.

Hij kwam terug met tomatensoep en thee op een houten dienblad. Gezien de staat waarin het huis verkeerde, wilde ik er liever niet aan denken hoelang dat spul wellicht in een keukenkastje had gestaan. Tot mijn verbazing rammelde ik van de honger, ik kon me de laatste keer dat ik had gegeten niet meer herinneren. Ik probeerde langzaam te eten om te voorkomen dat het verkeerd zou vallen, maar binnen enkele minuten had ik alle soep opgeslurpt. Ik kreeg er kramp van in mijn maag, maar gelukkig hield ik alles binnen. Dylan haalde nog een kom soep voor me, die ik ook opat. Daarna gaf hij me een paar pillen en een glas water.

Ik keek naar hem op.

'Ik slik geen pillen van jou.'

Met zijn hoofd knikte hij in de richting van het dienblad.

'De soep heb je anders wel op, en de thee ook. Als ik je iets had willen toedienen, had ik het daarin kunnen stoppen.' Weer dat Engelse accent. Het kwam en het ging. 'Dit zijn antibiotica. Als je ze niet neemt, zal het bergafwaarts met je gaan.'

De kleine, tweekleurige capsules konden inderdaad antibiotica zijn. Tegen beter weten in slikte ik ze door. Het leek me een geoorloofde gok.

'Hoe kom jij aan antibiotica?'

'Die heb ik altijd achter de hand voor noodgevallen.'

Het was me niet duidelijk of hij me in de maling nam, maar ik vroeg niet door.

Hij ging tegenover me zitten, met zijn ellebogen op zijn knieën. Hij keek zwijgend toe hoe ik met kleine slokjes van mijn water dronk. Ik voelde me wat sterker, niet meer zo licht in mijn hoofd. Net toen ik hem wilde gaan uithoren, zei hij: 'Max Smiley heeft een goed moment uitgezocht om te sterven.'

Ik keek hem aan, maar zei niets. Hij zag er triest uit, meer dan alleen lichamelijk uitgeput. Ik had bijna met hem te doen.

'Na een leven van kwaad verdween hij nét voor het kwaad hem inhaalde. Sterven was een te mild einde voor Max Smiley. Veel mensen voelden zich tekortgedaan.'

'Wat voor kwaad? Bedoel je Project Kinderhulp?'

'Project Kinderhulp was het minste van alle kwaden.'

Dat had ik eerder gehoord, van Jake. In bijna dezelfde bewoordingen.

'Het zou helpen als je wat specifieker was. Ik hoor voortdurend wat voor monster Max was, hoe door en door slecht hij was, maar tot nu toe heeft niemand me iets verteld waardoor ik dat kan geloven. Ik weet dat hij niet de man was die ik dacht dat hij was. Dat is me nu wel duidelijk. Maar *kwaad*... Dat is erg sterk uitgedrukt. Dat moet je onderbouwen.'

Hij schoot zo snel overeind dat ik ervan schrok. Hij liep achter me langs en toen ik me omdraaide zag ik dat hij van een eettafel die achter de bank stond een bruine dossiermap pakte. Hij ging weer zitten.

'Een vollediger dossier over Max Smiley bestaat niet,' zei hij.

'Samengesteld door wie?'

'Voor het overgrote deel door mij, bij elkaar gesprokkeld via verschillende nationale en internationale juridische instanties.'

Het was een dik pak papier. Het zag eruit als iets uit een film, onheilspellend, topgeheim. Ik verzette me tegen de impuls ervoor terug te deinzen, al mijn ontkenningsmechanismen kwamen in het geweer. Eén ding was me duidelijk: zo'n dossier beloofde niet veel goeds.

'En hoe weet ik dat dit niet weer een onzinverhaal is?' Ineens knapte er iets in me en ik schoot in de verdediging. 'Vanaf dag één heb je continu tegen me gelogen. Ik weet dat je geen FBI-agent bent. Ik weet niet eens of je naam wel Dylan Grace is; ik weet niet eens hoe ik je moet noemen. Een van de laatste dingen die ik me van je herinner is dat je met een naald in mijn arm prikte. En nu zit ik met je in een hutje in een of ander godverlaten oord. Je accent verandert zowat met de minuut. Wie weet ben je een psychopaat, heb je me ontvoerd en staat voor vanavond mijn lever op je menu. Voor de laatste keer: wie ben je, verdomme?'

Daar had je die glimlach, die etterige glimlach weer. Als ik me niet zo beroerd had gevoeld, was ik hem naar de keel gevlogen. Nu moest ik het doen met een woedende blik, wat lang niet zo doeltreffend is, zoals je vast wel weet.

'Ik werk wel voor de FBI. Slechts weinig mensen weten dat, en daar zit je vriendinnetje agent Sorro niet bij. Maar ik werk er wel degelijk.'

'Bij de afdeling Obscure Zaken, zeker,' zei ik met een kort lachje. Ik wilde sarcastisch klinken, alsof ik de draak met hem stak, maar de manier waarop hij daar zat in het schemerdonker... Dylan Grace was een groot mysterie voor me. Op dat ogenblik zou ik alles over hem hebben geloofd.

'Nou, nee.'

Ik wachtte op meer, maar dat kwam natuurlijk niet.

'In wat voor hoedanigheid dan?'

'Dat is niet zo belangrijk. Wat belangrijk is, is dat ik je wil helpen, dat ik je niets wil aandoen. Laat dat eens tot je doordringen.'

Ik schudde mijn hoofd. 'Waarom moet alles zo raadselachtig zijn bij jou? En waarom zou ik ook maar één woord geloven van wat je zegt?'

'Omdat ik je net van een wisse dood heb gered,' zei hij met voorspelbare arrogantie.

'En waar blijft je rugdekking, de cavalerie? Komen ze ons redden en brengen ze ons naar huis? Waarom zijn we hier, omdat je je "over onze volgende stap wilde beraden"?' Ik maakte dat afschuwelijke 'aanhalingstekentjes'-gebaar. 'Het spijt me, maar volgens mij heb je te hoog spel gespeeld. En ik zie weinig hulptroepen in actie komen.'

'Je hebt gelijk.' Zijn glimlach verflauwde. 'Momenteel heb ik geen ruggensteun.'

Ik schudde het hoofd. Ik wist niet wat ik van die vent moest denken.

'En wat houdt dat in?'

Hij bleef me aankijken, maar zei niets.

'Dat we er alleen voor staan, hè?'

Hij haalde zijn schouders op en knikte kort.

'En dat accent van je. Ben je een Brit?'

'Mijn vader was een Amerikaan, mijn moeder was een Britse. Vanaf mijn eerste tot mijn zestiende jaar heb ik met mijn ouders in Engeland gewoond. Toen ben ik naar de Verenigde Staten teruggegaan. Ik verval in mijn oude accent als ik gestrest of dronken ben, of totaal afgebrand.'

'Waarom zou ik je geloven?' zei ik.

'Ik heb niet tegen je gelogen. Nooit.'

'Je liet alleen de belangrijkste details weg... Bedoel je dat?'

Weer liet hij een beladen stilte vallen. Daar was hij een meester in.

'God, wat ben jij walgelijk,' zei ik.

Hij pakte het dossier op. 'Hierin vind je alles. Alles wat ik weet over Max. Over je vader.'

Hij legde de map naast me op de bank en verliet de kamer. Ik hoorde een deur dichtslaan en toen was ik alleen, met het haardvuur. Alleen met Max. De geest.

15

Wij zijn geen kopie van onze ouders. Echt niet. Waarschijnlijk hoor je je hele leven al dat de eigenschappen van je vader en moeder waar jij je zo aan ergert zich op een gegeven moment ook in jouw persoonlijkheid zullen openbaren. En misschien geloof je het nog ook. Ik voor mij vind het grote onzin. Het is een smoesje, iets wat mensen zichzelf wijsmaken om niet de verantwoordelijkheid voor hun eigen leven te hoeven nemen. Als je je leven leeft zonder jezelf onder de loep te nemen, zonder je eigen problemen onder ogen te zien, zonder bewust te kiezen voor dat waar je verder mee wilt en dat wat je achter je wilt laten, of als je niet erkent dat je zelf verantwoordelijk bent voor je eigen geluk, dan kan het zijn dat je net als je vader of je moeder aan de drank raakt, dat je iemand gaat mishandelen, dat je een even koude en afstandelijke, oordelende persoon wordt. Ik geloof dat je een keuze hebt. Ik geloof dat ieder van ons zijn eigen leven kiest, dat ons bestaan de optelsom van onze keuzes is – zowel de grote als de kleine. We hebben niet altijd een stem in wat ons overkomt en over onze afkomst hebben we al helemaal niets te zeggen, maar onze reactie op de gebeurtenissen in ons leven is onze eigen keuze. Je kunt je kapot laten maken of je kunt er een les uit trekken. Nietzsche (die ik altijd een beetje gestoord heb gevonden) heeft gezegd: 'Wat ons niet doodt, maakt ons sterker.' Aan die filosofie houd ik me vast. Ik moet er wel in geloven.

Ik moet wel geloven dat ik geen kopie van mijn vader ben. Dat zijn DNA niet besmettelijk is, geen virus is dat ik bij me draag en dat op een kwade dag actief wordt en het bloed in mijn aderen in gif verandert.

Dylan liet me ongeveer een uur met het dossier alleen, kwam toen de kamer weer in en zakte naast me op de bank onderuit. De map lag open op mijn schoot. Er viel nog veel te lezen, maar ik had er de moed niet meer voor. Ik kon mezelf er niet meer toe zetten nog één bladzijde om te slaan. In gedachten zag ik Max met een demonische glimlach over het in elkaar gebeukte lichaam van zijn moeder gebogen staan. Ik zag hem met zielloze ogen buiten onder Nicks slaapkamerraam staan, van zijn aanwezigheid alleen al ging een verschrikkelijke dreiging uit. Ik zag hoe hij mijn broer met gebalde vuist in het gezicht stompte.

'Het spijt me,' zei Dylan.

Ik staarde in de zachtjes flakkerende vlammen. De kamer rondom me werd kouder. Ik kon nauwelijks bevatten wat ik had gelezen, wat ik op de foto's had gezien. Ik probeerde het te plaatsen, in elkaar te passen, maar ik voelde me precies zo als bij televisiebeelden van schrijnende armoede of oorlog. Je weet dat het de werkelijkheid is, maar een deel van je weigert te aanvaarden wat je ziet, zo ver staat het van je alledaagse leventje af.

'Deze man ken ik niet,' zei ik.

Hij knikte, hij begreep wat ik bedoelde.

'Waarom laat je me dit zien?' vroeg ik hem, vrij vriendelijk nog. Het leek wel of ik altijd dossiers vol slecht nieuws kreeg toegeschoven. Ik begon er behoorlijk van te balen.

Hij zweeg en bestudeerde de vloer tussen zijn voeten.

'Daar hebben we het eerder over gehad. Ik denk dat alleen jij ons bij hem kunt brengen.'

Ik herinnerde me ons eerste gesprek.

Weet u wat de belangrijkste reden is waarom mensen die getuigenbescherming krijgen door hun vijanden worden gevonden, waarom ze zo vaak als lijk eindigen?

Nou?

Liefde.

Liefde.

Ze houden niet vol. Ze moeten even bellen of incognito op een bruiloft of begrafenis verschijnen. Ik heb zijn appartement gezien. Het is bijna een tempel, aan u toegewijd. Max Smiley heeft een paar verschrikkelijke dingen in zijn leven gedaan en veel mensen gekwetst. Maar als hij van iemand hield, was u het wel.

Ik wist dat het waar was. Zo was het altijd geweest. Max en ik waren met elkaar verbonden. We zouden elkaar altijd terugvinden.

'Je wilt me als lokaas gebruiken,' zei ik, zonder enige emotie.

'Eerlijk gezegd, Ridley, ben je dat al een tijdje. Alleen werd er nooit gehapt, tot voor kort, dan.'

Ik zei niets.

'Jake Jacobsen gebruikte je al voor je hem leerde kennen,' zei hij zachtjes.

'Het is goed mogelijk dat het zo is begonnen,' gaf ik toe. 'Hij zocht een manier om met Ben in contact te komen.'

Dylan schudde zijn hoofd en richtte zijn blik weer op de vloer. Het gesprek leek hem pijn te doen.

'Hij had mijn foto gezien in de *Post*,' zei ik, terwijl ik me vooroverboog. Er begon iets te bonken in mijn borst. 'Dezelfde foto die Christian Luna had gezien. Het was toeval. Hij had mijn hulp nodig.'

'Denk je echt dat hij je zo heeft gevonden?'

Die dag op Brooklyn Bridge (een eeuwigheid geleden, leek het wel) dat Jake me eindelijk de waarheid vertelde (of in ieder geval een deel ervan), had hij toegegeven dat hij naar mijn appartementengebouw was verhuisd om toenadering tot me te zoeken, om met Ben in contact te komen. Hij wilde meer van Project Kinderhulp te weten komen en had niets anders kunnen verzinnen. Ik had hem dat lang geleden al vergeven. Dat zei ik tegen Dylan.

'Denk eens goed na, Ridley. *Wanneer* kwam Jake daar wonen?'

Ik groef in mijn geheugen naar een gebeurtenis die samenviel met de komst van Jake. Ik dacht aan de ochtend dat ik Justin Wheeler had gered. Twee dingen hadden me die ochtend opgehouden. Ten eerste mijn brievenbus, uitpuilend van de rekeningen en tijdschriften, met een boos briefje erbij van de postbode. Ik had alles eruit gevist en was teruggerend naar boven. Maar daarvóór nog was ik opgehouden door mijn oude buurvrouw Victoria. Ze had me staande gehouden om te klagen over de lawaaiige man, die een woning boven haar betrok. De herinnering aan dat gesprek gaf me een hol gevoel vanbinnen. Pas een week later had ik Jake in levenden lijve ontmoet. Alles kwam weer boven, ik vergat het hier en nu, en alle details van onze kennismaking en van wat daarop volgde kolkten om me heen.

Onze eerste ontmoeting, met alle passie en dramatische gebeurtenissen erna, was zo intens geweest, zo allesoverheersend. Misschien was dat de reden dat ik het verband nooit had gelegd. Of misschien had ik het gewoon niet willen zien. Nu besefte ik waar Dylan op doelde: Jake betrok zijn appartement op de avond *voor* die ene gebeurtenis die mijn leven voor altijd had veranderd.

Kon het waar zijn? En wat betekende dat dan? In de verte hoorde ik iets bonzen en ik voelde me een beetje misselijk. Ik heb geen idee hoe lang ik daar zat, de volgorde van de gebeurtenissen nalopend, op zoek naar iets dat zou bewijzen dat ik het mis had. In mijn hoofd kwam een dikke mist opzetten.

Ik moest mezelf dwingen om te spreken. 'Bedoel je dat hij wist wie ik was... voor ik het zelf wist?'

Dylan sloeg zijn ogen weer neer.

'Hoe kan dat nou?' Ineens schaamde ik me rot, ik voelde me een kind dat op school het mikpunt was geweest van een vreselijk flauwe grap en dat door iedereen vierkant was uitgelachen. Mijn gezicht begon te gloeien.

Ik had moeite het te aanvaarden. Ik heb geen flauw idee hoe lang ik daar heb gezeten. Toen het eindelijk tot me was doorgedrongen dat het waar was, probeerde ik iets te bedenken om zijn leugens over hoe hij me had gevonden goed te praten. Wellicht had hij een reden gehad om een valse voorstelling van zaken te geven. Zielig, ik weet het. Hoe dan ook, ik kon niets bedenken. Vervolgens kwamen er nieuwe vragen bij me op: Als hij had gelogen over hoe hij me had gevonden, waarover had hij dan nog meer gelogen? Ik dacht na over alles wat Jake me had verteld. Dat hij Max had opgespoord in een bar in New Jersey en hem aan de tand had gevoeld over Project Kinderhulp. Dat Max enkele weken later dood was geweest.

Ik had mezelf wijsgemaakt dat Max op de avond dat hij stierf te veel had gedronken, omdat hij besefte wat voor vreselijke dingen hij had gedaan – dat Max in zekere zin zelfmoord had gepleegd door zoveel te drinken en van die brug af te rijden. Maar de man uit het dossier was niet het type dat zich het leven zou benemen vanwege andermans verdriet. De man uit het dossier had totaal geen geweten. Hield dat in dat Jake iets meer met zijn dood van doen had gehad dan ik had geloofd? Of meer met Max te maken had gehad dan hij had laten blijken? Het waren huiveringwekkende gedachten.

'Veel van wat je over Jake weet is waar, denk ik,' zei Dylan vriendelijk. 'Wat hij over zijn jeugd heeft verteld, is niet verzonnen, net zomin als zijn zoektocht naar zichzelf en zijn achtergrond.'

'Hoe weet je dat?' vroeg ik vinnig. 'Hoe weet je zoveel van Jake?'

'Omdat ik hem al jaren in de gaten houd.'

Ik keek naar hoe hij daar zat.

'Waarom?'

Er verscheen een treurige glimlach op zijn gezicht. Het antwoord lag voor de hand, dus gaf ik het zelf maar. 'Omdat hij mij in de gaten hield, wachtend tot Max toenadering zou zoeken. Hij heeft nooit geloofd dat Max die avond is gestorven, hij geloofde dat Max me op een dag zou benaderen, contact met me zou zoeken. Was dat wat je wilde zeggen?'

'En als Max dat zou doen, zou Jake naast je liggen,' zei Dylan. 'Hij wist dat hij de eerste zou zijn aan wie je het zou vertellen.'

Dat was een steek in mijn hart. Al die nachten met Jake en alle liefde die ik voor hem had gevoeld. De gedachte dat dat deel had uitgemaakt van een groter plan, dat hij op die manier iets te doen had terwijl hij op Max wachtte, reet me open.

'En jij luisterde mee.'

Hij haalde de schouders op. 'Max Smiley is een man die de middelen heeft, de wegen kent en genoeg beweegredenen heeft om voorgoed van de aardbodem te verdwijnen. Voor zover we weten heeft hij maar één zwak punt, een klein stukje van zijn hart dat gevoel heeft.'

Ik hoefde niet te vragen voor wie of wat. Ik bedacht hoeveel het van Jake had gevergd om dag in dag uit te wachten tot Max iets van zich zou laten horen, hoezeer hij daarop gespitst was geweest.

'Ik heb die obsessie van hem nooit begrepen. Ik heb altijd gedacht dat hij per se wilde weten wat er met hem was gebeurd, dat hij vond dat Max en de andere mensen verantwoordelijk voor Project Kinderhulp hun straf niet mochten ontlopen. Ik dacht dat hij die hele geschiedenis wilde afsluiten. Maar er moet meer achter zitten.'

'Zo is het waarschijnlijk begonnen.'

'En daarna?'

'Hoe meer hij over Max te weten kwam, hoe verbetener hij werd. Ik denk dat zijn obsessie om hem te vinden sterker werd dan zijn persoonlijke speurtocht. Ik denk dat de jacht op Max uiteindelijk zijn enige bestaansreden werd. Tot hij werd wie hij nu is.'

Ik snapte dat zoiets kon gebeuren; ik voelde het bij mezelf ook. Tegelijkertijd vond ik Dylans uitleg niet helemaal bevredigend. Op dat moment realiseerde ik me dat Jake's obsessie al maandenlang verre van normaal was, een buitenproportionele vorm had aangenomen. In het begin van onze relatie had ik gedacht dat het met de tijd wel minder zou worden, maar het tegenovergestelde was gebeurd. Kijk, dat ík erdoor geobsedeerd was... Die man was tenslotte mijn vader.

'Over obsessie gesproken... Blijkbaar weet je waarover je het hebt,' zei ik.

Ik dacht aan de foto's van de plaats delict die in het dossier zaten. Ik had gezien wat Max Dylans moeder had aangedaan. Ik had het gevoel dat ik Dylan nu beter begreep.

'Daar kon je weleens gelijk in hebben.'

'Jij hebt van je obsessie je werk gemaakt.'

'Ach, het is een manier om de kost te verdienen.' Hij forceerde een glimlach, maar die bestierf op zijn gezicht. Ik vroeg me af of ik ooit nog zou kunnen glimlachen.

'Hoe wist Jake dat ik de dochter van Max was?'

'Misschien wist hij dat niet. Misschien wist hij alleen dat Max van je hield.'

'Waarom heeft hij dan gelogen over hoe hij me had gevonden?'

'Daar heb ik geen antwoord op.'

Er viel nog zoveel te vragen, ik wilde nog zoveel weten over de afgelopen jaren en weken. Dit was pas het begin. Maar eerst liet ik het even bezinken. Ik wilde weten wie die mannen bij de Cloisters waren, hoe ik in Londen was beland, en wie Dylan in het ziekenhuis had gedood. Ik vreesde dat als ik eenmaal begon met vragen, er alleen maar meer vragen zouden komen.

'Myra Lyall is dood,' zei ik. 'Haar lichaam is gevonden in een koffer die in een kanaal dreef.'

Dylan knikte. 'Ik weet het.'

'Wat had ze ontdekt? De mensen die haar hebben vermoord, waren dat dezelfde lui die mij ontvoerd hebben?'

'Dat durf ik niet te zeggen, Ridley. Ik weet niet wat er met haar of met jou is gebeurd. Ik hoopte eigenlijk dat jij een paar van die vragen zou kunnen beantwoorden.'

Ik keek hem peinzend aan. Ik had zo'n beetje het vermoeden dat de enige reden dat ik niet in een koffer in een kanaal was geëindigd was dat Dylan Grace me van een wisse dood had gered, zoals hij het zo mooi had verwoord. Weer had ik het mis.

'Hoe heb je me dan gevonden?'

Weet je nog hoe gemakkelijk ik van Dylan weg kon lopen in Riverside Park? Nu blijkt dat hij had verwacht dat ik zou proberen ervandoor te gaan. Sterker nog, dat was de bedoeling geweest.

'Ik dacht dat je iets voor me verborgen hield. Dus leek het me een goed idee om je te laten lopen en je te volgen, om te zien waar je me naartoe zou brengen. We luisterden je mobiele telefoongesprekken af en konden je gangen natrekken tot in het internetcafé, het daklozenpension op Forty-second Street. Daar raakten we het spoor bijster. Je bent nota bene langs mijn partner gelopen. Goeie truc met je haar, trouwens. Je kunt zo bij de Sex Pistols.'

'Dank je,' zei ik, terwijl ik mijn ogen tot spleetjes kneep. 'Jij ziet er ook niet al te lekker uit.'

'Toen belde je een paar keer vanuit Inwood, dus gingen we daarheen. Het laatste telefoongesprek dat we opvingen was dat met Grant Webster. Tegen de tijd dat we uitgedokterd hadden waar je zat was je alweer verdwenen. De politie was er wel; ze hadden een melding gekregen dat er een helikopter was gesignaleerd en schoten waren gehoord, maar wisten niet wat er was voorgevallen. Ze zochten het terrein af, vonden een paar hulzen van automatische en semi-automatische vuurwapens. Dat was het.'

'Geen teken van Jake.'

Hij schudde van nee. 'Als ik iets wist, zou ik het zeggen, Ridley. Echt waar.'

Ik knikte.

'We zijn naar Grants appartement in The Village gegaan.'

'Was hij...?' Ik kon de vraag niet over mijn lippen krijgen.

'Dood? Ja,' zei Dylan zachtjes. Daar was dat misselijke, schuldige gevoel weer, dat me steeds vertrouwder werd. Tot op zekere hoogte was ik verantwoordelijk voor de dingen die Sarah, Grant, Jake en ook mezelf waren overkomen, en ik wist niet goed wat ik met dat gevoel moest. Dus sloot ik me ervoor af. Dylan ging verder.

'Na zijn telefoontje wisten we dat je in de problemen zat, dat hij iets had ontdekt en je had willen waarschuwen. Maar Grant heeft een soort deleteknop op zijn netwerk zitten. Hij heeft alle data nog kunnen vernietigen voor hij stierf. Alles wat hij had ontdekt was verdwenen.'

'Dat betwijfel ik echt. Hij heeft vast ergens een back-up.' Ik dacht aan zijn website, aan zijn kritiek op mensen die hun gevoelige data niet beveiligden of kopieerden. Hij had bij mij de indruk gewekt dat hij deed waar hij voor stond.

'Kan zijn, maar we hebben niets gevonden.'

'Hij zei dat ik er in werd geluisd, dat "zij" dachten dat ik wist waar Max was, dat ik hen naar hem toe kon brengen.'

'En is dat zo?'

Ik wierp hem een geërgerde blik toe. 'Nee, natuurlijk niet. Waarom geloof je me niet? Je volgt me al een hele poos. Als ik stiekem contact had met Max, zou je het toch wel weten?'

'Dat van die website wist ik niet. Het kan net zo goed zijn dat je via de computer bij je adoptiefouders thuis contact met hem hebt.'

Ik moest denken aan wat Grant had verteld over de afkeer van de autoriteiten van versleutelde websites en steganografische software. En aan die streaming video, dat die misschien alleen maar een middel was om een geheime boodschap door te geven. Weer vroeg ik me af wat mijn vaders wachtwoord zou zijn om in te loggen. Ik durfde te zweren dat ik erachter zou komen, als ik een computer had.

Dylan zat me op zijn typische manier gade te slaan, alsof hij geloofde dat ik onder zijn starende blikken alle leugens zou bekennen waar hij me van verdacht. Het trieste was dat ik net zo weinig wist als hij. Ik zuchtte. Het was duidelijk dat we elkaar niet vertrouwden. Zo konden we nog uren rondjes blijven draaien. Ik deed geen moeite nog een keer uit te leggen dat ik de website pas onlangs had gevonden en dat ik niet wist hoe ik moest inloggen.

'Hoe dan ook, we waren je kwijt,' zei hij. 'Ik had geen flauw idee waar we moesten zoeken. Het feit dat ik je had aangehouden terwijl ik daar het recht niet toe had en je vervolgens had laten ontkomen heeft me een hoop gedonder gegeven. Ik kreeg een berisping en had zelfs geschorst kunnen worden, maar ik ben zo betrokken bij dit onderzoek, dat ik onmogelijk te vervangen ben.'

'Je werkt dus voor de FBI?'

Hij knikte bedachtzaam. 'Voor de Speciale Observatie Eenheid van de FBI. We observeren buitenlandse agenten, spionnen en andere lieden naar wie niet direct een strafrechtelijk onderzoek loopt.'

'Zoals ik?'

Hij knikte. 'En Jake Jacobsen. Het punt is dat ik niet in het veld werk. Ik verzamel data, stuur observaties aan, ik volg op afstand de contacten en gangen van personen. Als ik iets verdachts zie, sla ik alarm. Jacobsen is een interessant geval omdat hij zelf een bedreven onderzoeker is. We volgen hem al bijna twee jaar. Zo komt het dat we ook jou zijn gaan observeren.'

Dit moest ik even verwerken, het feit dat ik al ik weet niet hoe lang in de gaten werd gehouden. Ik keek Dylan Grace aan, een man die sinds mijn relatie met Jake hoogstwaarschijnlijk al mijn privégesprekken had afgeluisterd, al mijn e-mails had gelezen en al mijn gangen was nagegaan. Die gedachte bracht me in verlegenheid, maar hij intrigeerde me ook. Hoe goed leer je iemand kennen, als je haar vanaf een afstand haar leven ziet leven? Je ziet alle gezichten die ze heeft voor de mensen in haar leven. Je hoort haar aan verschillende mensen dezelfde verhalen en gebeurtenissen vertellen, elke versie net iets anders dan de vorige, op maat gesneden voor degene voor wie het bestemd is. Je ziet haar gezicht als ze zich onbespied waant. Wellicht hoor je hoe ze zich in slaap huilt, hoor je haar de liefde bedrijven met een man om wie ze geeft, maar die ze niet kan vertrouwen. Maar ken je haar dan beter, intiemer, dan wanneer je haar geliefde of haar vriend zou zijn? Of ken je haar juist helemaal niet, omdat je nooit toegang hebt gekregen tot haar hart?

Hij vervolgde: 'Ik hield je mobiele telefoongesprekken, je creditcarduitgaven, geldopnamen en de paspoortcontroles in de gaten. Twee dagen lang vond ik niets. Ik vreesde het ergste. Ik dacht dat je op dezelfde manier als Myra Lyall was verdwenen.'

'En toen?'

'Toen verscheen er ineens een betaling aan het Covent Garden Hotel op je Visa-rekening. Ik nam het eerste het beste vliegtuig naar Londen. Ik heb de receptionist omgekocht om je kamernummer te krijgen en trof je in een beroerde toestand aan. Via mijn contacten in Londen wist ik aan antibiotica en pijnstillers te komen – dat was die naald in je arm. Ik ging even weg om verband en ontsmettingsmiddel te halen om je wond te verzorgen. Toen ik terugkwam, was je net de lobby in gestrompeld. Ik zag hoe ze je afvoerden in een ambulance.'

Ik ging na of het tijdsbestek waarin hij zijn verhaal had geplaatst klopte. Het kwam geloofwaardig over. Ik kon er nog steeds niet bij dat ik dit allemaal beleefde, dat ik ook nog eens hier zat, nota bene met hem. En ook al vertrouwde ik deze man niet voor de volle honderd procent, ik was niet bang voor hem. En dat was heel wat voor me, tegenwoordig.

'Oké. En de rest van de FBI, waar blijft die? Als je echt voor hen werkt, waarom komt niemand ons dan helpen?'

'Omdat... Snap je het echt niet? Omdat ik hier niet hoor te zijn. Ik hoor achter een bureau te zitten en telefoongesprekken af te luisteren. Ik hoor hier helemaal niet te zijn, zeker niet met jou.'

'Zonder ruggensteun,' herhaalde ik zijn eerdere woorden.

Hij knikte.

'Goed,' zei ik. 'Wat nu?'

Hij knikte opnieuw, kneep zijn lippen samen tot een smalle streep, keek vluchtig naar het haardvuur en toen naar mij.

'Ik sta open voor suggesties,' zei hij.

'Heel fijn.'

'Als je je door het leven laat meevoeren, als je het roer loslaat en de eentonigheid laat varen, dan zul je verbaasd staan over waar dat je brengt. Maar de meeste mensen doen dat niet. De meeste mensen klampen zich angstvallig vast aan dat wat ze kennen; een tragische gebeurtenis is het enige wat hun greep kan doen verslappen. Ze wonen in dezelfde plaats als waar ze zijn opgegroeid, zitten op dezelfde scholen als hun ouders, ze zoeken een baan met een redelijk inkomen, ze vinden iemand van wie ze denken te houden, ze trouwen en krijgen kinderen en gaan elk jaar naar dezelfde plek op vakantie. Soms slaat de rusteloosheid toe, gaan ze vreemd, loopt het uit op een scheiding. Wat alleen maar resulteert in het volgende saaie leven met de volgende partner. Tenzij er iets vreselijks op hun pad komt: de dood, een huis dat afbrandt of een natuurramp. Dan vallen de schellen hen van de ogen en denken ze: is dit alles? Misschien moet ik mijn leven anders gaan leven.'

Zo draafde Max maar door als hij gedronken had. Hij was geobsedeerd door het concept van de 'normale mens' en hoe sneu die wel niet was. Hij vond dat de meeste mensen zombies waren en slaapwandelend door het leven gingen, zonder ook maar een voetafdruk op aarde achter te laten als ze stierven. Max was een titaan, een ster aan het firmament. Dankzij hem waren er duizenden gebouwen verrezen en waren er wereldwijd talloze liefdadigheidsinstellingen opgericht. Voor zover ik weet heeft hij in Detroit ten minste tien kinderen laten studeren van een beurs die hij op zijn moeders naam beschikbaar had gesteld. Hij moest groots leven. Dat was zijn idee van normaal.

Ik denk dat de meeste mensen gewoon hun best doen om gelukkig te zijn en dat de meeste van hun daden, hoe ondoordacht ook, op dat doel zijn gericht. De meeste mensen willen ergens bij horen, willen dat er iemand van hen houdt, willen voelen dat ze belangrijk zijn voor iemand. Als je al hun verkeerde en verwarde daden zou analyseren, zou blijken dat ze meestal voortkomen uit dat ene, fundamentele verlangen. Of het nu verslaafden zijn of mensen die anderen mishandelen; wrede, nare of manipulatieve mensen – het zijn allemaal mensen die ooit in hun leven op zoek zijn gegaan naar geluk. Door iets of iemand hebben ze het gevoel gekregen dat ze het geluk niet waard zijn, dus denken ze het te bereiken over de rug van een ander, een spoor van littekens en verwoesting achter zich latend. En natuurlijk maken ze het leven van zichzelf en anderen daardoor alleen maar ellendiger.

Zelfs de psychopaten en sociopaten op deze wereld die onschuldige slachtoffers de meest gruwelijke dingen aandoen zijn op zoek naar geluk. Maar ze hebben een verwrongen en donkere geest, het zijn mensen die verkeerd zijn afgesteld. Veel mensen denken dat slechtheid iets is wat in je zit. Ik denk dat het juist ontstaat doordat je iets mist.

Was mijn vader een slecht mens? Ik wist het nog steeds niet. Als ik me ervoor had opengesteld had ik misschien signalen opgevangen waardoor ik die vraag met ja zou kunnen beantwoorden, net als Ace. Maar ik was helemaal in zijn ban geweest. Als de reeks gebeurtenissen die mijn leven op zijn grondvesten had doen schudden niet had plaatsgevonden, zou ik me waarschijnlijk nooit hebben afgevraagd wie de echte Max was. Dan had ik in onwetendheid verder geleefd. Een deel van me, een groot deel van me, wenste dat ik Nick Smiley's raad ter harte had genomen. Ik had de doden moeten laten rusten.

Ik keek naar het dossier op mijn schoot en probeerde de kiekjes die voor me lagen met elkaar te rijmen. Ze waren van een man, die er op elke foto weer anders uitzag, en ze overspanden tientallen jaren. Ik zag een Max van een jaar of dertig, in een wit shirt en kaki broek en magerder dan ik hem ooit had gekend; geflankeerd door twee mannen met machinegeweren stapte hij uit een zwarte Mercedes, die was geparkeerd bij een verlaten stadion in Sierra Leone. Een Max met een flinke baard in een Parijs' café, omringd door een groep mannen; zijn hand rustte op een dikke lichtbruine envelop en zijn gezicht was vertrokken in een wolfachtige grijns. Een Max die de hand schudde van een donkere man, gekleed in een zwart gewaad en een tulband. Er waren nog veel meer van dit soort foto's, allemaal onscherp, van grote afstand genomen. Geheime ontmoetingen op afgelegen terreinen, parkeerplaatsen, scheepswerven en leegstaande pakhuizen, overal ter wereld. Veel wapens en gevaarlijk uitziende mannen.

De Max Smiley die ik kende was een internationaal gewaardeerde projectontwikkelaar, die voor zijn werk de hele wereld afreisde. Hij bouwde luxueuze appartementen in Rio, hotels in Hawaï, wolkenkrabbers in Singapore. Hij golfte met senatoren en ging diepzeevissen met Saoedische prinsen. Max' praktijken waren altijd enigszins louche geweest, er was altijd gespeculeerd over met wie hij nu precies zakendeed. Toen kwam het Project Kinderhulp-schandaal en bleek Max via zijn raadsman Alexander Harriman connecties te hebben met de georganiseerde misdaad. De FBI dook in zijn bankzaken, hoewel hij officieel dood was.

'We hebben honderden miljoenen dollars op buitenlandse bankrekeningen gevonden,' onderbrak Dylan mijn overpeinzingen. 'En dat is alleen nog maar het deel dat we konden achterhalen. Hoeveel er nog staat op rekeningen die niet in verband zijn te brengen met zijn ondernemingen of zijn vele "liefdadigheidsfondsen"... ik durf er niet eens naar te raden.'

Ik had het dossier op tafel gelegd en was op de bank gaan liggen. Ik weet niet hoe lang we al zaten te praten. Ik had moeten rusten, maar slapen was niet echt een optie. Mijn lichaam was doodop, maar mijn geest was rusteloos, overprikkeld.

'En ik neem aan dat dat geld niet afkomstig was uit zijn praktijken als projectontwikkelaar.'

'Nee. Voor de wet was Max Smiley een rijk man, die jaarlijks miljoenen aan puur persoonlijke winst opstreek. Dit geld kwam uit andere zaakjes. We besloten een paar van die rekeningen in de gaten te houden. En we bespeurden activiteit: er werd geld afgeschreven en bijgeboekt.'

'En zo ontstond het idee dat hij nog in leven kon zijn?'

Hij knikte. 'Toen werd ons onderzoek stopgezet.'

'Door wie?'

'Door de CIA.'

'Waarom?'

'Ze zeiden dat ons observatieteam een lopend onderzoek van hen hinderde. We werden verzocht ons terug te trekken. Het was eigenlijk meer een bevel.'

'Die mannen op de foto's, die besprekingen... Om wat voor soort zaken ging dat?'

Hij liep om de tafel heen en ging naast me op de grond zitten, pakte het dossier van de tafel en trok een foto uit de stapel papier tevoorschijn.

'Deze mannen zijn gelieerd aan de Albanese maffia.'

'Hoe kende hij hen?' zei ik. Mijn stem klonk me vreemd in de oren. Dunnetjes en ver weg. Zwarte gedachten doemden op in mijn hoofd. Ik dacht aan de baby's van Project Kinderhulp. Er moest toch veel meer achter zitten dan ik had vermoed. Dylan somde de namen op van de mannen op de andere foto's. Beruchte terroristen, mannen met connecties met de Russische, Italiaanse en Italiaans-Amerikaanse maffia.

'Kortom, wat voor zaken hij ook met deze lui heeft gedaan, dit is de reden dat de CIA nog steeds achter hem aan zit,' zei ik.

'Dat denk ik, ja.'

Het was me niet duidelijk of hij opzettelijk zo vaag deed, of hij me aan het lijntje hield. En dat vroeg ik hem ook.

'Zoals ik al zei, mijn onderzoek werd stopgezet. Ik weet nog steeds niet wat Max met die mannen van doen had. Kijk,' zei hij, terwijl hij een ander fotootje pakte dat recenter leek. 'Dit zijn agenten van de CIA. Deze ontmoeting vond een maand voor zijn dood plaats.'

'De CIA,' zei ik hem na.

'Mogelijk undercoveragenten. Zeer waarschijnlijk wist hij niet wie ze waren. Hun onderzoek liep al voor het onze begon.'

'Het zou dus kunnen dat Myra Lyall iets op het spoor was gekomen – wat dan ook. Een van deze mensen kan haar dood op zijn geweten hebben. En die van Sarah Duvall, en die van Grant Webster. Kan me hebben ontvoerd uit het park, me achterna zijn gekomen in het ziekenhuis.'

Hij knikte. 'Stuk voor stuk. Met inbegrip van de CIA.'

Het duurde even voor het tot me doordrong. 'Dat is echt paranoïde.'

Uit zijn blik maakte ik op dat hij me traag van begrip vond. Net toen ik wilde vragen wat er met zijn moeder was gebeurd stond hij abrupt op.

'Het is nu welletjes voor vanavond. We kunnen hier niet lang blijven en je moet rusten voor we weer op pad gaan.'

Ik ging niet tegen hem in. Er was nog zoveel te zeggen, ik had nog zoveel vragen, maar ik had al zoveel op mijn bord. Mijn hersens zaten boordevol; als ik nog meer informatie tot me zou nemen, zou er iets belangrijks uit moeten, zoals het vermogen op te tellen of af te trekken. Ik liet me meevoeren naar een kleine slaapkamer, grenzend aan de woonkamer. Er stond een schommelstoel en een tweepersoonsbed met een smeedijzeren hoofdeind en een lappendeken erop. Hij hielp me onder de muffe lakens en stak ook hier de haard aan. Ik lag naar hem te kijken, bedenkend dat mijn vader zijn moeder had vermoord en dat zoiets weinig goeds beloofde voor onze relatie, wat die dan ook was. Ik vroeg me af of ik ooit nog een man zou ontmoeten die niet emotioneel in de vernieling was geholpen door Max. Dat was mijn laatste gedachte voor ik wegzakte in een lichte en onrustige slaap.

Tweemaal die nacht bracht Dylan me pillen, die ik zonder te protesteren innam. De tweede keer zag ik dat hij in de deuropening bleef staan. Hij keek op een bepaalde manier naar me, maar ik kon zijn gezichtsuitdrukking niet goed onderscheiden. Ik verwachtte dat hij iets zou gaan zeggen, maar na een paar minuten ging hij weg, zachtjes de deur achter zich dichttrekkend. Ik dacht er nog even aan hem terug te roepen en te vragen wat er was, maar bedacht toen dat ik dat maar beter niet kon weten.

De volgende ochtend regende het. De druppels tikten tegen mijn raam en heel even, vlak voor ik mijn ogen opendeed, was het net of ik me in East Village bevond, een uurtje of wat voor ik het leven van Justin Wheeler redde en deze nachtmerrie op gang bracht. Ik dacht aan de talloze keuzes die ik toen had gehad, te beginnen met uitslapen of uit bed springen en me naar mijn afspraak bij de tandarts haasten, die ik echter had afgezegd. Alles wat ik die ochtend anders zou hebben gedaan zou me ervoor hebben behoed op deze verre plek wakker te worden, een vreemde voor mezelf.

Mijn hoofd bonkte, maar de pijn in mijn zij was minder geworden. Ik gleed uit bed, zette mijn voeten op de ijskoude houten vloer en liep naar het ruitjesvenster, van waaruit ik alleen maar bomen zag, met middenin een open plek waar een ree en haar piepjonge kalf in de ochtendmiezer grassprietjes stonden te knabbelen. Ademloos keek ik toe. Ze waren perfect en prachtig, zich niet bewust van mij en mijn verwarde hoofd. Het troostte me om ze langzaam tussen de bomen te zien verdwijnen, tot ik ze niet meer kon zien. Ik voelde me veilig, alsof niemand me hier iets kon doen.

Er lag een keurig stapeltje kleren op de schommelstoel bij de deur. Een blauwe wollen trui, een afgedragen spijkerbroek en een paar redelijk nette Nikes, die best eens zouden kunnen passen. Geen sokken. Geen onder-goed. Maar wat had ik dan verwacht?

Naast de open haard bevond zich een badkamertje. Het vuur brandde goed, alsof het zojuist was opgestookt. Ik ging de badkamer in en waste me zo goed en kwaad als het ging met het koude water in de wasbak. Daarna bleef ik enkele minuten gefrustreerd naar mijn haar staan staren. Ik controleerde het verband in mijn zij, zag dat het schoon was en besloot het te laten zitten.

De trui was gigantisch, de mouwen rolde ik maar op. De spijkerbroek was een tikkeltje te strak in de taille en de Nikes knelden mijn kleine teen af. Maar ja.

Ik liep de woonkamer in en verwachtte Dylan op wacht te zien staan bij de deur, maar hij lag te doezelen op de bank.

'Wat een waakhond,' zei ik.

'Ik sliep niet, ik had alleen even mijn ogen dicht.'

Toen zag ik het pistool in zijn hand en ik besefte dat hij waarschijnlijk geen seconde had geslapen. Ik zou medelijden met hem moeten hebben, maar dat had ik niet. Ergens weet ik dit alles aan hem, hoewel ik niet kon zeggen waarom. Ik liep langs hem heen naar de deur, waar hij mijn tas had neergezet. Heel voorzichtig bukte ik om hem op te pakken en mee te nemen naar de kleine eettafel. Ik hoorde dat hij overeind ging zitten en ik voelde zijn ogen in mijn rug prikken terwijl ik in mijn tas rommelde, in de hoop te vinden wat ik zocht. Het lag ergens onderin. Ik diepte het luci-ferboekje op dat ik een paar levens geleden in het appartement van Max had gevonden en reikte het hem aan.

Ik vertelde waar ik het had gevonden, dat ik het gevoel had gehad dat er die dag nog iemand in de woning was geweest. 'Zegt het je iets?'

Hij hield het omhoog, naar het licht van het vuur. Even later knikte hij langzaam. 'Ik denk dat het afkomstig is uit een nachtclub in Londen, The Kiss. Dit symbool behoort tot de cirkelstelling van Descartes. De naam van de club komt uit het gedicht "The Kiss Precise", waarin beschreven wordt hoe elk van vier cirkels de andere drie raakt. Hoewel Descartes' ideeën voornamelijk betrekking hadden op cirkels, vermoed ik dat de clubeigenaar het als een symbool ziet voor de samenhang van alle dingen.'

'Wauw,' zei ik na een korte stilte. 'Een wiskundenerd. Dat had ik niet achter je gezocht.'

Hij haalde licht zijn schouders op. 'Ik zit vol verrassingen.'

Precies waar ik bang voor was.

'Er staat iets in,' zei ik. Hij klapte het luciferboekje open, las het, maar zei niets.

'Wie zou die Angel zijn, denk je?'

Hij schudde het hoofd. 'Geen idee.'

'We moeten erheen. En we hebben een computer nodig om te proberen of we in die website kunnen komen. Ik wil ook nog even mijn e-mail checken, stel dat Grant me nog iets heeft gestuurd voor hij...' Ik kreeg het niet over mijn lippen. Dat waren de dingen die me tijdens het wassen en aankleden hadden beziggehouden. Ik voelde me rusteloos en opgejaagd, ik wilde weer grip zien te krijgen op mijn verwoeste bestaan. Ik had niets op met dat gebroken persoontje met haar gebleekte blonde haren, de dochter van Max, gewond en ondergedoken omdat ze van allerlei kanten werd bedreigd. Ik wilde mezelf weer zijn.

'Kun je dat aan?' informeerde hij sceptisch.

'Niet echt. Maar hebben we een keus? Moeten we hier gaan zitten wachten tot de politie of een van Max' vijanden ons vindt? Zelf iets ondernemen lijkt me beter, denk je ook niet?'

'Ik had net bedacht dat we ons maar aan moesten geven,' zei hij.

'Nee,' zei ik snel en resoluut. 'Nog niet.'

Ik moest er niet aan denken om ergens vast te zitten. Dat zou alle deuren dichtdoen. Als ik Max niet snel zou vinden, zou hij voorgoed verdwijnen, want dat doen geesten. Natuurlijk moest ik een keer boeten voor wat ik allemaal verkeerd had gedaan. Maar dat kwam later wel.

Ik wendde me tot Dylan, die ineens naast me bleek te staan.

'Ik heb het verkloot, Ridley. Je had gelijk, dit gaat onze pet te boven.' Hij gaf eenvoudigweg toe dat hij zich had misrekend, zonder er dramatisch of spijtig over te doen. Het gemak waarmee hij toegaf fouten te hebben gemaakt beviel me wel. Dat vind ik een goede eigenschap.

Hij legde een hand op mijn schouder. Ik vond het niet prettig zo dicht bij hem te zijn; zijn geur en lichaamswarmte stonden me tegen. Ik wilde een stukje van hem af gaan staan, maar op een of andere manier ging dat niet en was ik ineens nog dichter bij hem. Hij trok me naar zich toe en toen voelde ik zijn lippen op de mijne. Ik voelde een golf van hitte door me heen slaan. In een wanhopig verlangen naar troost liet ik me kussen, kuste ik hem terug. Ik voelde zijn armen om me heen. Hij hield me met overtuiging vast, maar ook zorgzaam, liefdevol. Jake kuste me altijd bijna eerbiedig, met een pijnlijk soort tederheid. Dylan kuste me alsof hij me bezat, alsof hij me kende. Ik rukte me los, duwde hem weg en sloeg hem hard in het gezicht. Het was een flinke pets, heel bevredigend. Het voelde goed. Bijna net zo goed als die kus.

'Eikel,' zei ik, balend van mijn razendsnelle hartslag en van de verraderlijk hoogrode kleur op mijn gezicht.

'Dat is drie,' zei hij met een brede grijns. Hij bracht zijn hand liefdevol naar zijn wang, alsof ik hem daar had gekust.

'Je denkt me zeker te kennen, omdat je een paar e-mails van me hebt gelezen en mijn gesprekken hebt afgeluisterd.'

Hij stak zijn hand in zijn zak en sloeg zijn ogen neer.

'Nou, niet dus. Begrepen?'

Hij knikte. Ik kon niet zien of die grijns al van zijn gezicht was, maar ik vermoedde van niet. Ik hing mijn tas over mijn schouder en liep naar de deur.

'Gaan we nog?'

Nu zou ik je kunnen vertellen dat het frisjes was, dat de lucht strak en loodgrijs was en de zon hopeloos gevangen zat achter een ondoordringbare wolkenlaag. Maar we zaten in Engeland en het was laat in de herfst, dus... Tja. In stilte reden we naar de stad. Ik hield mijn ogen gesloten of keek uit het raampje om maar geen gesprek met Dylan te hoeven voeren. Ik had honderden vragen, maar ik wilde dat ik de antwoorden van iemand anders kon krijgen.

Een poos probeerde ik een paar gaten in mijn geheugen te dichten: hoe ik in Engeland terecht was gekomen, wat er met me was gebeurd, hoe ik in die hotelkamer in het Covent Garden was beland, van wie de stem was die ik nog steeds in mijn hoofd hoorde en die voortdurend dezelfde vraag stelde. Maar op een of andere manier had ik een angstig voorgevoel dat me ervan weerhield om in mijn recente verleden te duiken. Misschien kon je sommige dingen maar beter vergeten.

Uiteindelijk had ik er genoeg van te doen of Dylan niet bestond en keerde ik me naar hem toe.

'Het was lullig van me je zo te kussen,' zei hij meteen. 'Je hebt genoeg aan je hoofd. Ik wilde de situatie echt niet uitbuiten, het was alleen maar dat...'

De rest van de zin bleef tussen ons in hangen.

'Zou je me over je moeder willen vertellen?' vroeg ik.

'Mijn verdrietige verhaal wil je echt niet horen.'

'Jawel,' zei ik. Opeens voelde ik een behoefte hem aan te raken, wilde ik mijn hand op zijn arm leggen, of op zijn wang, daar waar ik hem had geslagen. Maar ik deed het niet.

'Ik wil het echt horen.'

In het dossier hadden ook foto's gezeten van verschillende plaatsen delict. Alice Grace was in 1985 in Parijs doodgeslagen en achtergelaten in een steegje achter Hotel Plaza Athénée.

Hij slaakte een zucht. 'Toen ik jong was, wist ik niet beter dan dat mijn ouders in de hotelbranche zaten, dat ze de hele wereld afreisden om zieltogende hotels op te kopen en die om te toveren in vijfsterrenresorts. Mijn moeder was in de sporen van haar vader getreden, dacht ik, ik had er verder nooit bij stilgestaan. Niet lang na mijn moeders dood kwam de waarheid aan het licht. Mijn ouders werkten vroeger bij de inlichtingendienst, de British Special Forces; daarna – nog vóór mijn geboorte – werden ze door Interpol gerekruteerd.'

Hij tuurde onafgebroken naar de weg, wierp niet eens een snelle blik mijn kant op. Ik zag dat hij het stuur zo stevig omklemde dat zijn knokkels wit waren.

'De belangrijkste taak van Interpol is het verzamelen van inlichtingen en het faciliteren van informatie-uitwisseling tussen politiediensten wereldwijd. De medewerkers hebben geen operationele bevoegdheden en mogen geen arrestaties verrichten of op eigen houtje mensen opsporen en aanhouden. Mijn moeder was een soort analist, ze had zich gespecialiseerd in het verzamelen en analyseren van inlichtingen, in geheime communicatiemethoden en observatie.'

'Was je moeder een spion?' Ik staarde hem aan en vroeg me af of hij ze wel allemaal op een rijtje had. Ik begon een beetje medelijden met hem te krijgen. Als geen ander wist ik hoe het was om het gedrag van je familie te excuseren, om de dingen die ze gedaan hadden te proberen te begrijpen en iets te bedenken om het te vergoelijken.

'In zekere zin wel, denk ik. Mijn vader was fotograaf bij Interpol. Een groot deel van die oudere foto's van Smiley zijn door mijn vader gemaakt.'

Ik wachtte tot hij verder zou gaan. De bomen schoten voorbij, vormden een zwartgroene veeg. Hij reed hard.

'De meeste dingen die ze deden waren geheim, maar via een oude vriend van mijn vader ben ik erachter gekomen dat ze zeven jaar lang informatie over Smiley hebben verzameld.'

'Waarom? Voor wie?'

'Het was de CIA ter ore gekomen dat Max Smiley enkele dubieuze overzeese connecties had en ze wilden meer over zijn activiteiten te weten komen. Interpol stemde ermee in hem in de gaten te houden als hij in Europa en Azië was. Mijn ouders behoorden tot degenen die die taak kregen toegewezen.'

Hij slaakte een diepe zucht. Ik sloeg hem van opzij gade en bestudeerde zijn gezicht op dezelfde manier als hij het mijne had bestudeerd. Ik wilde zien of hij de waarheid sprak of niet. Alsof ik wist hoe dat eruitzag... Ik zou het vast niet herkennen, al stond ik er met mijn neus bovenop.

'Er zijn niet veel foto's van mijn moeder. Ik heb er een van haar als jong meisje. Als het even kon, meed ze de camera. Ze kon het zich niet permitteren dat er foto's van haar circuleerden, er was haar veel aan gelegen onzichtbaar te blijven. Maar ze was adembenemend mooi: gitzwart haar en ogen zo donker dat ze bijna purper leken. Ze had een prachtige lichte huid, die bijna doorschijnend was. Meestal droeg ze haar haren naar achteren en had ze een dikgerande donkere bril op, want als ze dat niet deed gaapte iedereen haar aan. Mijn vader noemde haar "de showstopper". Als zij ergens binnenkwam, draaide iedereen zich om om haar aan te gapen, mannen én vrouwen.'

Ik herkende wat van die schoonheid in hem. Het school in het grijs van zijn ogen, in zijn volle lippen, in zijn ferme kaaklijn, in de blauwzwarte glans van zijn haar. Maar hij had ook iets onaangenaams. Hij had iets over zich – misschien was het zijn aura – dat ik liever niet zag.

'Ze ging in haar eentje naar Parijs. Mijn grootmoeder van vaderskant was ziek, stervende. Mijn vader bleef achter om voor haar te zorgen. De risico's waren afgedekt. De maître d'hôtel was een bondgenoot van Interpol en had geregeld dat er op de tafel waaraan Smiley zou dineren een microfoontje was geplaatst. Niemand weet precies hoe ze is ontmaskerd. Ze was niet onvoorzichtig, ze was zeer ervaren. Niemand weet het fijne van haar gruwelijke dood, niemand weet hoe haar lichaam in dat steegje achter een chic hotel terechtkwam. Ze heeft geleden, ze is een langzame dood gestorven. Dat weten we wel. De maître d'hôtel is ook vermoord.

Interpol vermoedde later dat hij haar had verraden en vervolgens was gedood om wat hij wist.'

Ik bleef even stil uit respect voor zijn moeder, voor hoe ze was gestorven en voor hem, want het was vast pijnlijk om erover te praten. Toen vroeg ik: 'Hoe weet je dat Max haar heeft vermoord?'

Ik zag zijn handen het stuur nog steviger omklemmen. Zijn kaakspieren spanden zich. 'Omdat de moord zijn signatuur droeg. Een vrouw met blote handen vermoorden. Dat was zijn manier om klaar te komen, of was je daar nog niet achter?'

Zijn stem was zo bijtend en zijn woordkeus zo cru dat ik onwillekeurig een eindje van hem af schoof.

'Word wakker, Ridley. Word toch eens een keer wakker, verdomme. Je vader, die dierbare Max van je, haatte vrouwen. Hij vermoordde ze. Prostituees, callgirls, escortgirls, vrouwen die hij in bars oppikte. Ze werden gedumpt in hotelkamers en steegjes, in vuilcontainers, in afgedankte auto's. Alsof Project Kinderhulp en zijn connecties met tuig van de richel nog niet voldoende waren liet hij ook nog een spoor van barbaars vermoorde vrouwen achter zich. Vrouwen die hij met zijn blote handen doodsloeg.'

Hij stuurde de auto zo abrupt naar de kant dat ik alle kanten op schokte en bijna met mijn hoofd tegen het zijraampje klapte. Mijn autogordel blokkeerde. Hij keerde zich naar me toe. Zijn gezicht was wit van woede. In zijn slaap klopte een blauw adertje.

'Hij genoot ervan hun botten te voelen breken onder zijn vuisten,' zei hij, terwijl hij zijn hand hief en tot een vuist balde. 'Hij genoot van hun gegil en gejammer en gesnik als hij ze de keel dichtkneep en morsdood sloeg.'

Zijn praten was in schreeuwen overgegaan en ik bleef met mijn handen voor mijn gezicht geslagen tegen het koele glas aan zitten tot het stil werd. Ik hoorde zijn hijgende ademhaling, ik hoorde het geruis van de banden van auto's die op het natte wegdek voorbijraasden, ik voelde de Peugeot schudden door hun snelheid. Toen ik mijn handen liet zakken zag ik dat zijn ogen vochtig en roodomrand waren. De manier waarop hij naar me keek had iets intens grimmigs. Aan zijn mond zag ik al dat het hem speet. Ik staarde terug, gefascineerd door wat ik zag. Het gezicht van de lelijke waarheid; ik herkende het, tot in de diepste poriën. Dat was waarom ik steeds voor hem was teruggeschrokken. Ik besefte dat ik zoiets nooit eerder had gezien, het gezicht van iemand die geen geheimen te verbergen, geen leugens meer te vertellen had. Ik haatte hem erom.

Ik deed een greep naar achteren en pakte mijn tas, gooide het portier open, sprong uit de auto en begon weg te lopen. De kou, de regen, slagregen inmiddels, voelde heerlijk aan. Ik hoorde zijn portier dichtslaan en het geluid van zijn voetstappen op het wegdek.

'Ridley,' riep hij me achterna. 'Ridley, alsjeblieft.'

Er klonk zoveel verdriet door in zijn stem dat ik bijna bleef staan. Maar ik liep door. Ik overwoog te gaan liften, naar de politie te gaan om me te laten arresteren of deporteren of vermoorden of wat dan ook. Wat maakte het uit.

Toen ik zijn hand op mijn arm voelde, draaide ik me woest om en begon met mijn vuisten op hem in te beuken. Ik was zo verzwakt, zo verward, het was een lachertje. In plaats van me af te weren trok hij me naar zich toe en drukte me stevig tegen zich aan, tot ik de strijd opgaf en me liet gaan. Hij stond te trillen op zijn benen, van de kou of van emotie, ik wist het niet. Zijn hartslag was snel en krachtig. Snikkend hing ik tegen hem aan, op de snelweg, in de stromende regen.

'Het spijt me zo,' zei hij in mijn oor. 'Het spijt me zo. Je had gelijk. Ik ben een eikel. Dit heb je niet verdiend.' Hij pakte me nog steviger vast en ik sloeg mijn armen om zijn middel. 'Niets van dit alles heb je verdiend.'

Ik keek naar hem op en zag al het leed van de wereld in het grijs van zijn ogen.

'Jij ook niet,' zei ik. Even lichtte zijn gezicht op. Van dankbaarheid, geloof ik. En daarna voelde ik zijn lippen op de mijne. In zijn hunkering en hartstocht proefde ik oprechtheid. Ik stelde me ervoor open en liet het allemaal binnen: deze man, deze waarheid, en deze kus. Op dat moment wist ik één ding heel zeker. Dat Dylan Grace de hele tijd gelijk had gehad. Hij was de enige vriend die ik had.

Er bleken ongeveer tweeduizend Engelse ponden in mijn tas te zitten, bijna vierduizend dollar. Hoe die daar kwamen, ik had geen flauw idee. We zetten de Peugeot in een parkeergarage en namen een shabby hotelletje vlak achter Charing Cross Road. We kregen een onooglijke kamer, maar hij was schoon en comfortabel. Dylan drong erop aan eerst wat bij te komen en pas naar buiten te gaan als de zon onder was. Met grote zorgzaamheid maakte hij mijn wond schoon, die hij opnieuw verbond. Ik liet hem zijn gang gaan, hoewel ik het best zelf had kunnen doen. Sinds onze kus langs de weg was de atmosfeer geladen. We spraken alleen beleefdheidshalve, verder niet.

Ik stond te popelen om naar een internetcafé te gaan, maar zag in dat het beter was dat uit te stellen tot het donker was. Bovendien voelde ik me met de minuut ellendiger en zwakker worden. Ik ging op het tweepersoonsbed liggen, dat vaag naar sigaretten rook, en Dylan ging op een stoel naast me zitten en zette de televisie aan. Een uur lang keken we naar de nieuwszender, zonder dat er een item over ons voorbijkwam. Bij onze aankomst hadden we in de lobby de ochtendbladen al bekeken en geconcludeerd dat we ook de geschreven pers niet hadden gehaald.

'Heel vreemd,' zei Dylan vanuit zijn stoel. 'Ik had verwacht dat onze foto's overal te zien zouden zijn na de chaos die we hebben aangericht.'

'Misschien willen ze het stilhouden.'

'Ik dacht het niet. Twee vermoorde politieagenten en een vermoorde verpleegster, plus degene die ik heb omgelegd in jouw ziekenhuiskamer. En ook jij nog verdwenen. Zoiets houd je niet stil. Je zou verwachten dat ze alle middelen die tot hun beschikking staan hadden ingezet om ons te vinden.'

'Maar ze hebben het stilgehouden. Dat blijkt wel.'

Hij zat peinzend over zijn slaap te wrijven, zijn hoofd met één hand ondersteunend.

'Je mag best gaan liggen,' zei ik. Hij moest wel moe zijn en verkrampte spieren hebben, want hij was de hele nacht opgebleven en had een heel eind gereden.

Hij keek van schuin beneden me naar me op. 'Ja?'

Ik knikte. Hij stond op uit zijn stoel en ging naast me liggen. Het bed piepte onder zijn gewicht. Ik schoof naar hem toe en liet hem zijn armen om me heen slaan. Ik hoorde hem een lange, trage zucht slaken en voelde de spieren in zijn borst en schouders ontspannen. Ik wilde me even veilig voelen. En dat gebeurde. Ik doezelde weg. Toen ik wakker werd was de hemel buiten het raam paarsachtig zwart gekleurd.

Hij sliep vast, zijn ademhaling was diep en regelmatig. Mijn hoofd lag op zijn schouder, hij had één arm om me heen en de ander lag boven zijn hoofd. In een flits zag ik zijn gezicht in de auto weer voor me, toen hij het over Max had en over de dingen die hij had gezegd. De tranen van pijn en verdriet waren hem in de ogen gesprongen. Ik vond het afschuwelijk wat hij had verteld. Die nieuwe informatie voelde als een kankergezwel dat zich langzaam uitzaaide, iets duisters en dodelijks dat uiteindelijk bezit zou nemen van mijn hele lichaam en alle functies zou uitschakelen. Het zou mijn dood worden, dat wist ik zeker.

Ik dacht weer aan Nick Smiley, aan hoe hij Max had afgeschilderd, en aan wat Ace had gezegd. Ik dacht aan Max' parade van callgirls, vrouwen van wie ik in mijn naïviteit had verondersteld dat het zijn vriendinnen waren. *Zo'n man, zo gebroken en leeg vanbinnen,* had mijn moeder eens gezegd, *kan niet echt liefhebben. Maar hij was tenminste slim genoeg om dat te beseffen.* Had ze geweten dat het veel erger met hem gesteld was? Dat had ze niet kunnen weten. Echt niet.

In het dossier had een lijst gezeten, een soort tijdreconstructie. Ik had er snel overheen gelezen omdat ik niet had geweten waar het over ging. Met afgrijzen besefte ik nu wat het was. Stilletjes glipte ik van het bed en zocht tussen onze spullen, die op een stoel lagen. Het dossier lag onder mijn tas. Ik ging in kleermakerszit op de grond zitten, sloeg het open en bladerde het door tot ik vond wat ik zocht. Het was een soort tijdbalk, met vereende krachten samengesteld door de Divisie Seriële Misdaden van de FBI en Interpol; een lijst van vermoorde vrouwen, dader onbekend, gerangschikt op datum en plaats. Hij begon in Michigan, in de sloppenwijken rond Michigan State University, waar Max had gestudeerd. In de vier jaar dat Max in die buurt had gewoond waren er vier vrouwen, vier straathoertjes, vermoord. Eén: Emily Watson, zeventien, gevonden onder een paar vuilniszakken in een steegje achter een Chinees restaurant. Twee: Paris Cole, eenentwintig, gevonden onder een brug over de Detroit River. Drie: Marcia Twinning, zestien, gevonden in een drugshol in het centrum van Detroit. Vier: Elsie Lowell, drieëntwintig, gedeeltelijk verbrand gevonden in een leegstaand pand. De lijst was nog veel langer. Vrouwen in New York, New Jersey, Londen, Parijs, Caïro, Milaan – in binnen- en buitenland. De moorden hadden twee dingen met elkaar gemeen: de vrouwen waren in koelen bloede doodgeslagen én Max was rond de tijd van de moorden in de buurt geweest. Jonge vrouwen, vermiste vrouwen, tippelaarsters, beestachtig omgebracht en gedumpt als oud vuil. Ik zag dat de lijst eindigde in het jaar van Max' dood.

Mijn maag keerde zich om, en tegelijkertijd duizelde het me van de vragen. Deze moorden en Max' aanwezigheid op de plekken waar ze werden gepleegd, wat wilde dat precies zeggen? Je kon voor bijna iedereen wel zo'n lijst samenstellen. Elke dag werden er mensen vermoord, op wel duizend verschillende manieren, overal ter wereld. En trouwens, als bewezen kon worden dat hij deze vrouwen had vermoord of dat hij criminele banden had gehad met de figuren die op de foto's stonden, waarom was hij dan nooit gearresteerd? Waarom was hij dan nooit aangeklaagd? Blijkbaar was het niet al te moeilijk hem te vinden en te volgen.

'Wil je erover praten?' liet Dylan me opschrikken vanaf het bed.

'Nee,' zei ik. 'Ik ben het praten moe.' Ik had het gevoel dat we dagenlang hadden gepraat.

Er was zoveel dat ik niet wist, zoveel dat ik niet begreep, zoveel dat niet strookte met de informatie die ík had. En Jake speelde nog door mijn hoofd. Waar was hij gebleven? Wat was er met hem gebeurd? Hoeveel van ons leven samen was een leugen geweest, een toneelstukje dat hij opvoerde om dicht bij me te kunnen zijn en zo aan de weet te komen of Max nog leefde? Hoeveel van wat ik hier las was Jake al bekend? Ik dacht aan zijn eigen dossier, dat was verdwenen na de laatste keer dat we gevreeën hadden. Had ik maar meer aandacht besteed aan de inhoud.

Ik hoorde dat Dylan overeind ging zitten. Zijn rug kraakte en er ontsnapte hem een diepe kreun. Ik draaide me om en zag duidelijk dat hij pijn had. Weer kwam de gedachte aan Jake boven. Zulke verschillende mannen, maar gedreven door hetzelfde verlangen mijn vader te vinden. Het was bizar, het leek wel het lot. Ik wist dat ik hier een les uit kon trekken, maar welke kon ik bij lange na niet bedenken. Hij liet zijn ogen op me rusten en ik ervoer een vreemde mengeling van aantrekkingskracht en schuldgevoel. Ik keek weer weg.

'Wat nu?' vroeg hij.

'Ik heb kleren nodig. Zo kan ik niet naar een club,' zei ik, met een blik op mijn pillende blauwe trui en versleten, veel te strakke spijkerbroek. Ik had hem open geritst, omdat hij mijn verwonding afknelde, maar ik kon moeilijk met openstaande broek Londen in gaan.

16

We gingen naar Knightsbridge om met het geld dat ik in mijn tas had gevonden wat nieuwe kleren voor me te kopen. Dylan bleef in mijn buurt, gespannen en op zijn hoede, terwijl ik binnen het uur een zwarte spijkerbroek en een zwart suède jasje van Lucky Brand Jeans kocht (gescheurd en vaal en oud gemaakt, voor een belachelijke prijs, maar mooi!), een paar Doc Martens schoenen zonder veters (zeg maar skinhead chic), en een zwart ribbeltjestruitje met ritscol van Armani. Na het winkelen voelde ik me beter, normaler. En bovendien zag ik er cool uit, wat bijna goed maakte dat ik in levensgevaar verkeerde, dat er een internationaal opsporingsbevel tegen me was uitgevaardigd en dat ik aan gedeeltelijk geheugenverlies leed.

Je denkt vast dat dit niet echt een geschikt moment was om te gaan winkelen, dat ik wel belangrijker zaken aan mijn hoofd had. En daar kun je weleens gelijk in hebben. Maar soms moet je eerst de buitenkant aanpakken voor je met de binnenkant aan de slag kunt.

Ik vond mijn haar eigenlijk wel geknipt voor me, maar vroeg me af of ik het niet nog een keer moest veranderen. In plaats daarvan koos ik voor een skimuts en een zonnebril. Het is behoorlijk traumatisch om je haar af te knippen en te verven als je zoiets nog nooit hebt gedaan, en ik had voorlopig mijn bekomst van traumatische ervaringen.

Bovendien had ik mezelf nog niet op tv of in de krant gezien, wat me een vals gevoel van veiligheid gaf, en ik suste mezelf met de gedachte dat de politie ons niet zou opmerken. Natuurlijk kwam het ook niet in me op te bedenken dat er waarschijnlijk gevaarlijke lieden op zoek naar mij waren. Wie weet, misschien wilde ik wel gepakt worden. Ik voelde me behoorlijk down, behoorlijk vervreemd van mezelf. Volgens mij is *verdoofd* het juiste woord. Ik was verdoofd – met uitzondering van de wond in mijn zij, die een zeurende pijn uitstraalde, enigszins getemperd door de pillen van Dylan.

In het internetcafé achter het hotel kon je ook pizza's krijgen, dus plaatsten we een bestelling en zochten een rustig hoekje achterin. Op iedere tafel stond een laptop te zoemen en de ruimte baadde dan ook in een vreemde blauwe gloed, afkomstig van de computerschermen. Het was er betrekkelijk rustig, zoveel andere pizza etende surfers waren er niet. Een paar tafels van ons vandaan zat een meisje met een droevig gezicht en een stapel studieboeken afwezig voor zich uit te staren, terwijl ze met kleine teugjes uit een beker dronk. Een man van middelbare leeftijd met een beige vest en een dikke bril las stil voor zichzelf iets van het scherm voor hem. Hij zat vlak bij de deur. De overige tafels waren leeg en daar was ik blij om.

'Ik vraag me af of dit een goed idee is,' zei Dylan, toen ik op het toetsenbord begon te tikken. 'Ze houden waarschijnlijk je account in de gaten en dan kunnen ze zien of je je e-mail hebt bekeken.'

'Hoe lang doen ze daarover?'

Hij haalde zijn schouders op. 'Kan een poosje duren.'

'Tegen de tijd dat ze erachter zijn, zijn wij alweer weg.'

Ik nam aan dat hij het over de FBI had, maar misschien bedoelde hij ook wel die andere mensen die naar Max op zoek waren. Hij had gezegd: *Max Smiley heeft een goed moment uitgezocht om te sterven. Veel mensen voelden zich tekortgedaan.* Hij had niet echt uitgelegd wie er nog meer achter Max aan zaten en waarom. Ik vroeg hem ernaar.

'Iemand als Max maakt vijanden,' zei hij vaag. 'De mensen met wie hij te maken heeft gehad, willen zich vast wreken. Jij bent zijn dochter. Ze zullen niet veel tijd nodig hebben gehad om tot dezelfde conclusie te komen als iedereen, dat jij hen naar hem kunt brengen.'

'Dat begrijp ik,' zei ik en dacht aan die mannen in de Bronx. 'Maar wie zijn die mensen?'

Hij schudde het hoofd. 'Ik weet het niet... Albanezen, Russen, Italianen. Familieleden van vrouwen die hij heeft vermoord. Keuze te over.'

Dylan bleef in het rond spieden en door het raam naar buiten kijken en de deur in de gaten houden. Hij was gespannen.

'Is er iets?'

'Ik weet het niet. Ik vind het raar dat er niet naar ons wordt gezocht,' zei hij, zijn eerdere bezorgdheid herhalend. 'Het zou toch overal in het nieuws moeten zijn.'

Daar had hij gelijk in. Een Amerikaanse vrouw duikt op in Londen, zonder dat er enige aanwijzing is hoe ze er is gekomen. Ze heeft een schotwond in haar zij. Ondanks de ingestelde politiebewaking verdwijnt ze uit het ziekenhuis, een spoor van lijken achter zich latend. Nu wordt ze vermist en niemand weet of ze slachtoffer of crimineel is. Een losgeslagen FBI-agent wordt eveneens vermist en is mogelijk haar ontvoerder, redder of medeplichtige. Groot nieuws, onweerstaanbaar, zou je zeggen.

Buiten kuierden twee geüniformeerde bobby's voorbij, met nietszeggende en verveelde gezichten. Ze leken niet in opperste staat van paraatheid, maar Dylan ontspande pas toen ze gepasseerd waren.

'Zou je je beter voelen als ze foto's van ons hadden verspreid en we geen stap konden verzetten?' vroeg ik. 'Als we geen andere optie hadden dan ons aan te geven?'

'In zekere zin wel. Dat zou onder deze omstandigheden tenminste normaal zijn. Dit vertrouw ik gewoon niet,' zei hij en even hoorde ik weer dat Engelse accent. Grappig dat ik hem goed genoeg kende om te weten wanneer hij gespannen was.

Ik logde in bij mijn e-mailaccount, liep om het tafeltje heen en draaide de laptop zo dat hij mee kon kijken. Toen ik naast Dylan ging zitten, sloeg hij zijn arm om mijn schouder en voelde ik het harde metaal van zijn pistool. Ik was vergeten dat hij een wapen droeg en het herinnerde me eraan hoe opgefokt de hele situatie was. Ik vroeg me af of hij gelijk had, of we ons moesten aangeven. Weer hoorde ik de woorden van Jake bij de Cloisters. Volgens mij had hij willen zeggen dat we het verleden niet hoeven te begrijpen om de toekomst aan te kunnen. We hoeven niet noodzakelijkerwijs te weten waar we vandaan komen om verder te leven. Had hij gelijk gehad?

Ik vertelde Dylan wat Grant me had uitgelegd over de website met het rode scherm, dat er in ongebruikte bits berichten verborgen konden zitten. Ik beschreef de werking van Spam Mimic, dat berichten die op spam leken ook een boodschap konden bevatten om op de website in te loggen.

'Denk je dat je vader op deze manier met Max communiceerde?'

'Dat lijkt me niet onwaarschijnlijk,' zei ik. Ik werd benauwd van woede, maar ik wilde er nu niet aan denken.

Ik bekeek de vele spamberichten in mijn mailbox. Ik verwachtte iets van Ace te vinden, maar er was niets. Als hij al wist dat ik in moeilijkheden zat, kon hem dat blijkbaar niets schelen. Een drie dagen oud bericht van mijn ouders zei me dat ze op Corsica waren. Ze waren lyrisch over het eten. Niet te geloven. Ik vermoedde dat ze nu op de terugreis waren. Nadat ik de rest van mijn mail had bekeken, zag ik dat er een bericht was van Grant. Ik klikte het onmiddellijk open. Het luidde:

Je zit zwaar in de moeilijkheden en ik heb niet veel tijd. De site waar we het over hadden komt uit Londen. Ik heb geen tijd om uit te zoeken waar hij precies vandaan komt of wie hem heeft gemaakt. Ik kan je wel vertellen dat de code zeer professioneel is. Het zou me niet verbazen als het een communicatiepunt van de CIA is. Ik heb geprobeerd in te loggen en daardoor misschien argwaan gewekt. De site viel weg. En mijn systeem waarschuwde me dat iemand in mijn netwerk probeerde te komen. Ik neem het zekere voor het onzekere en verdwijn. Mijn back-ups heb ik ergens heen gestuurd waar ze veilig zijn. Als me iets overkomt, zal duidelijk zijn waarom.

Ik neem contact met je op als de kust veilig is. Probeer intussen niet op die site in te loggen, behalve vanuit een openbare ruimte... en zelfs dan raad ik het je niet aan. Wees voorzichtig. En vergeet niet dat je me een interview schuldig bent.

De e-mail was verstuurd om 19.03 uur. Dylan en ik wisten beiden dat Grant een uur later dood was. Het was mijn schuld en ik besefte dat ten volle terwijl ik zijn bericht las en herlas. Ergens hoopte ik dat er een boodschap in zijn woorden verborgen zou zitten, maar zelfs al was dat het geval, dan kon ik hem toch niet ontcijferen. Ik vocht tegen mijn tranen, at een stuk van de pizza die inmiddels was gebracht en las het bericht van Grant nog een keer.

'Iedereen die op die site heeft proberen in te loggen is dood of vermist,' zei Dylan. 'Myra Lyall, Sarah Duvall, Grant Webster en Jake Jacobsen.'

Ik knikte. 'Iedereen, behalve Ben,' zei ik.

Ik wist het adres van de website nog en typte het in. Even later kwam het rode scherm tevoorschijn.

'Wat doe je?' vroeg Dylan en hij trok mijn hand zachtjes weg van het toetsenbord.

'Ik ga inloggen,' zei ik, terwijl ik me omdraaide om hem aan te kijken. 'Ik heb toch geen keuze?'

'Je hebt de keuze om *niet* in te loggen.'

'Wil jij het dan niet weten? Ik bedoel, hoe lang jaag jij die obsessie van jou al na?'

'Lang genoeg om te weten dat het mijn dood zal worden. Ik weet alleen niet zeker of ik vandaag wil gaan.' Zijn antwoord verbijsterde me.

'Na de dood van mijn moeder heb ik jarenlang gedacht dat ze bij een auto-ongeluk om het leven was gekomen. Je kent mijn verhaal, ik wist niet dat ze voor Interpol werkten. Na haar dood was mijn vader nog maar een schim van wie hij eerst was. Van een sterke, energieke man veranderde hij in een wandelend lijk. Hij was al mager, maar hij verloor nog eens tien kilo. Alle kleur leek uit hem weg te vloeien. Hij was nooit meer thuis. Ik had het gevoel dat ik hen allebei was kwijtgeraakt.

Bijna drie jaar na mijn moeders dood verloor ik mijn vader. Ik was zestien. Mijn oom, de broer van mijn vader, haalde me naar de Verenigde Staten en nam me op in zijn gezin. Hij vertelde me de waarheid over mijn ouders, en dat ze beiden waren omgekomen in de jacht op Max Smiley.'

'Hoe is je vader gestorven?'

Hij nam een slok van een groot glas met ijskoud water dat voor hem stond en ik zag dat zijn hand licht trilde. 'Het officiële verhaal luidde zelfmoord, hij zou nooit over de dood van mijn moeder heen zijn gekomen. Maar door mijn werk bij de FBI, had ik toegang tot geheime documenten en ben ik erachter gekomen dat hij is geliquideerd en dat zijn lichaam is gevonden in een pakhuis in Istanbul. Ze denken dat hij Smiley was gevolgd en dat hij werd vermoord voor hij dát kon doen wat hij duidelijk van plan was geweest.'

'Max doden?'

Hij knikte. 'Ik heb mezelf toen gezworen dat ik degene zou zijn die Smiley zou laten boeten voor wat hij had gedaan, dat ik hem voor de rechter zou slepen. Ik ben nooit op wraak uit geweest. Ik heb hem nooit willen doden, ik heb hem nooit iets willen aandoen. Ik wilde alleen maar dat hij zich zou moeten verantwoorden voor de dood van mijn ouders... en voor de moord op al die vrouwen. Maar ik heb altijd in mijn achterhoofd gehad dat het me in het verderf zou storten en dat het mogelijk mijn dood zou worden. Ik voel dat dat moment niet meer ver weg is.'

Zijn woorden klonken somber en zijn gezicht stond vreselijk verdrietig. Ik wilde hem vastpakken en troosten, maar iets weerhield me ervan.

Ik bleef even stil en vroeg toen: 'Hoe heb je met die voorgeschiedenis ooit een baan bij de FBI kunnen krijgen?'

Hij haalde zijn schouders op. 'Ik ben door een aantal psychologische tests gekomen. En ik denk, eerlijk gezegd, dat ze mijn drijfveren niet zo'n slechte zaak vonden. Maar ze hebben me wel uit het veld gehouden. Daarom hebben ze me op observatie en informatievergaring gezet en loop ik niet buiten op straat de boeven te vangen.'

Ik wist niet wat ik moest zeggen, dus keek ik naar het oplichtende rode scherm.

'Hier leef ik voor, snap je – al heel lang. Maar de laatste tijd vraag ik me af of ik de juiste keuzes heb gemaakt. Ik heb weinig gedaan met mijn leven, behalve zoeken, en ik word er niet jonger op.'

Zijn stem klonk afwezig, alsof hij hardop dacht.

'Wat stel je voor dat we doen?'

Hij wendde zijn blik af. 'Niets. Ik weet het niet.'

'Want ik kan het hier niet bij laten. Als jij het genoeg vindt, begrijp ik dat. Echt waar. Maar ik moet hem vinden.'

Hij keek me even aan. 'Waarom?'

'Je weet waarom. Je hebt het zelf gezegd.'

'Maar als het niet waar is? Stel dat je jezelf niet beter leert kennen als je weet wie Max Smiley is? Stel dat je jezelf alleen maar meer kwijtraakt naarmate je dichter bij hem komt?'

Ik liet mijn hoofd in mijn handen zakken.

'Kijk naar Jacobsen, kijk naar mij. Moet je zien wat het met ons heeft gedaan.'

Ik schoof een eindje van hem af.

'Maar hij is jouw *vader* niet,' zei ik met stemverheffing, hoewel het niet mijn bedoeling was te schreeuwen. 'Jij en Jake willen gerechtigheid of misschien wel wraak, hoewel jullie dat allebei niet willen toegeven. Wat jullie nastreven is kunstmatig, daarom maakt het jullie kapot. Zelfs als je krijgt wat je wilt, zul je er niets mee opschieten.'

Hij knikte, alsof hij dat ook al had bedacht. 'En als jij krijgt wat je wilt? Stel dat je hem vindt, letterlijk of figuurlijk, of allebei. Wat doe je dan, Ridley?'

'Ik weet het niet,' bekende ik.

We tuurden alle twee weer naar het rode scherm. Ik keek hem even aan en hij knikte. Ik zocht met de tabfunctie het scherm af, zoals Grant het me had voorgedaan, totdat er twee kleine witte rechthoekjes verschenen in het rood. Ik gebruikte de inlognaam die Ben vaker gebruikte: *degoededokter*. En daarna voerde ik het wachtwoord in dat standaard was voor hem: *poppedein*.

Voor mijn gevoel was ik al binnen. Maar daar vergiste ik me in. Na een paar minuten wachten verdween het rode scherm. In plaats daarvan kwam er een foutmelding.

'O, shit,' zei Dylan zacht.

Ik wiste de pagina en de beginpagina van mijn e-mail snel uit het geschiedenisbestand van de computer, greep wat geld uit mijn tas, legde het op tafel en stond op. Dylan volgde me en pakte mijn hand vast. We deden ons uiterste best om niet paniekerig te lijken en liepen rustig de lange, smalle ruimte door in de richting van een bord dat de nooduitgang aangaf. Door een groene metalen deur kwamen we in een steegje terecht, dat uitkwam in een straat aan de achterkant van het restaurantgedeelte. We zetten het op een lopen.

Maar natuurlijk had weglopen geen zin. Als ik had opgelet, zou ik me dat hebben gerealiseerd. We hielden ons niet verborgen, we waren niet op de vlucht. We zaten al gevangen in de kleverige zijden draden van een ingewikkeld web. Alleen wisten we dat nog niet. Ik niet, tenminste.

Ik had al dood moeten zijn. Myra Lyall, Sarah Duvall, Grant Webster en Esme Gray – iedereen was al om het leven gekomen vanwege deze hele ellende. Waarom ik nog niet? Omdat het met dood aas slecht vissen is. Maar dat was nog niet tot me doorgedrongen. Ik doolde maar rond, blind, bang, zonder enige grip op de situatie.

Bij gebrek aan alternatieven gingen we terug naar ons hotel. Ik voelde me ziek en uitgeput toen we weer in de kamer waren, mijn zij klopte. Ik was rillerig en vroeg me af of de infectie zich uitbreidde. We konden niets anders dan wachten. De nachtclub die onze belangstelling had, The Kiss, ging pas om middernacht open. Ik ging op het bed zitten en zag de kamer onaangenaam deinen. Dylan kwam naast me zitten en legde zijn hand op mijn voorhoofd.

'Je hebt verhoging.'

'Ik voel me niet goed.'

Hij schudde een paar pillen uit een flesje in zijn zak en hield ze me voor. Ik slikte ze zonder water door en voelde ze langzaam omlaag glijden. Ik ging op mijn goede zij liggen en keek naar Dylan op.

'Wie denk je dat Esme Gray heeft vermoord?'

Hij zei niets.

'De laatste keer dat ik haar heb gezien,' ging ik verder, 'zei ze tegen me dat ik voorzichtig moest zijn omdat het anders met mij "net zo zou aflopen als met die verslaggeefster van *The New York Times*". Vind je dat geen vreemde opmerking? Houdt dat niet in dat ze iets wist over de dood van Myra Lyall?'

'Zou kunnen,' zei hij.

'Denk je dat zij iets te maken had met deze hele toestand?'

Hij haalde de schouders op. 'Ze was nauw betrokken bij Project Kinderhulp. Ze heeft het lichaam van Max geïdentificeerd.'

'Ooit, lang geleden, is ze verliefd op hem geweest.'

'De manier waarop ze aan haar einde is gekomen, hoe ze is doodgeslagen... zo gaat hij te werk.'

Ik kreeg het er koud van en huiverde. Niet alleen om wat hij zei, maar ook omdat hij in de tegenwoordige tijd over Max sprak. Dat was iets wat ik nog niet echt kon aanvaarden.

'Als ze zijn bondgenoot was, waarom zou hij haar dan doden? Misschien wil iemand het alleen doen lijken dat Max haar heeft vermoord. Alsof hij nog leeft.'

'Een andere mogelijkheid is dat je vriendje, Jake Jacobsen, het heeft gedaan.'

Ik schudde het hoofd. 'Echt niet.'

'Heb je hem ernaar gevraagd? Naar dat bloed in zijn atelier?'

Het leek allemaal zo lang geleden. 'Hij zei dat hij niet bij Esme in de buurt was geweest en dat hij geen idee had wat er in zijn atelier was gebeurd, dat hij pas uren later was teruggegaan.'

'Waar had hij dan de hele dag gezeten?'

'Dat heb ik hem niet gevraagd.'

'En hij heeft het niet gezegd.'

'Nee,' antwoordde ik, en sloot mijn ogen. Ik vroeg me af of ik echt iets voor Jake betekende, ik vroeg me af waar hij nu was. Ik bleef maar horen wat hij tegen me had gezegd en ik bleef hem maar zien vallen. Hij leek zo ver weg. Ik wist niet of we elkaar ooit terug zouden vinden.

'Probeer wat te rusten. We komen er wel uit, dat beloof ik.'

'Myra, Sarah, Grant – allemaal zijn ze bij toeval in deze ellende ver-

zeild geraakt. Misschien hadden ze iets ontdekt wat ze niet mochten weten en hebben ze dat met de dood moeten bekopen. Maar Esme leek er
echt bij betrokken. Waarom moest zij dood?'

Ik voelde dat hij zijn hand op mijn voorhoofd legde, maar hij antwoordde niet. Na een poosje begon ik weg te zakken. Toen ik het sche-
mergebied van de slaap in gleed, wist ik het weer.

Ik kwam bij op een harde, met ruw tapijt beklede vloer, en wist meteen
dat ik niet alleen was. We bewogen, en uit de geluiden en de geuren
maakte ik al snel op dat ik aan boord van een vliegtuig was. Ik had pijn,
pijn in mijn zij van de verse schotwond, pijn in mijn kaak, pijn in mijn
been. Ik probeerde een andere houding aan te nemen, maar bij de minste
beweging schreeuwde ik het al uit van de pijn.

Hij zat doodstil in een leren stoel vlak bij me en zag mijn worsteling
aan. Hij stak geen vinger uit om me te helpen. Het licht was gedimd,
maar ik wist dat het de man was die ik op straat had gezien, die ik achterna had gezeten toen Sarah Duvall was neergeschoten. Ik kon zijn gezicht
niet goed zien, maar het deel dat ik zag was door littekens gehavend. Hij
droeg dezelfde vilten hoed en een donkere bril.

'Waar ben ik?' vroeg ik hem. 'Wie bent u?'

Op een of andere manier slaagde ik erin mezelf op te trekken met behulp van de armsteunen van de stoel naast me. Het was een klein vliegtuig, duidelijk privé. Er was een bar en er stonden vijf grote leren fau-
teuils. Alles zag er wat sjofel uit. Er hing een eigenaardig luchtje, dat me
bijna deed kokhalzen. Mijn benen voelden aan als rubber, dus ging ik
maar zitten.

'Waar is de geest?' vroeg hij met een zwaar accent. Oost-Europees, zou
ik gokken.

'Wie?'

'De geest,' zei hij opnieuw. 'Je vader, Maxwell Smiley.'

'Die is dood,' zei ik. Ik voelde een vreemde kalmte over me komen. Dit
was een bizarre toestand, bijna niet te vatten. Ik denk dat ik in een shock
verkeerde. Dat weet ik wel zeker.

'We hebben de foto's gezien,' zei hij geduldig. Ik meed zijn blik. Ik wilde zijn gezicht niet zien, op een of andere manier dacht ik dat hij me in leven zou laten als ik hem niet zou aankijken. Ik keek naar mijn schoot;
mijn benen zaten onder het bloed, ik vroeg me af van wie. Waarschijnlijk
van mij, misschien van Jake.

'Als je ons bij hem brengt,' zei hij, 'hebben we elkaar nooit gezien. Begrijp je wat ik bedoel?'

Ja, vast, dacht ik. Tuurlijk.

'Hij is dood. Ik heb zijn as uitgestrooid vanaf Brooklyn Bridge.'

De man slaakte een zucht en alsof dat een afgesproken teken was, kwamen twee mannen de cabine binnen. Ze draaiden mijn stoel rond en toen ik opkeek zag ik dat ze allebei een bivakmuts droegen. Echt een afschuwelijk gezicht, ik hoop dat je het nooit zult meemaken. Het zijn absoluut gruwelijke dingen, gemaakt om mensen angst aan te jagen. Ik probeerde me te verzetten, hoewel ik wist dat het geen zin had. Een van hen pinde me met gemak vast, met twee handen op mijn armen en een knie op mijn buik, terwijl de ander met zijn vuist langzaam druk op mijn wond begon uit te oefenen. Ik slaakte een verschrikkelijke, onmenselijke kreet, waarin ik mijn eigen stem amper herkende. Nog steeds kan ik me de pijn niet meer herinneren. Ze zeggen dat je geest geen geheugen heeft voor lichamelijke pijn. Gold dat ook maar voor angst.

'Waar is de geest?' vroeg de man in het zwart geduldig, steeds maar weer, tot ik opnieuw mijn bewustzijn verloor.

Tot op heden zit er een zwart gat tussen die gebeurtenis en het moment waarop ik in het Covent Garden Hotel ontwaakte. Het is geen herinnering die ik wil terughalen. Soms moet je je verlaten op je onderbewustzijn. Als je geen slapende honden wakker wilt maken, moet je ze zeker niet schoppen.

Ik schrok wakker, zodat Dylan, die in een stoel naast me was ingedommeld, overeind schoot.

'Wat is er loos? Is er iets?'

'Waarom hebben ze me niet vermoord?' vroeg ik hem, terwijl ik overeind kwam. 'Waarom hebben ze me niet vermoord toen ze beseften dat ik niet wist waar hij was?'

'Ze hebben het anders wel geprobeerd, in het ziekenhuis,' zei hij, in zijn ogen wrijvend.

'Oké, maar waarom hebben ze zo lang gewacht? Ze hadden me veel gemakkelijker kunnen vermoorden toen ik nog in hun macht was.'

'Je bent aan ze ontsnapt. Dat moet wel.'

'Hoe dan? Ik zat vast in een vliegtuig en werd gemarteld door twee mannen met bivakmutsen op.'

Hij keek me strak aan. Ik zag iets eigenaardigs in zijn gezicht: bezorgdheid, woede, ik wist het niet.

'Waar heb je het over?'

Ik vertelde hem wat ik me zojuist had herinnerd, of had ik het gedroomd? Hij ging naast me zitten en legde zijn handen op mijn schouders.

'Weet je zeker dat het zo is gegaan?'

'Ja,' zei ik. Ik dacht erover na. Mijn herinnering had iets wazigs, iets neveligs, maar ik geloofde niet dat het een droom was. Het had niet dat niet-werkelijke, dat impressionistische wat dromen hebben. 'Nee, ik weet het niet.'

'Kun je je verder nog iets herinneren?' Zijn blik was intens. Maar ja, hij was dan ook een behoorlijk intense man.

Ik schudde het hoofd. 'Waarom hebben ze me niet vermoord?' vroeg ik weer. Ik wilde het weten. Het leek zo belangrijk en dat was het ook. Ik wist alleen niet waarom.

'Wees blij dat ze het niet hebben gedaan,' zei hij, zijn blik afwendend. Hij leek kwaad en ik begreep niet waarom. Ik keek op de klok. Het was na middernacht.

Meteen begon de herinnering al een beetje te vervagen. Ik vroeg me af wie die man was. Had hij iets bekends? Had ik hem wel eens gezien voor hij Sarah neerschoot? Ik zocht mijn geheugen af naar mensen die ik in verband met Max had gezien. Maar ik kon hem niet plaatsen. Misschien speelden mijn zenuwen me wel parten, was het posttraumatische stress.

'Dylan?' vroeg ik. Hij was opgestaan en naar het raam gelopen. Hij legde zijn hand tegen de ruit en staarde naar buiten.

'Ja, Ridley?' Weer dat Engelse accent. Stress? Vermoeidheid? Beide waarschijnlijk.

'Wat weet je allemaal van me?' Ik wist niet waarom ik hem dat toen vroeg. Dat weet ik nog steeds niet.

'Hoezo?' Hij keerde zich niet om om me aan te kijken.

'Ik bedoel, al die tijd dat je me in de gaten hebt gehouden. Wat weet je allemaal van me?'

Hij bleef even stil, ik dacht dat hij niet zou antwoorden. Toen zei hij: 'Ik weet dat je nog steeds naar Duran Duran luistert. Dat je zingt onder de douche. Dat je snurkt.'

Ik zweeg. Ik was verrast en tegelijkertijd voelde ik me geschonden. Plotseling had ik spijt van mijn vraag.

'Ik weet dat je graag ijs eet als je met Jake hebt gevreeën. Ik weet dat je jezelf soms in slaap huilt. Dat je huilt als je gespannen bent, of kwaad, of heel erg moe. Ik weet dat je bozer op je ouders bent dan je ooit zult toegeven. Ik weet dat je een onderzoekende geest hebt, dat je een enorme drang hebt om de waarheid te achterhalen, en dat je stronteigenwijs bent.'

Ik voelde een golf van boosheid in me opwellen. 'Genoeg,' zei ik.

Hij keerde zich om, keek me aan en liep naar me toe. 'Ik weet dat je je vroegere leven mist, dat je de klok wel zou willen terugdraaien, als dat kon.'

'Genoeg,' zei ik opnieuw en stond op van het bed. Mijn boosheid kneep me de adem af. Hij legde zijn handen op mijn onderarmen. Ik probeerde me los te wurmen, maar hij hield me stevig vast.

'Ik weet hoezeer je dit alles haat. Maar vooral hoe je alles haat wat je nu over Max Smiley weet. Je haat het dat hij deel van je uitmaakt.'

Er ontsnapte me een snik en ik vocht tegen zijn greep, maar die werd alleen maar steviger. Ik wilde mijn vingers in mijn oren stoppen en wegrennen.

'Maar ik weet ook dat dat niets uitmaakt, Ridley. Dat je, diep vanbinnen, een en al goedheid bent. Jij bent een van de weinige echt eerlijke, hartelijke en liefhebbende mensen die ik ooit heb gekend. Niets kan dat ooit veranderen. Het doet er niet toe uit wie je voortkomt.' Hij fluisterde nu bijna. Hij liet mijn armen los en veegde met zijn duimen voorzichtig de tranen van mijn gezicht. Daarna legde hij zijn hand in mijn nek en trok me naar zich toe. Hij drukte zijn lichaam tegen me aan en kuste me. Ik voelde hoe ik me aan hem vastklampte, hoe ik de kracht voelde van zijn armen, zijn borst en zijn dijen. Zelfs al zou ik het gewild hebben, dan zou ik niet in staat zijn geweest me van hem los te maken. En ik denk dat hij me niet zo gemakkelijk zou hebben laten gaan, zelfs niet als ik het had gevraagd, zelfs niet als ik verzet had geboden. Ik heb je al een keer verteld dat hij me vasthield alsof hij me kende. En misschien was dat ook zo.

Ik voelde hoe erg hij naar me verlangde en dat verbaasde me. Hij was iemand die niet zoveel liet blijken, die altijd erg afstandelijk leek, zelfs als hij mijn territorium schond. Wat me nog meer verbaasde was hoezeer ik naar hem verlangde. Jake spookte nog steeds door mijn hoofd, maar toch

– of misschien wel juist daarom – wilde ik Dylan Grace. Ik zat nog op zoveel manieren aan Jake vast, dat vrijen met Dylan verraad van ons allemaal betekende. Op een vreemde manier vond ik dat wel een aantrekkelijke gedachte. Ik was er helemaal voor al mijn schepen achter me te verbranden.

Hij begon met mijn kleren. Hij bleef me aankijken, terwijl onze kledingstukken een voor een op de vloer vielen. Op bed voelde zijn huid heet tegen de mijne en even was het al voldoende hem alleen maar te voelen, mijn benen rond de zijne geslagen, mijn armen om zijn nek, mijn lippen in zijn hals. Was het voldoende onze lichamen te verstrengelen. Ik voelde hem zuchten en hij hield me nog steviger vast.

'Ridley,' fluisterde hij. 'God.'

Er lag zoveel emotie in die twee woorden dat ik ervan schrok en mijn verlangen verdween abrupt. Op dat ogenblik voelde hij iets wat ik niet voelde. Maar dat was niet belangrijk. Ik wilde hem geven wat hij nodig had. Hij voelde zo goed aan, zo sterk, zo stevig, zo veilig, dat ik bij hem wilde zijn, in de beschutting van alles wat hij van me wist.

Toen hij me nam, zei hij: 'Kijk me aan, Ridley.'

We bleven elkaar aankijken. Zelfs terwijl hij me kuste, hield hij mijn blik vast. Ik veronderstel dat sommige mensen dat raar zullen vinden. Maar ik wist dat hij het nodig had me in de ogen te zien en dat hij wilde dat ik in de zijne keek. Omdat hij me zo lang in het geheim had bespied, wilde hij me misschien wel laten weten dat hij me nu pas echt zag. Ik voelde me erkend. En daar gaf ik mezelf aan over, terwijl mijn handen het lieflijke landschap van zijn lichaam verkenden, terwijl ik de geur van zijn huid in me opnam, terwijl ik het zachte vlees van zijn lippen proefde, zijn hals, het kuiltje tussen zijn sleutelbeenderen en zijn keel.

Hij zorgde ervoor dat zijn gewicht niet op mijn wond drukte, maar ons samenzijn veroorzaakte toch evenveel pijn als genot.

We lagen verstrengeld in het donker, hij had zijn armen om me heen geslagen. Ik hield zijn handen in de mijne. Aan de stilte hoorde ik dat hij me heel veel wilde zeggen, maar hij zei niets. Ik luisterde naar zijn ademhaling en bedacht dat ik dat geluid prettig vond, dat ik het prettig vond dat hij naast me lag.

'Ik had je die dingen niet moeten zeggen,' zei hij. 'Ik had dat zelfs niet allemaal van je mogen weten. Het is niet eerlijk.'

Daar had hij natuurlijk gelijk in. Hij had me stukje bij beetje moeten leren kennen. Ik had de kans moeten hebben hem alle stukjes en beetjes te geven. Maar het was niet anders. De kaarten waren al gedeeld. We konden spelen of passen.

Dat zei ik ook. Hij knikte begrijpend. Zo bleven we even liggen, we wisten dat we niet veel tijd hadden. We douchten om de beurt in de kleine doucheruimte, kleedden ons in stilte aan en liepen naar de deur. Voor we de drempel over gingen, draaide hij zich om en kuste me zacht. Ik drukte hem even stevig tegen me aan.

'Dank je,' zei hij in mijn oor. Van ieder ander zou dit raar geklonken hebben, alsof ik hem iets had gegeven en recht had op zijn dankbaarheid. Maar ik wist wat hij bedoelde en het raakte me. Ik wist niet wat ik moest zeggen, dus kuste ik hem opnieuw. Ik voelde het vuur alweer oplaaien, maar er was geen tijd. We maakten ons los van elkaar en gingen naar buiten, hand in hand.

17

Toen we uit de grote zwarte taxi stapten, bedacht ik dat ik eigenlijk geen flauw idee had wat we in deze club te zoeken hadden. Ik had een luciferboekje gevonden met een naam erin gekrabbeld, en daar stonden we dan. Als dat niet aangaf hoe hopeloos we ons voelden... De straat in het groezelige deel van het Londense West End was zo goed als verlaten. Ik betaalde de chauffeur en sloot het portier. Ik verloor even de moed toen de taxi optrok en uit het zicht verdween.

'Is er iets?' vroeg Dylan, die mijn aarzeling bespeurde.

'Nee hoor, het gaat prima.'

Ik had een onverklaarbaar voorgevoel dat we een fout maakten, alsof we ons alleen door eigenwijsheid en gebrek aan goede alternatieven hierheen hadden laten leiden. We liepen de straat af op zoek naar het huisnummer. Dylan was stil en waakzaam. Er waren geen andere nachtclubbezoekers op straat en ik hoorde geen dreunende muziek.

De enige aanwijzing dat we de juiste plek hadden gevonden was een opgloeiend blauw licht boven matglanzende metalen deuren. Twee mannen – de een zwart, de ander blank, beiden formaat kleerkast, in lange zwarte jas en met zonnebril op – stonden bij de deur geposteerd.

'Naam?' vroeg de zwarte man kortaf, toen we dichterbij kwamen. Hij pakte een klembord dat naast hem hing.

Ik gaf hem het luciferboekje uit mijn zak. 'Ben ik hier goed?'

Hij pakte iets uit zijn zak wat leek op een pen, maar wat een kleine zwarte zaklamp bleek te zijn. Hij scheen op het boekje en er verscheen nog een symbool. Ik strekte mijn nek om te zien wat het was, maar voor ik het kon identificeren knipte hij het licht uit. Ik was een beetje verbaasd toen hij het me teruggaf, een stap opzij deed en de deur opende.

'Welkom bij The Kiss. De lift links van u brengt u naar de vip-ruimte.

U hoeft alleen deze kaart door de gleuf te halen,' zei hij en overhandigde me een zwarte sleutelkaart. Ik nam hem met een dankbaar knikje aan. De deuren gingen achter ons dicht en we liepen een lange, donkere gang in, waar hier en daar dezelfde blauwe lampen hingen.

'Je bent een ijskoude, Ridley Jones,' fluisterde Dylan, toen we aan het eind van de gang waren en de kaart door de gleuf haalden.

Ik glimlachte flauwtjes. 'Dat valt nog te bezien.'

De lift ging naar beneden en niet naar boven, zoals ik had verwacht. Toen de deuren openschoven, kwamen we in een spelonkachtige ruimte met dreunende technomuziek en deinende lichamen. De dansvloer was gigantisch, er leek geen einde te komen aan de zee van schaars geklede mensen. Ik werd overmand door hetzelfde gevoel dat ik altijd had in clubs in New York City. Te veel indrukken voor mijn observerende geest. De tatoeages, de bodypiercings, de paarse contactlenzen van de ene vrouw, het frambozenrode piekhaar van een andere. Alle details vlogen me aan en bezorgden me het vreemde, afwezige gevoel dat ik altijd krijg in dit soort situaties. Dylan pakte mijn arm en trok me naar zich toe. We liepen naar de bar.

'Ik wil je hier niet kwijtraken,' schreeuwde hij in mijn oor, maar evengoed kon ik nauwelijks verstaan wat hij zei. Ik vroeg me af of hij, als de omstandigheden anders waren geweest, met me zou dansen, of hij zijn lijf met evenveel stijl en ritme op de dansvloer zou bewegen als in bed. Dat zou heel goed kunnen. Hij zag er cool uit met zijn warrige zwarte haar en zonnebril, het begin van een stoppelbaard. Hij droeg een zwartleren jasje en een vale Levi's spijkerbroek met daarop een FCUK t-shirt, dat ik voor hem in Knightsbridge had gekocht. Bij onze eerste ontmoeting had ik hem niet als bijzonder hip ingeschat, maar dat was hij toch wel.

'Wat?' schreeuwde hij.

Ik moet hem hebben staan aanstaren. Ik schudde mijn hoofd.

De onderlip van de barkeeper ging volledig schuil onder een rij zilveren lipringetjes. Een afschuwelijk gezicht. Ik wantrouw mensen die gevoelige lichaamsdelen laten piercen. Is het leven al niet pijnlijk genoeg? Veroorzaakt het al niet voldoende littekens? Zijn hoofd was kaal geschoren en hij had een tatoeage van een zwart klavertjevier onder zijn oog.

Dylan boog zich over de bar en schreeuwde iets tegen de barkeeper. Ik ging helemaal op in het bekijken van het publiek. De muziek dreunde zwaar, drong door tot diep in mijn lijf. Ik herinner me dat we op de universiteit xtc namen als we gingen dansen, hoe de muziek door mijn aderen leek te pulseren en mijn geest helemaal overnam. Daarna heb ik niet veel meer met drugs geëxperimenteerd. Ik merkte dat ik een hekel had aan het gevoel mijn grip op de werkelijkheid te verliezen. Maar dansen op xtc, dat de prikkels in je hersenen verandert, was behoorlijk heftig, een herinnering die clubmuziek altijd weer bij me oproept. Ik kreeg de neiging de dansvloer op te stappen en me te mengen tussen al die lichamen in het flitsende licht van de stroboscoop, me te verliezen in de muziek.

Ik zag een zwarte vrouw met stijf overeind staand platinablond haar in een leren jurk met bijpassende laarzen haar fantastische lijf schuren tegen een al even oogverblindende blondine in een witte tuniek met daarover een gaasachtige stof, die door de ventilatoren werd opgewaaid. De stof dwarrelde als rook om haar heen. Ik zag een slechtgeklede, kalende man met een onzekere blik in zijn ogen een roodharige vrouw versieren, die diep verveeld keek en ietwat onvast op haar benen stond. Ik zag een jong meisje in spijkerbroek en topje, dansend in haar eentje, ronddraaiend op een ritme dat alleen zij hoorde. Aan haar glazige blik zag ik dat ze zo stoned was als een garnaal.

Dylan gaf me een glas bier en wees naar een smalle trap die bij een fluwelen gordijn uitkwam.

'Angel!' schreeuwde hij.

Ik knikte en we liepen die kant op.

Het leven is een merkwaardige puzzel. Soms heb je al een paar stukjes voor je weet waar ze passen. De trap op lopend bedacht ik hoe ik dat luciferboekje, met de naam van een vreemde erin, in het appartement van Max had gevonden en dat ik me toen nooit had kunnen voorstellen dat het me naar een club in Londen zou brengen, in het gezelschap van een deserterende FBI-agent nog wel. Beiden waren we op zoek naar dezelfde, maar tegelijkertijd o zo verschillende zaken, en beiden bleven we maar struikelen over de puinhoop van ons leven. Als ik beter op de voortekenen had gelet, dan had ik geweten dat er geen goede uitweg was uit deze situatie, dat het vanaf nu alleen maar slechter kon gaan. Maar ik was nog steeds naïef genoeg om te denken dat alles in orde zou komen.

Achter het fluwelen gordijn was het stiller.

'Dit is de vip-ruimte,' zei Dylan. 'Hier moet Angel zijn, volgens de barkeeper.'

We kwamen bij een andere matchromen deur met net zo'n kaartslot als bij de lift. Toen ik de kaart erdoorheen haalde, sprong het rode lichtje op groen. Een harde klik gaf aan dat de deur open was. We duwden hem open.

Zo lawaaierig als het beneden was geweest, zo rustig was het hier. In de rokerige lucht zweefde een lichte jazzmelodie. Langs de wanden van een grote, open ruimte met daarboven een hoog plafond stonden lange, lage tafels en er lagen kussens op de vloer. Er waren verschillende kleine zitjes met middenin een cocktailtafeltje. Rond enkele zitjes hingen dunne gordijnen; erachter werd bewogen en gefluisterd. De ruimte werd geheel door kaarsen verlicht. Op de tafels, aan de wanden, en in reusachtige kroonluchters die met kettingen aan het plafond hingen, overal waren kaarsen. Gothic en hypermodern in één. Achter een van de gordijnen tinkelde de lach van een vrouw als ijs in een glas. Het leek me een heerlijke plek om te loungen; in een ander leven, welteverstaan.

We glipten een van de afgeschermde ruimten in en gingen dicht tegen elkaar op de pluchen bank zitten.

'Er komt iemand naar ons toe,' fluisterde hij. Ik schoof dichter tegen hem aan en hij sloeg zijn arm als vanzelfsprekend om mijn schouders. Ik probeerde me voor te stellen dat we samen uit waren. Ik probeerde me voor te stellen hoe het zou zijn zonder al die afschuwelijke dingen die tussen ons en om ons heen waren gebeurd. Maar dat lukte niet. Ik weet het, echt meisjesfantasieën. Ik moest mijn hoofd erbij houden, en dat deed ik.

Even later kwam er een superslanke jongeman ons zitje binnen. Hij was geheel in het zwart, inclusief zwarte eyeliner en zwarte lippenstift.

'We komen voor Angel,' zei ik, toen hij vroeg wat we wilden drinken.

Hij trok zijn wenkbrauwen op. 'Angel?' zei hij.

Ik knikte en hij keek met een vreemd glimlachje afwisselend van mij naar Dylan.

'Zoals je wilt,' zei hij, licht lispelend. 'Wie kan ik zeggen dat er is?'

Ik aarzelde en keek naar Dylan.

'Zeg maar dat Max er is,' reageerde hij snel.

De man knikte en liep weg. Ik keek Dylan aan en hij haalde zijn schouders op.

'Weet jij iets beters?' wilde hij weten.

Ik gaf hem geen antwoord en nam een paar teugjes van de Guinness die hij me beneden had gegeven. Het was donker en smakelijk, een beetje aan de sterke kant. Ik was niet zo'n bierdrinker, maar het smaakte me best en de lichte roes die het gaf voelde weldadig en hielp me te ontspannen.

Na even wachten kwam er een andere man, meer het type uitsmijter dat bij de deur had gestaan, die ons voorging een gang in. Hij had een stevig postuur, keek nors en zijn lange zwarte jas sleepte over de grond. Hij voerde ons langs een rij deuren tot we bijna aan het einde van de gang waren. Ik kreeg een kurkdroge mond en voelde de adrenaline door mijn lijf gieren. Ik dacht aan de lange gangen, de kaartsloten, de lift die we moesten nemen om buiten te komen. Ik kreeg het gevoel dat we in de val zaten. Ik vroeg me af of we geen verschrikkelijke vergissing begingen. Maar het was te laat om nog iets te zeggen. Dit was ons laatste aanknopingspunt. Ik had geen idee wat er zou gebeuren.

Hij opende de laatste deur en we stapten naar binnen. Daarna deed hij de deur achter ons dicht. Het was duidelijk wat Angel deed voor de kost. We stonden in een schaars verlichte kamer met als belangrijkste meubelstuk een enorm bed, rechts van ons. Links was een klein zitgedeelte. Het zag er tamelijk sjofel en slonzig uit. In zo'n kamer verwacht je veel fluweel en kaarsen, pluchen kussens en muziek, maar dat was de schrijver in mij, die accessoires toevoegde om de juiste sfeer te creëren. Of het was de naïeve Ridley die zich een rendez-vous voorstelde en romantiek wilde zien waar het slechts om een zakelijke transactie ging. Deze ruimte was praktisch. Degenen die hier kwamen wilden maar één ding en ze wilden het rauw.

Ik keek naar het gezicht van Dylan, maar dat was uitdrukkingsloos. Ik kon zijn ogen niet zien achter de donkere glazen. Ik wilde weg, maar hoorde dat er een andere deur werd geopend en toen wist ik dat het te laat was.

Ze kwam vanachter een fluwelen gordijn vandaan, dat ze zwierig met haar arm opzij zwiepte.

'Max,' zei ze zacht en zwoel. 'Ik probeer je al een tijdje te bereiken.'

Er lag een brede glimlach op haar gezicht, maar die verdween zodra ze ons zag. Ze had verbluffend mooi kunnen zijn, deze Aziatische vrouw met haar lange, volle, gitzwarte lokken en haar onmogelijk ranke lichaamsbouw. Haar fijne gelaatstrekken getuigden van vervlogen schoonheid. Ze oogde gebruikt en moe. Ze zag er gebroken uit. Ik dacht aan wat ik in Jake's dossier had gelezen over vrouwen en meisjes die werden ontvoerd en als seksslavinnen verkocht. Ik vroeg me af of zij zo'n meisje was geweest en of dit was wat er na tien, vijftien jaar van je restte. Die gedachte stemde me droevig.

'Wie zijn jullie?' vroeg ze.

Ik zag dat ze voorzichtig achteruit begon te lopen, terug naar het gordijn, maar Dylan was haar voor. Hij greep haar vast en draaide haar ruw om, met zijn hand op haar mond. Eerst verweerde ze zich, maar daarna verstijfde ze. Het duurde even voor ik besefte dat hij zijn pistool tegen haar rug hield. Ik wist niet eens dat hij het meegenomen had. Mijn maag kromp ineen.

'Ik waarschuw je...' zei hij tegen haar, met lage en dreigende stem. Hij dreef haar naar de stoel en duwde haar erin.

'Dylan,' zei ik. Ik kende hem nauwelijks terug.

Hij sloeg geen acht op me. Hij greep haar bij de keel en zette het pistool op haar slaap. 'Hoe heb je hem geprobeerd te bereiken?'

Ze rochelde afschuwelijk en klauwde naar de hand om haar hals. Ik zag dat ze zijn hand open had gekrabd, maar hij gaf geen kik.

'Nou, vertel op?' Ik herkende zijn stem zelfs niet meer, het leek wel of hij gromde.

Hij verslapte zijn greep een beetje en ze haalde luid reutelend adem. Ze keek hem met smekende ogen aan en ik legde een hand op zijn schouder.

'Dat kan ik niet zeggen,' zei ze. De tranen die in haar ogen opwelden liepen in vreselijke, zwarte stromen mascara langs haar wangen. 'Dan vermoordt hij me.'

'Je kunt nu doodgaan of later. Zeg het maar.'

Hij keek me even aan en ik voelde een verschrikkelijke kramp in mijn buik – schuldgevoelens, angst, pijn. Waar waren we mee bezig?

'Dylan, hou op,' zei ik.

'Ridley,' zei hij, zich naar me omdraaiend, 'bemoei je er niet mee.'

Ik liep achteruit en ging bij de deur staan. Ik was nutteloos, dit ging me boven de pet. Ik had geen ervaring met dit soort situaties. Hoe had ik me deze ontmoeting voorgesteld? Ik wist het niet.

'Ik geef je nog één seconde en dan breek ik je nek, begrepen?'

Ik verstijfde. Zou hij deze vrouw echt doden als ze ons niet vertelde wat we wilden weten? Ik kon het niet geloven, maar hij was wel erg overtuigend. Misschien was dat nodig om in zo'n situatie te kunnen winnen. Ik zag dat ze knikte en een gevoel van opluchting maakte zich van me meester. Hij liet haar keel los. Ze hoestte en snikte kort.

'Ik kan alleen maar berichten voor hem achterlaten op het internet,' zei ze met hese stem. 'Op een website.'

'Geef me het adres, je inlognaam en wachtwoord,' zei hij. Hij keek me aan en ik haalde snel pen en papier uit mijn jaszak. (Je bent schrijver of niet. En een schrijver kan niet zonder.) Ze krabbelde wat neer en gaf het papiertje aan me terug. Het verbaasde me niet het adres te zien dat ik inmiddels uit mijn hoofd kende. Haar inlognaam was *angellove*, haar wachtwoord *serendipity*.

'Waar ken je hem van?' vroeg ik. 'Wat betekent hij voor je?'

Ze keek me aan alsof ik gek was en begon haar hals te masseren op de plek waar Dylan haar had vastgegrepen.

Ik probeerde me Max voor te stellen op een plek als deze. Ik kreeg er geen beeld bij, hoe ik mijn best ook deed. Zo veel van wat ik over Max te weten was gekomen, paste niet bij mijn herinnering. Ik besefte dat ik haar aanstaarde, ze ontweek mijn blik. Dylan pakte het papiertje uit mijn hand, wierp er een blik op en keek vervolgens naar haar.

'Als je liegt, dan weet ik je te vinden, ik zweer het,' zei hij.

Die blik en die stem, zo kende ik hem niet.

Ze schudde het hoofd en lachte kort. 'Ik ben al dood.'

Plotseling liep hij op haar af en sloeg haar hard tegen het achterhoofd. Ze zakte in elkaar als een marionet waarvan de touwtjes doorgesneden werden en zonk neer in de stoel. Hij maakte aanstalten om te gaan en moet de uitdrukking van afschuw op mijn gezicht hebben gezien, want hij bleef staan.

'Ze is niet dood, Ridley,' zei hij. Zijn accent was duidelijker dan ooit. 'Ik heb haar uitgeschakeld om weg te kunnen komen.'

Ik liep naar haar toe en legde mijn vingers tegen haar hals. Het was een opluchting haar hartslag te voelen. Dylan greep me bij de arm en we gingen The Kiss uit alsof er niets was gebeurd.

Buiten de club sprongen we in een taxi en vroegen de chauffeur ons naar een internetcafé te brengen. De hele weg had hij het over de aanslagen op de ondergrondse van een paar maanden eerder en over die 'klote-Arabieren' en 'klote-Amerikanen' die de hele wereld naar de klote hielpen. Ik keek uit het raampje, zag de gebouwen voorbijflitsen en hoorde nauwelijks wat hij zei. Zo nu en dan wierp ik een steelse blik op Dylan, die zijn zonnebril had afgezet en af en toe ook naar mij gluurde.

'Denk je dat ze ons die informatie zomaar gegeven had?' vroeg hij ten slotte.

Ik haalde mijn schouders op en schudde het hoofd. 'Zou je haar hebben gedood als ze het niet had gedaan?' fluisterde ik.

'Natuurlijk niet,' zei hij vol ongeloof. 'Nee.'

'Dus je hing gewoon de zware jongen uit?'

'Ja,' zei hij, alsof dat voor zichzelf sprak.

'Het was knap overtuigend.'

'Als het dat niet was geweest, had het niet gewerkt,' zei hij schouderophalend.

Even waren we stil. Toen zei hij: 'Ik vergeet het ook steeds.'

'Wat?'

'Dat jij mij niet zo goed kent als ik jou ken.'

Ik bekeek hem en zag dat de krassen die Angel met haar nagels had gemaakt er rood en pijnlijk uitzagen. Ik wist niet wat ik moest zeggen. Hij had gelijk en het wees me erop hoe oneigenlijk onze relatie was, hoe hij was begonnen onder een sluier van leugens en voortbestond in een mengeling van dreiging en onzekerheid. Onze enige gezamenlijke openbare optredens waren een moord in een donkere ziekenhuiskamer en de gewelddadige bedreiging van een prostituee in een nachtclub in het West End van Londen. Ik vroeg me af of we nog iets anders gemeenschappelijks hadden dan onze gedeelde obsessie voor mijn vader. Ik vroeg me af of we ooit de kans zouden krijgen om dat te ontdekken.

Sommigen van ons hebben het, anderen hebben het niet. Ik denk dat dat het verschil was dat Max had vastgesteld. Sommige mensen hebben weinig vragen, het ontbreekt ze aan dat heilig vuur in hun houding ten opzichte van de wereld. Ze zijn tevreden met hun voorspelbare leventjes, waar alles wat nog voor hen in het verschiet ligt een herhaling van een spelshow lijkt. Ze kennen alle antwoorden al en weten hoe het spelletje afloopt. Ze hebben geen drang tot reizen of tot het stellen van vragen die het verstand te boven gaan: Wie ben ik? Waarom ben ik hier? Is dit alles wat er is? In plaats daarvan stralen ze zekerheid uit over zichzelf en de wereld om zich heen. Ze werken. Ze gaan naar de kerk. Ze zorgen voor hun gezin. Ze weten dat waar zij in geloven juist is. Ze weten dat al het andere verkeerd is, of slecht.

Anderen hebben het niet en blijven altijd zoeken. We kwellen ons met filosofieën en we willen de hele wereld zien. We trekken alles in twijfel, zelfs ons bestaan. Ons leven lang stellen we vragen en we nemen nooit genoegen met de antwoorden, omdat we vinden dat niemand voldoende gezag heeft om de juiste antwoorden te kunnen geven. We zien het leven en de wereld als een gigantisch grote puzzel, die we alleen maar kunnen voltooien als we alle stukjes hebben verzameld. De gedachte dat we het nooit zullen doorgronden, dat onze vragen onbeantwoord kunnen blijven tot de dag van onze dood, komt zelden in ons op. En als die wel in ons opkomt, slaat ons de angst om het hart.

Zo verging het ook mij. We waren in een internetcafé dat dag en nacht was geopend. Het was bijna vier uur in de nacht en ik had het gevoel dat we de enige twee mensen in Londen waren. We stonden gebogen over een computer, typten de URL in de adresbalk en het rode scherm verscheen. Met de tab zocht ik naar de openingen en ik voerde de inlognaam en het wachtwoord van Angel in. Midden in het scherm ging een klein venster open. Ik zag dezelfde streaming video als ik bij Jake had gezien. Op de video was het klaarlichte dag, dus ik wist dat het niet live was. Ik bracht mijn gezicht dichter bij het scherm. Van rechts kwam een man in beeld. Hij bewoog zich onzeker, met behulp van een stok, en het leek alsof de andere mensen op straat hem voorbijholden. Hij droeg een lange bruine jas en een tweed pet met een klep. Toen bleef hij staan en draaide zich om.

Hij was mager en doodsbleek, alsof hij vanbinnen door iets werd opgevreten. Het was niet de man van vroeger. Het was iemand die uitgehold was, gebroken. Hij keek naar de camera, die zich ergens aan de overkant van de straat moest bevinden. Hij bewoog zijn lippen, maar ik kon niet horen wat hij zei, net als in mijn droom. Maar hoe veranderd hij ook was, er bestond geen twijfel over naar wie ik keek. Het was Max. Mijn vader.

Ik voelde een verschrikkelijke pijn vanbinnen, die er altijd moet zijn geweest, die me al die tijd had voortgedreven. Die pijn lag ten grondslag aan alles wat ik had gedaan, aan elke fout die ik had gemaakt, aan elke roekeloze en gedachteloze daad sinds het moment dat Dylan me voor het eerst op straat had aangesproken. Ik had mijn hele leven kapotgemaakt om die lege plek binnen in me, de donkere schaduw van mijn vader, in te vullen. Ik had iets nodig waarvan ik nog steeds geloofde dat alleen hij het me kon geven. En ik had mezelf bijna te gronde gericht om het te krijgen.

'Wat zegt hij?' vroeg Dylan.

De video werd steeds herhaald. Hij eindigde abrupt en dan stak Max weer langzaam de straat over, draaide zich om en zei iets, terwijl hij in de camera keek. Alles bij elkaar duurde het misschien tien seconden.

Ik bekeek het verschillende malen en concentreerde me op zijn mond. Na de vierde keer wist ik het. Ik leunde achterover in mijn stoel.

'Wat?' vroeg Dylan. 'Wat zegt hij?'

Ik keek hem aan. 'Hij zegt: "Ridley, ga naar huis."'

Op dat moment overvielen ze ons, wellicht met het idee dat dit het einde was, dat mijn armetierige, futiele aanwijzingen me niet verder zouden brengen. Ze kwamen zowel van voren als van achteren het café in. Ze schenen met hun zaklampen door de ramen, stormden met getrokken pistool naar binnen, droegen kogelwerende vesten en maakten een hels kabaal. Te veel van het goede, als je het mij vraagt. Ik bleef maar naar het scherm staren, ik bleef maar kijken naar Max, ik legde mijn handen achter tegen mijn hoofd en voelde de harde pieken van mijn vreemde haar. Dylan, die naast me stond, deed hetzelfde. Twee mannen fouilleerden hem en namen hem zijn pistool af.

Ik keek er niet van op toen inspecteur Madeline Ellsinore in de deuropening verscheen. Ze hield haar blik op mij gericht, ik meende medeleven in haar ogen te bespeuren.

Ik keek er evenmin van op Jake te zien, met een zwart kogelwerend vest over zijn jas en in zijn hand een pistool.

18

Tot voor kort had ik een tamelijk rustig leventje, je zou zelfs kunnen zeggen dat alles op zijn dooie akkertje ging, totdat één enkele gebeurtenis mijn leven op zijn kop zette. Daar komt het eigenlijk op neer. Ik zat in een koude, grijze ruimte, in het akelige licht van flikkerende tl-buizen, en dacht terug aan dat ogenblik dat ik de straat op was gerend om Justin Wheeler te redden. Dylan had gelijk gehad. Als het had gekund, had ik misschien wel alles teruggedraaid. Maar nu weet ik dat alles al lang vóór die dag in beweging was gezet. Ik had de illusie gekoesterd dat ik enige zeggenschap over mijn leven had. Het begon nu tot me door te dringen dat dat nooit het geval was geweest.

Hij liep de ruimte binnen en sloot de deur. Hij zei niets terwijl hij tegenover me aan tafel ging zitten. Ik kon me er niet toe brengen mijn ogen op te slaan. Zijn verraad was zo gruwelijk, zo onbegrijpelijk, dat ik bang was vuur te zullen gaan spuwen als ik hem aankeek.

'Ridley,' zei hij ten slotte.

'Was het allemaal gelogen? Alles?'

Hij bleef even stil. Toen zei hij: 'Het spijt me.'

'Het spijt je?'

'Ik gaf echt om je, Ridley,' zei hij met een stem die ik niet herkende. Hij kwam zo kil en formeel over, vooral op deze plek, onder deze omstandigheden. 'Dat doe ik nog steeds. Maar dat hoorde niet bij het plan. Het was een onbedoelde bijkomstigheid, een complicatie.'

'Een foutje,' zei ik. Had hij echt gezegd dat hij om me gaf? Zoals je geeft om het milieu of geeft om een oude tante? Ik dacht aan de liefde die ik voor deze man had gevoeld, aan al die keren dat ik hem mijn lichaam en mijn hart had geschonken, mijn diepste vertrouwen. Aan alle waarheden die ik had onthuld, al mijn pijnlijke geheimen die ik met hem had gedeeld. Ik had mezelf opengesteld en blootgegeven. Ik voelde een diepe schaamte, een verlangen om mijn naaktheid te bedekken.

'Geen foutje,' zei hij zacht, meer als de man die ik kende. Ik voelde zijn hand op de mijne en ik trok mijn hand snel terug. Ik raapte al mijn moed bijeen en keek op. Hij zag er moe en droevig uit, met donkere wallen onder de ogen en een vertrokken mond.

'Waag het niet me ooit nog aan te raken,' zei ik.

Hij boog zijn hoofd. God, wat haatte ik hem.

'Even voor de duidelijkheid,' zei ik. 'Je verleden als Project Kinderhulpkind, onze relatie, je sculpturen, alles wat ik van je weet – was dat allemaal gelogen? Niet meer dan een dekmantel?'

Hij knikte langzaam. 'Ja.'

Ik werd acuut misselijk en ik zweer je dat ik dacht dat ik ter plekke over mijn nek zou gaan. Maar ik slaagde erin het binnen te houden. Ik proefde het donkere bier dat ik kort tevoren had gedronken. Het smaakte als de waarheid, bitter en zuur, achter op mijn tong.

'Waarom?' vroeg ik. Ik hoorde de wanhoop in mijn stem.

'Je weet waarom.'

Ik schudde mijn hoofd. 'Nee. Je had me niet op zo'n persoonlijke manier hoeven bedriegen om Max te vinden. Je had me kunnen laten schaduwen, me van een afstand in de gaten kunnen houden. Ik zou het nooit hebben geweten.'

Hij antwoordde niet, maar liet het me zelf bedenken. En toen begreep ik het.

'Je moest me kunnen manipuleren. Zorgen dat het in mij bleef leven, hier en daar zaadjes uitstrooien, dat dossier laten zien. Je moest me goed genoeg leren kennen om te weten hoe je me op het juiste ogenblik in actie kon krijgen.'

Gelukkig zag ik schaamte en spijt op zijn gezicht, maar dat was bij lange na niet voldoende. Allerlei dingen die ik nooit had begrepen, werden me nu opeens duidelijk: Jake's obsessie voor Max, hoe hij altijd wist waar ik was, hoe hij altijd mijn gedachten leek te kunnen raden, hoe hij er steeds weer in slaagde mijn nieuwsgierigheid op te stoken en het verleden levend te houden. Bijna twee jaar lang. Plotseling had ik geen wroeging meer dat ik met Dylan naar bed was geweest.

Ik dacht aan de laatste momenten die we samen hadden doorgebracht, in die Cubaanse tent in de Bronx en bij de muur van de Cloisters.

'Die dingen die je tegen me zei, de laatste keer dat we samen waren. De beloften die je deed. Waar sloeg dat op?'

Hij schudde zijn hoofd en ik zag dat zijn ogen vochtig werden. Hij stond op en liep naar het smalle raam, dat met draadgaas was beveiligd. Ik begreep het. Niet alles was gelogen. Er was echt iets tussen ons geweest. Maar dat was nu voorgoed voorbij. Tijdens die laatste momenten moet hij hebben geweten dat de zaak afliep. Op zijn eigen manier had hij geprobeerd ons te redden. Dat maakte het alleen maar erger.

'Dus het was de CIA die avond. Zij hebben dat sms'je gestuurd. Zij hebben ons bij de Cloisters achternagezeten. Zij hebben me naar Londen gebracht.'

Hij schudde weer zijn hoofd. 'Nee,' zei hij.

'Wie dan?'

'We denken dat Max het bericht heeft gestuurd. Als je die avond alleen was gegaan, had je hem misschien gezien.'

Ik dacht aan de auto die langzaam de toegangsweg op was gereden, aan de mannen tussen de bomen. Had hij achter in die auto gezeten? Zich verscholen in het bos?

'Dus het waren jouw mannen? De CIA kwam Max arresteren.'

Weer schudde hij zijn hoofd. Ik was hier niet goed in, geloof ik.

'Er zijn veel mensen, erg slechte mensen, op zoek naar Max. Ik weet niet of ze jou gevolgd zijn of dat ze het sms'je hebben onderschept, maar ze waren er eerder dan mijn mensen.'

'Grant,' zei ik zacht. 'Ik heb Grant Webster verteld waar ik naartoe ging en hoe laat ik er moest zijn. Zo zijn ze erachter gekomen.'

'Misschien,' zei hij met een traag knikje.

Ik sloeg mijn ogen neer en vroeg me af of ze hem hadden gemarteld. Ik herinnerde me hoe spannend hij het had gevonden bij al die complotten betrokken te worden.

'Wie heeft me dan naar Londen gebracht?' vroeg ik na een poosje. 'Hoe zijn mijn paspoort en die tweeduizend pond in mijn tas terechtgekomen?'

'We hebben enkele verdachten,' zei hij vaag.

'Namelijk?' drong ik aan.

Hij zei niets, keek me alleen strak aan. Ik werd pisnijdig.

'Ze hebben me gemarteld,' gilde ik. Ik stond op en trok mijn shirt omhoog om de wond en de blauwe plekken op mijn lijf te laten zien. 'Ik wist niets over Max. Ik wist niet eens waarom ze hem de geest noemden. Ik snapte niet eens wat ze me vroegen.'

Hij reageerde scherp. 'Daarmee heb ik niets te maken gehad. Ik heb geprobeerd je te beschermen, Ridley. En ik heb gefaald.' Hij trok aan de hals van zijn trui en liet een dik verband om zijn schouder zien. Ik herinnerde me dat ik had gezien dat hij werd neergeschoten. Ik had hem zien vallen. De herinnering maakte me duizelig. Ik keek voor ik weet niet hoe lang in zijn groene ogen. Het sierde hem dat hij zijn blik niet afwendde. Ik weet niet wat ik in zijn ogen zocht, maar ik verzeker je dat ik het niet vond. Ik begreep hem niet en ook niet hoe hij had kunnen doen wat hij had gedaan – of hoe ik zo volledig in zijn leugenachtige identiteit was getrapt. Daar stonden we dan, elkaar onze wonden te tonen. Ik weet niet wat we wilden bewijzen. Ik deed mijn shirt omlaag en ging weer zitten. Hij deed hetzelfde.

'Daaraan zou ik nooit hebben meegedaan,' zei hij.

'O, maar je hebt er wel aan meegedaan. Je had de hoofdrol.'

De stilte tussen ons was om te snijden.

'Waarom hebben ze me niet vermoord?' vroeg ik ten slotte. 'Toen bleek dat ik niet wist waar Max was, waarom hebben ze me toen in leven gelaten? Hoe ben ik in dat hotel beland?'

Hij zuchtte. 'Iedereen wil hetzelfde van je, Ridley.'

Hij legde zijn hand op een dossier dat tussen ons in op tafel lag. Ik was zo door andere dingen in beslag genomen geweest, dat ik het niet had opgemerkt. Hij sloeg het open en haalde er een foto uit die hij naar me toe schoof. Ik herkende hem meteen. De man in het vliegtuig met de littekens in zijn gezicht. De man die Sarah Duvall had vermoord. Hij was walgelijk lelijk, met lichte ogen zonder oogleden, een brede, smalle mond en een vreemd gevormde neus. Die littekens... brandwonden, denk ik. Hij zag eruit als iemand die ondraaglijke pijnen had uitgestaan, die het kwade in hem hadden wakker gemaakt. Ik huiverde. Ik denk dat ik zijn stemgeluid nooit zal vergeten.

'Wie is hij?'

'Hij heet Boris Hammacher.'

Ik wachtte op meer, maar dat kwam niet. Waarom moest ik toch altijd alles eruit trekken? Kon niemand me nu eens een keer gewoon vertellen wat ik wilde weten?

'En?' zei ik.

'Hij is een huurmoordenaar. Hem moet je hebben als je iemand wilt laten opsporen en omleggen.'

'Zoekt hij Max?' vroeg ik.

Hij knikte. 'Dat kun je wel stellen, ja.'

'Hij heeft me in leven gelaten omdat hij dacht dat Max naar me toe zou komen.'

'Dat vermoed ik.'

Merk je hoe glad hij is, hoe hij niets bevestigt of ontkent? Het kan zijn dat hij de antwoorden op mijn vragen niet wist, maar het is waarschijnlijker dat hij ze gewoon niet wilde beantwoorden.

'Hij is de man die ik op straat heb gezien.' Ik pakte de foto. Ik herinnerde me hoe ik hem achterna had gezeten, hoe snel hij was geweest. 'Hij heeft Sarah Duvall vermoord. Waarom? Ze wist niets.'

Jake stond op en begon door het vertrek te ijsberen. 'Ik weet het niet, Ridley. Ik weet niet of hij haar achtervolgde of jou. Misschien dacht hij dat ze iets wist over de verdwijning van Myra of misschien vreesde hij dat Myra aanwijzingen had achtergelaten. Misschien wilde hij haar voor alle zekerheid uit de weg ruimen. Misschien wilde hij jou angst aanjagen.'

'Heeft hij Myra Lyall vermoord?' vroeg ik.

'Myra Lyall had iets gehoord wat ze niet had mogen horen. Zoals je weet was ze onderzoek aan het doen voor een artikel over baby's van Project Kinderhulp en blijkbaar heeft iemand naar haar gelekt dat de CIA geloofde dat Max Smiley nog in leven was. Ze is de CIA vragen gaan stellen. Ze is bij Esme Gray langsgegaan. Ze was gewoon aan het vissen. Voor zover wij weten, had ze geen concrete bewijzen. Wij geloven dat Boris Hammacher dacht dat ze meer wist dan ze in feite deed. Toen dat niet zo bleek te zijn, heeft hij haar vermoord.'

'Voor wie werkt hij? Wie zit er achter Max aan?'

'Dat kan iedereen zijn. Max had veel vijanden.'

Hier moest ik even over nadenken. Myra, Sarah en Grant, allemaal waren ze dood vanwege Max en de enige reden dat ik me nog niet onder hen had geschaard, was dat iedereen verwachtte dat Max op een goede dag contact met me zou zoeken.

'Wie heeft Esme Gray vermoord?'

'Esme Gray leeft nog.'

'Maar...'

Hij liep terug naar de tafel en ging zitten.

'Heb je je nooit afgevraagd hoe ze aan gerechtelijke vervolging is ontkomen? Heb je het nooit vreemd gevonden dat niemand veroordeeld is voor Project Kinderhulp? Ze heeft zich bij ons gemeld toen Max contact met haar zocht. Ze heeft er een deal uit weten te slepen, voor zichzelf en haar zoon. Er is afgezien van strafvervolging in ruil voor haar hulp bij onze zoektocht naar Max Smiley. Zack, haar zoon, komt binnen vijf jaar vrij.'

Dit was geen aangename informatie. Zack had geprobeerd me te vermoorden en hij haatte me nog steeds. Toch viel het feit dat hij over niet al te lange tijd weer vrij man zou zijn in het niet bij al het andere.

'Waarom dan doen alsof ze dood is?'

'Ze heeft fouten gemaakt in haar omgang met jou. Ze heeft je te veel informatie gegeven door de naam van Myra Lyall te noemen. Dylan Grace viel haar voortdurend lastig. Ze werkt al met ons samen vanaf het moment dat we beseften dat haar identificatie van het lijk van Max vals was, en dus wist ze veel over het onderzoek. Al dat bedrog had haar veel stress bezorgd, en ze kon niet meer hebben. Ze had waandenkbeelden dat Max haar verraad zou ontdekken en haar zou weten te vinden. We vreesden dat ze een zwakke schakel was geworden, dat ze het zou begeven als er te hard aan haar getrokken zou worden. Dus hebben we haar uit het veld gehaald.'

'Hebben jullie er met opzet voor gekozen haar zogenaamd dood te laten slaan? Volgens de FBI is dat Max' handelsmerk.'

'Het ging erom dat haar gezicht onherkenbaar was.'

Ik zei niets, maar wierp hem een blik toe die hopelijk aangaf hoezeer ik op alle mogelijke manieren van hem walgde.

'En haar DNA en vingerafdrukken, haar gebitsgegevens? Je kunt tegenwoordig niet zomaar iemands gezicht tot moes slaan en denken dat je ermee weg komt.'

'De CIA heeft het onderzoek overgenomen, dus dat konden we regelen. Dat gebeurt altijd bij getuigenbeschermingsprogramma's.'

We waren allebei even stil. Er waren zoveel vragen. Op sommige daarvan wilde ik een antwoord, op andere niet. Welke vraag moest ik nu stellen? 'Oké, en waar is hij nu?'

'We weten dat hij niet in Londen is. Hij is waarschijnlijk al jaren niet meer hier geweest. Die video van hem die je hebt gezien is waarschijnlijk over het straatbeeld heen gezet. Digitale beeldtechniek. Hij kan overal ter wereld zitten.'

Hij kon overal ter wereld zitten, maar hij leefde nog. Ik voelde vrees en woede en, ja, ook een sprankje hoop.

'Waarom zit iedereen dan hier?'

'Boris Hammacher dacht, net als wij, dat Max in Londen was. Vermoedelijk is dat de reden waarom hij je hierheen heeft gebracht. En door Dylan Grace in de gaten te houden, vonden we jou.'

'Want iedereen wil hetzelfde van mij.'

Al deze mensen cirkelden als aasgieren boven het rottende kadaver van mijn leven, allemaal wachtend tot Max in actie zou komen, zodat zij op hun beurt in actie konden komen. Maar Max liet zich niet zien. Ik was neergeschoten, ontvoerd, gemarteld, aan mijn lot overgelaten in een buitenlandse hotelkamer, naar een ziekenhuis gebracht waar opnieuw werd gepoogd me te vermoorden, weer ontvoerd, door heel Londen gejaagd en uiteindelijk gearresteerd. Maar Max liet zich niet zien. Hij heeft met iedereen een spelletje gespeeld. Of met mij.

Ik wist dat dit een gesprek vol leugens en halve waarheden was, maar ik wist ook dat het het eerste bijna-eerlijke gesprek was dat ik ooit met die man vóór me had gevoerd. Het stemde me droevig. Ik voelde me plotseling zo moe, alsof ik dagenlang zou kunnen slapen. Ik was jaloers op Rip van Winkle. Net als hij wilde ik honderd jaar slapen en dan wakker worden en merken dat alles wat ik had gehaat en liefgehad tot stof was verworden.

'Maar waar gaat het nu om? Waarom is iedereen zo gebrand op Max Smiley? Waarom is iedereen op zoek naar de geest?'

Jake's gezicht was ondoorgrondelijk.

'Omdat hij van al die moorden wordt verdacht?'

Geen antwoord.

'Nee,' zei ik in de stilte. 'Niemand die een paar prostituees wat kan schelen. Een stel dode Interpolagenten zouden nog wel voor wat internationale heibel kunnen zorgen. Maar er moet meer achter zitten. Het moet om meer dan één man gaan.'

'Max Smiley is meer dan één man,' zei Jake. 'Hij is een spil in een internationaal crimineel netwerk. En dat al vele tientallen jaren.'

'Wat voor soort criminaliteit?'

'Dat is ingewikkeld, Ridley.'

'We hebben toch de tijd?'

Hij zuchtte en leunde achterover op zijn stoel. 'Het begon met Project

Kinderhulp. Samen met Esme Gray bedacht hij het plan om kinderen die thuis werden mishandeld bij rijkelui te plaatsen. Via Alexander Harriman is Max in contact gekomen met de Italiaanse en Amerikaanse maffia, die hij het vuile werk liet opknappen.'

'Dat weet ik allemaal al,' zei ik ongeduldig.

Hij maakte een sussend gebaar. 'De hele onderneming bracht veel geld op. En breidde zich uit.'

'Maar toen de zaakjes erg vuil werden, die nacht dat Teresa Stone werd vermoord, heeft Max zich er toch uit losgemaakt?' zei ik. Mijn hart sloeg op hol. Ik wilde graag vasthouden aan het verhaal dat Alexander Harriman, de vroegere advocaat van Max, me had verteld.

Jake keek me bijna medelijdend aan. Hij vond me vast een kind dat in haar eigen sprookjes wilde blijven geloven.

'Als dat zo was, dan zouden we hier niet zitten.'

Ik zei niets. Wat had ik kunnen zeggen?

'Max Smiley was een zakenman. Er viel geld te verdienen, en niet zo weinig ook. Project Kinderhulp verdween weliswaar naar de achtergrond, maar het netwerk van Max bood voldoende andere werkterreinen.'

Ik herinnerde me het artikel over de vrouwenhandel vanuit Albanië uit Jake's dossier. En toen wist ik het. Ik wilde mijn oren dichtstoppen om de rest niet te hoeven horen.

'Of je nu baby's steelt om aan rijke mensen te verkopen of vrouwen en meisjes uit nachtclubs meelokt voor verkoop aan de seksindustrie, die overstap is niet zo groot,' zei hij.

Ik sloeg mijn handen voor mijn gezicht. 'Wat zeg je daar?' vroeg ik door mijn vingers. 'Op wat voor manier was hij daarbij betrokken? Wat heeft hij gedaan?'

'We denken dat hij de bouw van nachtclubs in Europa financierde, die door de Albanese maffia werden geëxploiteerd. Uit deze clubs, die voornamelijk op de Balkan of in Oekraïne lagen, werden vrouwen weggelokt door ze goedbetaalde banen in Engeland of Amerika te beloven, maar ze werden ook wel gedrogeerd en ontvoerd, en met valse documenten in andere landen in Europa, de vs of Azië verhandeld. Je bent zelf in een van die clubs geweest, The Kiss.'

Hij wierp me een snelle blik toe, om meteen weer weg te kijken.

'Hij nam zijn deel uit de winst, legaal en illegaal. Een bijkomstig voordeel voor hem was dat hij zijn lusten kon botvieren zonder dat hij bang hoefde te zijn ontdekt te worden. Die vrouwen verdwijnen van de aardbodem. Er worden valse documenten voor hen gemaakt, ze krijgen een shot heroïne ingespoten zodat ze verslaafd raken en niemand hoort ooit nog van ze. Aan welk monster ze ten prooi vallen, maakt weinig uit.'

De kamer begon onaangenaam te deinen.

'Kan het niet zo zijn dat hij niet wist wat er in die clubs gebeurde?' vroeg ik.

Natuurlijk wist ik het antwoord al. Het viel me zwaar te begrijpen dat een man die een groot deel van zijn leven had besteed aan het verwerven van fondsen voor mishandelde vrouwen en kinderen betrokken kon zijn bij organisaties die hun geld verdienden met de verkoop van jonge vrouwen en meisjes aan de sekshandel. Het ging er niet bij me in... zoals zoveel niet. Ik moest denken aan wat Dylan in de auto tegen me had gezegd, geschreeuwd eigenlijk. '*Word wakker, Ridley. Word toch eens een keer wakker, verdomme. Je vader, die dierbare Max van je, haatte vrouwen. Hij vermoordde ze.*'

Hij beantwoordde mijn vraag niet, maar ging verder.

'Door al dit soort zaakjes heeft Max Smiley met de sleutelfiguren in de vrouwenhandel te maken gehad. Als we erin slagen hem te vinden en op te pakken, hem aan het praten te krijgen, dan kan de CIA in samenwerking met buitenlandse politiemachten hun organisatie flinke schade toebrengen of gedeeltelijk lamleggen, talloze vrouwen redden en mogelijk de kopstukken voor het gerecht slepen. Begrijp je dat, Ridley?'

Ik dacht aan de foto's die ik had gezien. Van Max en die mannen, Max glimlachend met gangsters en terroristen in Parijse cafés. Ik kreeg dat gevoel dat ik altijd krijg als alles op me afkomt en de paniek toeslaat. Mijn luchtpijp werd dichtgeknepen en ik kreeg witte vlekken voor mijn ogen.

'Ridley,' zei Jake, die me ondanks alles goed kende. 'Niet flauwvallen.'

'Water, graag,' riep hij in de richting van de deur.

Hij knielde naast me neer. Er kwam een man binnen met een flesje water, dat hij aan Jake overhandigde. Hij draaide de dop eraf en gaf het flesje aan mij. Ik dronk ervan en concentreerde me op één punt op de muur. Ik had al genoeg vernederingen ondergaan voor een heel leven om ook nog flauw te vallen terwijl wie weet hoeveel mensen via het gesloten tv-circuit meekeken. Het enige wat ik kon bedenken was: gebeurt dit echt?

'Ridley, hou vol, oké? Alles komt goed.'

Ik snapte niet waar hij het vandaan haalde.

'Waarom zou ik?' wilde ik weten. 'Waarom moet ik volhouden?'

'Omdat ik je hulp nodig heb, Ridley.'

'*Mijn* hulp? Doe niet zo belachelijk.'

Hij zei niets, zuchtte diep en keek naar de vloer, met zijn hand op de rugleuning van mijn stoel. Ik nam nog een paar slokjes water en bleef naar dat punt op de muur kijken om bij bewustzijn te blijven.

'Mijn hulp waarmee?' vroeg ik uiteindelijk, toen mijn nieuwsgierigheid de overhand kreeg.

'Ik heb je hulp nodig om Max Smiley op te pakken.'

Ik schoot bijna in de lach, maar ik zag dat hij bloedserieus was. Ik besefte ook dat ik geen keuze had. Dat ik eigenlijk nooit een keuze had gehad.

Vanaf het moment dat Max me had gevonden in mijn hut in het bos achter mijn ouderlijk huis zijn we op weg geweest naar deze dag. *Onze harten zijn verbonden met een gouden ketting,* had hij gezegd. *Geloof me maar. Ik vind je altijd terug.*

Pas jaren later begreep ik wat hij bedoelde. We waren met elkaar verbonden door ervaring, door bloedverwantschap, door een diepe liefde voor elkaar die onze persoonlijkheden, onze identiteit, onze goede en slechte daden oversteeg. Als ik zoek was, vond Max me altijd terug en bracht me thuis, zonder vragen te stellen, zonder te oordelen, zonder te beschuldigen. Hij respecteerde mijn behoefte om te verdwijnen en hij aanvaardde dat het zijn taak was me terug te brengen. Eindelijk drong het tot me door dat ik hetzelfde te doen had. Het deed er niet toe wat hij had gedaan, wie hij had gekwetst of gedood; wat voor monster Max Smiley ook was, hij was mijn vader. Met opzet of niet, hij was zoek. Het was mijn plicht, en mijn plicht alleen, om hem thuis te brengen.

DEEL DRIE

De thuiskomst

19

Ongeveer vijftien uur later keek ik via een gesloten tv-circuit naar mijn vader; Ben, niet Max. Hij werd ondervraagd door twee agenten van de CIA: een lange man met kort, blond, platliggend haar en een kleine Latijns-Amerikaanse vrouw met brandende, koolzwarte ogen, beiden gekleed in een klassiek blauw pak. Hij zag er geenszins bang uit, maar leunde met zijn armen over elkaar geslagen achterover in zijn stoel. Zijn gezicht stond strak en zijn ogen hadden een hautaine blik. Hij gaf toe dat hij met Max in contact had gestaan. Maar hij leek niet te denken dat daar iets verkeerds aan was.

'Het is toch geen misdaad om te doen alsof je dood bent?' zei hij.

'Dat is niet de misdaad waar het hier om gaat, meneer Jones,' zei de vrouwelijke agent. Ze stond tegen de muur geleund.

'Jullie hebben geen enkel bewijs dat jullie overige beschuldigingen tegen hem waar zijn,' zei mijn vader op de hem kenmerkende bruuske manier. 'Als dat zo was, hadden jullie hem al lang geleden gearresteerd.'

Ik moet toegeven dat ik hetzelfde had gedacht, wat ik bij Jake te berde had gebracht. Hij had gezegd dat ze nooit voldoende overtuigend bewijs hadden gehad om hem zo bang te maken dat hij de mannen zou aangeven met wie hij zaken had gedaan. Ze hadden hem kunnen pakken op het verzwijgen van bezit, mogelijk op belastingontduiking, maar ze wilden hem pakken op beschuldigingen die tot de doodstraf zouden kunnen leiden. Dat was waarschijnlijk de enige manier om met hem tot een schikking te komen. Want een paar jaar zitten in een federale gevangenis was peanuts vergeleken bij wat sommigen van zijn partners hem – of zijn dierbaren – zouden kunnen aandoen. Hij zou hen nooit verraden. Dus hielden ze hem in de gaten en wachtten ze. Maar hoe langer het duurde, hoe ongrijpbaarder hij werd, hoe minder hij zich liet zien, hoe omzichtiger hij te werk ging. Hij verdampte voor hun ogen. En toen 'stierf' hij. Daarom waren ze hem 'de geest' gaan noemen.

Ze waren al uren met mijn vader bezig. Maar het enige wat ze uit hem hadden weten te krijgen was dat hij ongeveer anderhalf jaar na de dood van Max instructies van hem had ontvangen over hoe hij berichten op de rode website kon decoderen. Mijn vader vertelde hen dat hij de website bijna dagelijks controleerde en dat hij misschien eens in de paar maanden een bericht ontving. De berichten waren vaag – vragen over mij, over de rest van ons gezin. Max zei nooit waar hij zich bevond en Ben wist dat het geen zin had ernaar te vragen.

'Ik begreep niet waarom hij zoiets had gedaan en ons allemaal zo'n verdriet had bezorgd,' zei mijn vader, 'maar ik dacht dat hij daar zijn redenen voor zou hebben en dat heb ik gerespecteerd.'

De mannelijke agent schudde het hoofd en ging tegenover mijn vader zitten. Hij leunde naar voren met een gezicht dat alleen maar minachting uitstraalde.

'U *respecteerde* dat? Wilt u ons vertellen dat u in al die jaren dat u Max Smiley hebt gekend nooit hebt vermoed waartoe hij in staat zou zijn, dat hij een moordenaar zou kunnen zijn, dat zijn praktijken wellicht mensenlevens verwoestten? Dat hij verdween omdat de grond hem te heet onder de voeten werd? Hij heeft u en Esme Gray laten opdraaien voor Project Kinderhulp. Hij heeft bijna het leven van uw adoptiefdochter verwoest – het scheelde zelfs niet veel of ze was vermoord. En toch hebt u hem in bescherming genomen?'

Mijn vader ontweek de doordringende blik van de agent.

'Ik probeer het beste te zien in de mensen van wie ik hou,' zei hij. 'Ik gun ze het voordeel van de twijfel.'

Hij klonk defensief, bijna gestoord. Ik voelde me gegeneerd door zijn woorden. Ik schaamde me en was kwaad. Mijn wangen gloeiden en ik ging zitten. Jake, die achter me had gestaan, legde een hand op mijn schouder. Ik schudde hem van me af.

'Ik heb je gezegd me niet meer aan te raken,' snauwde ik. Hij week achteruit. Ik haatte hem. Ik haatte mijn vader. Ik haatte iedereen.

'Heeft hij u in de tang, meneer Jones?' vroeg de vrouwelijke agent met een knikje in zijn richting.

Mijn vader kromp ineen. 'Ik heb verder niets te zeggen. Ik wil een advocaat.'

Ze lachte kort en keek hem met geveinsd medelijden aan. 'U bent nu bij de CIA, meneer Jones. Hier gelden andere regels.'

'Wat houdt dat in?' vroeg hij. Voor het eerst begon hij tekenen van angst te tonen. Ik zag zijn voorhoofd glimmen van het zweet. Hij greep zich vast aan de tafelrand en leunde voorover.

'Dat houdt in dat u geen recht hebt op een advocaat. Dat houdt in dat wij u eindeloos kunnen vasthouden als we van mening zijn dat u een risico vormt voor de nationale veiligheid. We weten dat Max Smiley connecties had met terroristische organisaties. U hebt contact met hem gehad. In het beste geval bent u getuige, in het slechtste medeplichtige.'

Mijn vader zweeg. Hij wreef met zijn duim en zijn wijsvinger in zijn ogen. Beschermde hij Max uit loyaliteit of uit angst? Ik had geen idee.

Ik wendde me tot Jake. Ik kon het niet langer aanzien. 'Wat gebeurt er nu met mij?'

'Niets,' zei hij. 'We laten je gaan. Je pakt de draad weer op en doet wat je altijd hebt gedaan.'

Ik keek hem aan. 'Intussen houden jullie elke beweging die ik maak in de gaten, elk telefoongesprek, elke e-mail. Ik leef in een glazen huis.'

Hij knikte ernstig. 'Na een paar weken probeer je Max te bereiken met behulp van de inloggegevens die je van Angel hebt gekregen. Dan zien we verder.'

'En wat gebeurt er met Dylan?'

'Alle aanklachten en berispingen tegen hem zijn ingetrokken,' zei hij, terwijl hij me een document overhandigde. 'Volgens de voorwaarden van onze overeenkomst.'

'Kan hij weer terug aan het werk?' vroeg ik, terwijl ik het papier snel doornam. Ik had het al een paar uur eerder gelezen en getekend.

Jake schudde het hoofd. 'Nee. Dat hebben we niet kunnen regelen. Het Federal Bureau of Investigation heeft hem ontslagen. De man is levensgevaarlijk.'

Ik bleef Jake maar aanstaren. Hij leek niet anders dan anders. Heel bizar, na alles wat er was gebeurd. Het was nog steeds Jake. Hij droeg een pak en had iets afstandelijk-professioneels, maar ik zag nog steeds de man in hem die ik het afgelopen jaar had gekend. Het leek wel of er iets scheurde in mijn borst.

'En wat gebeurt er met jou?'

'Je hoeft me nooit meer te zien.'

Die gedachte gaf me een lichte schok. Ik wist dat hij het zou kunnen. Hij kon me zomaar laten schieten, alsof hij nooit met me naar bed was geweest, nooit mijn hand had vastgehouden, nooit naar al mijn geheimen had geluisterd. Misschien wilde hij het niet, misschien deed het hem ergens in zijn binnenste wel pijn, maar hij kon het. En hij zou het doen ook.

'Maar je bent er wel, je luistert en kijkt met me mee,' zei ik, bedenkend hoe vreemd en verdrietig dat zou zijn.

'Tot we Smiley vinden. Dan verdwijn ik.' Hij keek strak en had verkrampte schouders. Ik hoopte dat dat betekende dat het hem pijn deed.

'Mooi,' zei ik en stond op.

'Wil je de rest van Bens verhoor niet horen?'

'Nee,' zei ik. 'Ik heb genoeg gehoord. Van iedereen. Ik wil naar huis.'

De avond ervoor waren we laat in de Verenigde Staten aangekomen. Nadat ik erin had toegestemd hen te helpen, hadden Jake en ik samen met een paar andere agenten een lijnvlucht naar New York genomen. Ik was de hele tijd bij de CIA geweest. Ik wist niet eens in welk deel van de stad ik me bevond, want het onopvallende witte busje waarin ik was vervoerd had geen ramen gehad. Sinds het internetcafé in Londen had ik Dylan niet meer gezien.

Ik had nog een paar uur doorgebracht in een kliniek, waar een arts mijn wond had verzorgd en me een antibiotica-injectie had gegeven. Hij had me ook nog een aanvullend kuurtje meegegeven, en wat pijnstillers, die ik nog niet had ingenomen. Ik wilde mijn hoofd helder houden.

Jake leidde me door lange witte gangen met grijze deuren. We verlieten het gebouw via een ondergrondse garage en stapten in een ander busje. Of hetzelfde busje, wie zal het zeggen. Er zat al iemand achter het stuur en zodra Jake het portier had dichtgeslagen begon het busje te rijden. Jake ging achterin naast me zitten en gaf me een mobieltje, waarmee ik kon sms'en en e-mailen. Een cool dingetje, plat en glad. Hij liet me zien dat alles zo geprogrammeerd was dat ik hen kon bereiken.

'Zorg dat je dit altijd bij je hebt. Je hebt vijf minuten om telefoontjes, e-mails of sms'jes van ons te beantwoorden. Als het langer duurt, komen we.'

'Om me te beschermen of om me te arresteren?'

'Dat hangt ervan af waarom je niet meteen reageerde.'

Ik knikte om aan te geven dat ik het begreep.

'Besef goed, Ridley,' zei hij na al zijn instructies – mijn muziek niet te hard zetten, zorgen dat de telefoon niet vochtig wordt, me niet in gebieden zonder bereik ophouden, waar mogelijk de trap nemen in plaats van de lift (ik vroeg niet waarom) – 'dat wij waarschijnlijk niet de enigen zijn die je in de gaten houden. Je ziet ons niet, je hoort ons niet, je zult niet merken dat we er zijn. Als je denkt dat iemand je volgt, als je klikken of ruis op je telefoon hoort, en zelfs als je computerscherm vreemd begint te doen, dan moet je het ons laten weten.'

'Oké,' zei ik. Opnieuw overviel het me hoe bizar de situatie was. Grant zou er een kick van hebben gekregen. En wat mij betreft, ik had me nog nooit in mijn leven zo gedeprimeerd gevoeld. Ik kon het niet helpen, maar ik vroeg me af of ze ook zouden meeluisteren als ik op de wc zat. Ja, ik weet het: hoe verzin je het?

Ik moet een beetje ingedommeld zijn, want ineens stopten we. Ik bleef even voor me uit staren en keek toen naar Jake. De ernst van mijn situatie was op zijn gezicht af te lezen. Hij was bezorgd – of dat nu was omdat hij dacht dat ik het niet aan zou kunnen, of dat hij bang was dat hij, ondanks alle voorzorg, niet zou kunnen voorkomen dat me iets overkwam, of dat hij gewoon verdrietig was omdat alles tussen ons voorbij was... Ik kon het niet zeggen.

'Ridley,' zei hij, terwijl hij het portier voor me openzwaaide, 'pas goed op jezelf.'

Ik wachtte met antwoorden tot ik over hem heen uit het busje was geklommen en op het trottoir stond.

'Het wordt niks en dat weet je.'

'We zullen zien,' zei hij. Even keken we elkaar recht in de ogen. Ik weet niet wat hij zag, maar het maakte dat hij naar me toe schoof.

'Houd je aan de instructies, oké?' Hij klonk bijna vermanend.

'Heb ik een andere keuze?' zei ik en liep naar mijn appartementengebouw. Zonder verder iets te zeggen sloot hij het portier en het busje scheurde weg. Ik ging vlug naar binnen en was blij dat ik niemand tegenkwam in de hal of in de lift. Ik was nog niet in mijn woning of ik barstte in snikken uit. Ik wist dat ze me konden horen en het interesseerde me geen barst; ik lag op de kussens van mijn bank en liet het allemaal gaan, al die pijn en angst en benauwenis. Toen ik me wat beter voelde, bestelde ik genoeg eten voor vier bij Young Chow, de Chinees op Fourth Avenue, en ik nam een zo heet mogelijke douche.

Ik at voor de tv, terwijl ik gedachteloos langs alle kanalen zapte. Ik registreerde niets van wat ik zag, terwijl ik loempiaatjes en wan-tansoep en sesamkip naar binnen schrokte. Ik was hol vanbinnen, totaal uitgehongerd. Toen ik helemaal vol zat, nam ik mijn antibiotica en drie van de pijnstillers die ik had gekregen. Ik reageerde niet op het knipperende antwoordapparaat naast de telefoon. Ik ging naar bed en sliep bijna de klok rond.

Je zou verwachten dat ik me beter voelde toen ik in het heldere licht van de late ochtend wakker werd. Mooi niet. Ik voelde me totaal verloren. De depressie die met haar donkere klauwen aan me had zitten rukken en trekken omhulde me als een lijkwade. Ik bracht het grootste deel van de ochtend door met het staren naar een vochtplek op het plafond boven mijn bank.

Ze zeggen dat de eerste drie jaar in het leven van een kind het belangrijkst zijn, dat als een kind in die jaren te weinig aandacht en liefde krijgt, de schade niet meer ongedaan kan worden gemaakt. Als een kind in die jaren niet de kans krijgt om te zien en te leren, om inlevingsvermogen, mededogen en vertrouwen te ontwikkelen, zal het nooit meer de gelegenheid krijgen die eigenschappen te ontwikkelen.

Ik weet niet wat er met Max is gebeurd in de eerste jaren van zijn leven, maar ik kan me er wel een voorstelling van maken. Max was een beschadigd mens. Ik weet dat ik het eerder heb gezegd, maar dit keer vraag ik je om begrip, om medeleven. Probeer je een kind voor te stellen, kwetsbaar en zuiver, dat het voorwerp is van woede in plaats van liefde, dat geslagen en door elkaar gerammeld wordt in plaats van gestreeld en geknuffeld. Stel je voor dat dat kind, in plaats van liefde, alleen maar angst leert kennen. Stel je voor dat het enige wat het kent angst en pijn is en dat het juist die dingen gebruikt om te overleven. Waartoe zou zo'n persoon later in zijn leven in staat zijn? Ik zoek geen excuses. Ik vraag alleen of je erover na wilt denken.

Ben had me gevraagd om naar de fontein op Washington Square te komen. Ik had zijn telefoontje niet beantwoord toen ik zijn nummer zag knipperen op mijn nummerherkenning. Ik had min of meer besloten dat ik nooit meer met hem en Grace wilde spreken. Hij had een bericht achtergelaten.

'Je zult me vast niet meer willen zien,' zei hij. Zijn vermoeide stem klonk oud en bang. 'Ik kan het je niet kwalijk nemen.' Er volgde een lange pauze waarin ik alleen zijn ademhaling kon horen. 'Maar ik vraag je toch om te komen. Ik bestel een cappuccino voor je en we kijken naar het schaken – net als vroeger. Ik weet het, het lijkt een eeuw geleden. Ik ben er rond een uur of vier. Ik wacht wel.'

Hij probeerde natuurlijk slim te zijn door de ontmoetingsplek niet bij naam te noemen. Vermoedelijk had hij gegist dat ik, of hijzelf, in de gaten werd gehouden. Maar het was niet al te moeilijk om te raden waarover hij het had. Bovendien zouden ze me toch volgen. Ik wist dat die busjes uitgerust waren met apparatuur waarmee ze ons vrij goed konden afluisteren, al stonden ze een paar straten verder geparkeerd. Ik was eigenlijk niet van plan te gaan, maar tegen halfvier was ik toch mijn spullen aan het pakken om naar buiten te gaan.

De lucht had een vreemde grijsblauwe kleur, vermengd met zwart. De fontein in het midden van het park werkte niet en de mensen spoedden zich met grote haast over het open plein aan de voet van Fifth Avenue, in tegenstelling tot 's zomers, wanneer iedereen er de tijd voor nam. Dan was Washington Square vol met mensen die op de banken of op de rand van de fontein of op het gras naar straatartiesten zaten te kijken die voor een klein publiek gitaar speelden of hun goochelkunsten vertoonden. De speelplaats was dan vol kinderen die schommelden of in de speelrekken hingen, onder toeziend oog van ouders of kindermeisjes. In de zomermaanden was Washington Square een van de levendigste plekken in de stad. Maar vandaag waren de bomen zwart met stakerige takken die als donkere vingers omhoog reikten.

Ik zag hem op de bank zitten in een lange wollen jas en met een pet op. Hij had zijn handen in zijn zakken en leunde achterover, omhoogkijkend naar de lucht. Ik weet niet waar hij aan dacht, maar toen ik dichterbij kwam, kon ik zien dat zijn ogen roodomrand waren. Ik ging naast hem zitten. Hij keek even opzij, maar wendde zijn blik weer af. Daarna keek hij weer opzij en ging rechtop zitten.

'Ridley,' zei hij. Hij stak zijn hand uit naar mijn haar. 'Ik zag niet eens dat jij het was.'

Ik liet hem me aanraken, hoewel ik zijn hand weg wilde slaan. Hij voelde aan mijn piekerige haar en streek over de zijkant van mijn gezicht.

Ik lachte vreugdeloos. 'Het kapsel van een voortvluchtige,' zei ik. 'Vind je het wat?'

Hij schudde het hoofd. 'Ik vind het niet mooi.'

'Ik vind het ook niet mooi,' schoot ik uit. 'Het is een van de vele dingen in mijn leven die ik niet mooi vind. Maar er valt mee te leven, en dat kan ik van de rest niet zeggen.'

Mijn woorden hingen als mistflarden in de koude lucht tussen ons in. Ik probeerde zijn blik vast te houden, maar hij keek weg.

'Ik wist dat hij niet te vertrouwen was,' zei hij ten slotte. 'Ik heb hem nooit gemogen.'

'Wie?'

'Die Jake Jacobsen. Hij heeft al die tijd tegen je gelogen.'

Ik was verbijsterd over het lef en de brutaliteit van die opmerking, over het feit dat hij zich absoluut niet bewust was van de ironie ervan. Ik keek hem aan en nog nooit had ik een groter verlies in vertrouwen, een diepere teleurstelling in iemand ervaren. Max incluis. Mijn boosheid drukte als een steen op mijn borst en verhinderde me het spreken. Ik probeerde diep adem te halen om mezelf tot rust te manen. Het duurde even voor ik weer iets kon zeggen.

'Heb je altijd geweten wie hij was?' vroeg ik uiteindelijk. Ik was verbaasd hoe kalm en vast mijn stem klonk.

Ik vroeg me af of hij zich van den domme zou houden en zou vragen over wie ik het had, of hij zou reageren alsof ik Jake bedoelde. Maar hij verraste me.

'Natuurlijk,' zei hij en hij keek me onverschrokken aan. 'Natuurlijk wist ik dat. Waarom denk je dat we je die avond in huis hebben genomen, zonder vragen te stellen? Denk je echt dat we zo onwetend waren, zo stom dat we zomaar de wet overtraden en Project Kinderhulp op het spel zetten? We hebben je in huis genomen uit angst, Ridley. We waren doodsbenauwd voor wat een man als Max een kind zou kunnen aandoen.'

Ik staarde hem aan. Hij zei het op een manier alsof hij begrip verwachtte, alsof ik het allemaal had kunnen raden. Ik benijdde hem om zijn gevoel van rechtschapenheid. Hoe zou het voelen om zo zeker te zijn van de juistheid van je handelen en denken, ondanks het overweldigende bewijs van het tegendeel?

'Dus je wist wat Project Kinderhulp inhield?'

Hij schudde het hoofd. 'Ik heb je al eerder gezegd dat ik alleen maar wist dat we gebruikmaakten van de mazen in de wet. Ik wist niets van de schaduwzijde van de organisatie. Ik blijf niet proberen je daarvan te overtuigen. Het doet er trouwens niet toe wat ik toen wist.'

Hij had een aanmatigende houding aangenomen die me tegen de borst stuitte. Ik hield wel van hem, maar voelde een kloof tussen ons ontstaan die steeds breder werd. Ik weet niet of ik die ooit nog zou kunnen overbruggen. Ik voelde me inverdrietig – mijn vader was altijd mijn grote liefde geweest.

'Vertel eens, pap. Wat doet er nu wel toe?'

'Wat moet je voor ze doen?'

'Welke "ze"?'

Hij keek me op een bepaalde manier aan. Ik trapte er niet in.

'Dat gaat je niets aan,' zei ik.

Hij schoot overeind en pakte mijn schouders vast. 'Zeg dat *nooit* meer tegen me. Alles van jou gaat me aan. Je bent mijn dochter. Niet mijn bloed, maar mijn dochter in alles wat telt. Als jou ooit iets overkomt...' Zijn stem stierf weg en ik verbrak de stilte niet. Ik probeer me niet los te maken uit zijn greep, maar gaf ook niet toe aan mijn neiging om hem te omhelzen. Ik keek naar zijn gezicht, zijn sneeuwwitte haar, de diepe rimpels rond zijn ogen, zijn volle, roze wangen. Niemand zou mijn vader knap kunnen noemen, zoals ik al eerder heb gezegd. Maar zijn gezicht was sterk, zijn blik krachtig.

'Je begrijpt het toch niet,' zei hij. 'Dat begrijp je pas als je zelf een kind hebt. Pas dan ervaar je die allesoverheersende liefde, dat verlangen om te beschermen dat je opvreet. Je doet alles om je kind voor gevaar te behoeden.'

Ik wist niet zeker of hij het over zichzelf had of over Max. 'Blijf bij hem uit de buurt, Ridley.'

'Waarom?'

'Doe het nou maar.'

'Waarom hield je van hem, pap?'

Hij zuchtte. 'Ik heb ook een andere kant van hem gekend. De kant waar jij zo van hield. Die was echt, moet je weten. Dat was Max ook. Begrijp me goed, ik wist niets van al die zaakjes van hem. Ik wist niets van de...' Op dit punt moest hij erg slikken, hij kreeg het woord *moorden* niet over zijn lippen. 'Ik wist niets van de andere dingen, waarvan hij wordt beschuldigd. Ik wist het niet.'

Misschien dacht hij wel dat als hij het zinnetje *Ik wist het niet* maar vaak genoeg herhaalde, het waar zou worden. Of wist hij dat ons gesprek waarschijnlijk werd afgeluisterd en was hij erop bedacht zijn onwetendheid over de praktijken van Max staande te houden.

'Maar je wist dat hij zijn moeder had vermoord,' zei ik. 'Of je vermoedde het. Dat klopt toch?'

Hij leek geschrokken en boog zijn hoofd. Ik was blij dat hij het niet ontkende.

'Hij houdt van je, Ridley. Echt heel veel, zoals elke vader van zijn dochter houdt. Maar ik verzeker je, God moge je behoeden als hij denkt dat je je tegen hem hebt gekeerd.'

Het was alsof zijn woorden vloeibare stikstof in mijn aderen spoten. Ik zei niets.

'Ik weet niet wat voor aanbod ze je hebben gedaan. Maar blijf uit de buurt van Max. Laat hem los. Ze vinden hem nooit. Echt nooit.'

'Hoe lang weet je al dat hij nog leeft?'

Hij schudde het hoofd. Ik wist dat hij niets hardop zou zeggen. Tijdens zijn ondervraging had ik hem horen zeggen dat hij anderhalf jaar na de zogenaamde dood van Max een bericht van hem had ontvangen, maar ik achtte het niet onmogelijk dat mijn vader Max had geholpen bij het ensceneren van zijn dood. Ik vroeg het niet, voornamelijk omdat ik het niet wilde weten.

'Waar is hij, pap?'

Hij keek strak voor zich, alsof hij iemand verwachtte te zien tussen al die mensen. 'Ik smeek het je, poppedein, blijf uit zijn buurt.'

We stonden tegelijkertijd op. Hij sloot me in zijn armen en hield me verschrikkelijk wanhopig vast. Ik sloeg mijn armen om hem heen en gaf me eindelijk over. Ik klampte me aan hem vast en treurde om alles wat er tussen ons verloren was gegaan, terwijl ik me afvroeg wat de toekomst ons nog zou brengen.

'Je blijft *altijd* mijn dochter,' fluisterde hij heftig. Ik vroeg me af of dat waar was. Ik wist het niet. Ik wist niet wie hij was. Noch wie ik was. Ik wist niet meer wie we voor elkaar waren.

'Doe wat je moet doen, kleine meid,' zei hij in mijn oor. 'Maar pas goed op jezelf. Wat jou overkomt, overkomt ook mij. Onthoud dat, alsjeblieft. Dat is nog steeds even waar als altijd.'

Hij liet me los en maakte aanstalten om weg te lopen, maar keerde zich nog even half om. 'Er is nog iets wat je moet weten. Over Ace.'

Ik zette me schrap. Eigenlijk wist ik het al. Vanaf het moment dat ik hem die avond via de telefoon had horen roken, vanaf het moment dat hij me had laten zitten toen we naar de Cloisters zouden gaan. Sindsdien had hij niets meer van zich laten horen.

'Hij gebruikt weer. Ik denk dat we hem deze keer voorgoed kwijt zijn.'

Ik knikte en keek naar de lucht, schudde mijn hoofd van verdriet en teleurstelling.

Toen ik weer naar mijn vader keek, had hij zich al omgedraaid. Ik bleef hem lang staan nastaren, hij werd alsmaar kleiner en uiteindelijk sloeg hij een hoek om. Ik ging weer op het bankje zitten en bleef een tijdje kijken naar een stel jongens die een slecht partijtje *footbag* speelden. Pas toen hij allang weg was, besefte ik dat hij iets in mijn zak had laten glijden. Het was een klein, plat, zilveren sleuteltje. Ik had geen idee waarvan.

Omdat ik ruimte om me heen wilde hebben en koude lucht op mijn gezicht wilde voelen, besloot ik naar huis te lopen. Tegen de tijd dat ik thuis was, waren mijn handen rood en pijnlijk gezwollen van de kou, en leken mijn benen en voeten open te liggen. Onder het lopen had ik geprobeerd te bedenken waarop het sleuteltje zou kunnen passen – een bagagekluis, een gewone kluis... Ik kon mijn vader niet bellen om het te vragen, ik moest het zelf uitzoeken.

Het was Jake ernst geweest toen hij zei dat ik niet zou merken dat ze er waren. Ik had me ingesteld op vreemde mannen in donkere kleren, die de krant zaten te lezen op een bank, of die, geleund tegen een lantaarnpaal, achteloos een deuntje floten als ik langskwam. Ik had me witte busjes voorgesteld die stapvoets achter me aan zouden rijden, terwijl ik mijn dagelijkse gangetje ging. Ik had verwacht dat ze me voortdurend zouden bellen met instructies, maar de telefoon die ik bij me droeg, had nog geen enkele keer gebeld of gepiept. Het leek wel alsof ik alles had gedroomd. Toen ik mijn appartementengebouw binnenging, had ik bijna Ridley Jones kunnen zijn, freelance schrijfster, thuiskomend van een wandeling, met niets meer aan haar hoofd dan te bedenken wat ze vanavond zou eten.

Hij stond in de hal bij de brievenbussen. Het is niet overdreven om te zeggen dat ik in zijn armen vloog. Ik sloeg mijn armen om hem heen en drukte mijn mond op de zijne. Zijn lichaam voelde sterk en heerlijk door het dikke suède van zijn jack. Hij hield me stevig vast. Ik hoorde hem zuchten toen ik mijn mond van de zijne haalde en mijn hoofd tegen zijn borst vlijde.

'Is alles goed met je?' fluisterde hij in mijn oor, terwijl hij over mijn rug wreef. Het voelde zo zalig, de spanning in mijn spieren vloeide weg.

Ik knikte. Ik durfde niets te zeggen.

'Hier kunnen ze ons niet horen,' zei hij.

'Hoe weet je dat?' vroeg ik. Ik had ongelijk toen ik zei dat hij geen mooi gezicht had – zijn stevige kaaklijn, de warmte en diepte in zijn ogen, zijn krachtige neus. Ik was bang geweest van alle lelijke waarheden die zich in zijn trekken hadden genesteld. Daarom had ik hem niet kunnen aankijken.

'Toen ik je nog observeerde, waren we je altijd kwijt tussen de voordeur van dit gebouw en de deur van je appartement. Er moet lood in de muren zitten.'

In de lift naar mijn verdieping konden we niet van elkaar afblijven. Ik kon geen genoeg van hem krijgen, van zijn troostende aanwezigheid. De zwarte somberte trok een beetje op en werd lichter. Hij bleef buiten in de hal wachten, terwijl ik mijn appartement binnenging en wat lawaai maakte door de televisie aan te zetten. Ik bestelde Chinees eten (ja, alweer) en sloop zachtjes terug naar de hal, in de hoop dat degene die me afluisterde zou denken dat ik gewoon tv zat te kijken in afwachting van de koerier. Ze hadden me gezegd dat ze me alleen zouden afluisteren in mijn appartement, zodat ik nog wát privacy had. Ik hoopte dat ze niet hadden gelogen. Hoe dan ook, misschien moest ik me er niet druk over maken. Ze hadden me niet verboden Dylan Grace te zien of te spreken.

We bleven dicht tegen elkaar op de trap zitten, alsof we elkaars warmte zochten.

'Ze hebben me gezegd dat je een deal hebt gesloten, zodat alle aanklachten en berispingen tegen mijn persoon zouden worden ingetrokken.'

Ik knikte.

'Dank je, Ridley,' zei hij en streelde mijn gezicht. 'Dat had ik je nooit kunnen vragen.'

'Dat weet ik. Jammer dat je je baan kwijt bent.'

Hij haalde de schouders op en glimlachte flauwtjes. 'Zo'n moordbaan is niets voor mij.'

Ik keek naar de tegels onder onze voeten.

'Wat moet je voor ze doen?' vroeg hij na een ogenblik stilte.

Ik vertelde hem alles over Jake en alles wat ik van hem te weten was gekomen. Ik vertelde hem wat ik moest doen.

Hij schudde zijn hoofd. 'Dat wordt niets.'

'Dat heb ik ook gezegd.'

'Ik vind het erg wat Jacobsen met je heeft uitgehaald. Ik kan me voorstellen hoe dat je heeft gekwetst. Ik wist het niet. Hij had een erg goede dekmantel – ik had nooit gedacht dat hij van de CIA was.'

Ik wendde me af om hem de pijn op mijn gezicht niet te laten zien. Het was mijn eigen pijn, die wilde ik niet delen.

Hij pakte me nog steviger vast. 'Ik vind het echt erg,' zei hij nog een keer.

Ik vertelde hem over Esme Gray, over Ben, over mijn ontmoeting met Ben in het park.

'Tjee,' zei hij, langzaam zijn hoofd schuddend. 'Ze hebben ons echt tuk gehad.'

'Zeg dat.'

We zaten het allemaal te overdenken, toen hij vroeg: 'Wat ga je doen?'

'Dat weet ik nog niet,' zei ik.

Hij knikte. 'Wat je ook doet, ik doe mee.'

Ik pakte zijn hand en gaf er een kneepje in.

De zoemer in mijn appartement ging en ik sloop naar binnen. Ik vroeg wie er was en liet de koerier boven komen. Dylan wachtte op de volgende verdieping tot hij weg was en kwam toen weer naar beneden. Ik nam hem bij de hand en leidde hem mee naar binnen, naar mijn slaapkamer. Daar vreeën we zo stil en intens dat ik mezelf tegelijkertijd kwijtraakte en terugvond.

Ridley, ga naar huis, had de geest van Max vanaf het computerscherm gewaarschuwd. Dat beeld van hem, mager en strompelend met een stok, werd steeds weer afgespeeld in mijn hoofd. In mijn dromen en op onbewaakte ogenblikken kwam het ongevraagd terug. *Ridley, ga naar huis.* Zijn gezicht was zo bleek geweest en zo verstoken van de energie die hij altijd had gehad. Zijn boodschap was ernstig en somber: een slecht voorteken. In niets leek hij op de man die ik had gekend, mijn liefste oom, mijn mislukte vader. Hij was eigenlijk geen van beiden. En toch was hij ze allebei. En hij was zoveel meer.

In Londen had Dylan me gevraagd: *Stel dat je jezelf niet beter leert ken-*

nen als je weet wie Max Smiley is? Stel dat je jezelf alleen maar meer kwijt-raakt naarmate je dichter bij hem komt? Ik had echt niet gesnapt wat hij daarmee bedoelde. Ik kwam voort uit Max, ik was van Max en op dat moment had ik gedacht dat ik alleen dat deel van mijn eigen geheim kon leren kennen als ik wist wie hij was. Ik was niet Bens dochter, het brave meisje. Ik was de kleine meid van Max, alleen op straat in het donker, met niemand om voor me te zorgen. Maar terwijl ik in het donker naast Dylan lag, mijn naakte lichaam verstrengeld met het zijne, kwam er een nieuwe gedachte bij me op. Misschien was het niet de plotselinge ontdek-king dat ik voortkwam uit Max die ervoor had gezorgd dat ik mezelf niet meer kende. Misschien kwam het door mijn weigering hem los te laten. Uiteindelijk was mijn leven pas goed naar de knoppen gegaan toen ik naar hem op jacht ging.

Om Max te volgen had ik mijn eigen identiteit afgelegd. Ik had men-sen de dood in gedreven, ik was aan de FBI ontsnapt (dat dacht ik ten-minste), ik had mijn lange kastanjebruine haar afgeknipt en gebleekt, ik was op instigatie van een geheimzinnig sms'je in het holst van de nacht naar de Cloisters gegaan, met als resultaat dat ik was ontvoerd en gemar-teld, in Londen was ik opnieuw aan mijn bewakers ontsnapt, dit keer met hulp van Dylan, een man die ik om geen enkele reden kon vertrouwen, en later had ik toegekeken hoe hij in een peeskamertje van een nachtclub in het Londense West End een prostituee had gepijnigd om informatie uit haar los te krijgen, om ten langen leste met veel internationaal politie-vertoon in een internetcafé te worden gearresteerd. Elke buitensporige actie en afschuwelijk gevolg had me ervan overtuigd dat ik minder van Ben en meer van Max had. Maar ik had het allemaal zelf gedaan. Ben, noch Max had het script van mijn leven geschreven. Net zomin als mijn adoptiefmoeder Grace of mijn biologische moeder Teresa Stone. Dat was mijn eigen werk geweest.

Luisterend naar de regelmatige ademhaling van Dylan ontstond er een gevoel van ruimte binnen in me. Dat is het moment waarop we volwas-sen worden: wanneer we onze ouders niet meer de schuld geven van de puinhoop die we van ons leven hebben gemaakt, maar zelf de conse-quenties van onze daden aanvaarden.

Ik lag naast Dylan en voelde zijn adem in mijn haar; zijn arm was over mijn heup en buik geslagen. Mijn hoofd rustte op zijn andere arm, zijn hand bungelde naast het bed. Ik bekeek de dikke spieren van zijn onderarm en zijn stevige hand, die hij even in zijn slaap bewoog. Ik lag heerlijk, maar mijn houding zou hem uiteindelijk stijve spieren en een slapende arm bezorgen. Ik legde mijn hoofd op het kussen om hem dat te besparen.

Ik voelde me plotseling sterker. De gedachte dat ik meer Ridley was dan Ben of Max voelde als een bevrijding. Ik voelde wat van mijn energie terugkomen.

Ridley, ga naar huis.

Ik dacht na over een vraag die me onbewust had beziggehouden. Hoe had Max kunnen weten dat ik op die website zou inloggen met de inloggegevens die Dylan uit Angel had losgekregen? Pas toen drong tot me door wat ik al die tijd al had moeten beseffen. Het lag zo voor de hand, dat ik bijna moest lachen. Ík had niet achter Max aan gezeten. Max had achter mij aan gezeten. Met: 'Ridley, ga naar huis,' bedoelde hij niet mijn huis. Hij bedoelde het zijne.

20

Ik draaide me op mijn zij en keek naar Dylan. Hij opende zijn ogen. Ik vermoedde dat hij niet meer had geslapen dan ik. Misschien hadden hem ook miljoenen gedachten door het hoofd gespookt. Ik zette de radio naast het bed aan en draaide het volume wat hoger. Niet zo hard dat het argwaan wekte, hoopte ik.

'Ik heb liggen denken,' fluisterde ik in zijn oor.

'Nee maar, dat is een verrassing,' antwoordde hij met een trage glimlach. Ik begon de variaties in zijn accent leuk te vinden.

We kleedden ons snel aan en gingen weer naar de hal.

'Hoe wist hij dat we met het wachtwoord van Angel op die website zouden inloggen?' vroeg ik toen we buiten stonden. 'Hoe kan hij dat ooit hebben geweten?'

'Dat heb ik me ook afgevraagd. Misschien omdat hij je goed kent,' antwoordde hij, leunend tegen de balustrade.

'Er zijn te veel variabele factoren in het spel geweest om me in Londen te doen belanden.' De tegelvloer voelde koud aan onder mijn blote voeten. Ik rilde en dook in elkaar.

'Maar misschien was je daar evengoed beland. Misschien was je er zonder mijn hulp ook wel achter gekomen waar die club was. Misschien zou je ook naar Londen zijn gegaan zonder erheen gebracht te zijn door wie het dan ook was.'

Hij bevestigde wat ik al vermoedde, maar ik wilde advocaat van de duivel spelen om te zien of ik ongelijk had.

'Maar ik zou geen geweld hebben gebruikt om informatie uit die vrouw los te krijgen,' zei ik.

'Misschien had ze je die informatie zo ook wel gegeven.'

'Waarom? En hoe dan?'

Hij zweeg en bleef me aankijken.

'Omdat het de bedoeling was dat ze me die informatie zou geven? Omdat hij me op een spoor had gezet om me daarheen te lokken?' zei ik.

'Dat is toch mogelijk? Eerst die foto's, daarna de telefoontjes, toen dat voorval in zijn appartement, waar je zijn eau de toilette meende te ruiken en dacht dat iemand zijn douche had gebruikt. Het luciferboekje dat je vond. En daarna dat sms'je.'

'Denk je dat hij dat bericht heeft gestuurd?' Dat was eigenlijk ook wat ik dacht.

'Wie anders,' zei hij schouderophalend.

Niemand anders. Max had me vanuit het graf proberen te benaderen, me naar zich toe getrokken. Hij moet zich dood geschrokken zijn (een onbedoelde woordspeling) van het feit dat ik had ontdekt dat hij mijn vader was, want wat zou ik nog meer over hem ontdekken? Hij had met me willen praten om me om begrip te vragen.

'Liefde,' zei Dylan, in een echo van ons eerste gesprek. 'Hij heeft je lief.'

Ik vroeg me af of dat waar was. Kon iemand als Max liefhebben in de ware zin des woords? Als hij me echt liefhad, zou hij me dan niet met rust hebben gelaten, in plaats van me bij dit alles te betrekken? Liefde laat los, houdt je niet vast in een dodelijke greep. Liefde sleept je niet mee het graf in.

Ik haalde het sleuteltje uit mijn zak en liet het aan hem zien.

'Ik denk dat ik weet waarop deze sleutel past,' zei ik.

'En dat is?'

Rond lunchtijd is het een drukte van belang in Five Roses in East Village; studenten, politieagenten en andere bewoners van East Village, allemaal komen ze af op de beste pizza in de stad. Degenen onder jullie die me vanaf het begin hebben gevolgd, weten dat het hier is begonnen, dat ik vóór deze pizzeria op de parterre van het gebouw waar ik toen woonde het verkeer in ben gedoken om een klein jongetje te redden.

Ik duwde de voordeur open en hoorde nauwelijks het belletje dat mijn komst aankondigde; het werd overstemd door het lawaai van de klanten, die zich te goed deden aan Italiaanse sandwiches met gehakt en Parme-zaan, aan calzones, druipend van de saus en de kaas, en aan Siciliaanse pizza, Zelda's specialiteit. De geur van knoflook en tomaten en knapperig gebakken brooddeeg deed mijn maag knorren.

Zelda, de excentrieke eigenaresse, was achter de toonbank aan het werk. Ze bewoog zich soepel en snel heen en weer tussen de grote ovens en de ouderwetse kassa. Ze had me al eerder uit de brand geholpen. In alle jaren dat ik hier had gewoond, waren onze gesprekken nooit over iets anders gegaan dan mijn huur of mijn bestelling van twee punten pizza en cola. Tot de dag dat de politie me op de hielen zat en ze me hielp ontsnappen. Het zou me niet verbazen als ze me eruit zou gooien zodra ze me zag. Het zou me ook niet verbazen als ze me weer zou helpen.

Toen ik aan de beurt was, keek ze me zonder verbazing aan, alsof ze me nog steeds elke dag zag.

'Tweepunteneneencola?' zei ze, alle woorden met een zwaar accent aan elkaar breiend tot een onbegrijpelijk geheel.

'Nee, Zelda.'

Ze veegde haar handen af aan haar schort en zette ze in haar zij. Ze keek me aan op een manier die me aan mijn moeder deed denken. 'Zit je weer in de moeilijkheden?'

Ik heb geen idee hoe ze dat wist. Maar even leek het alsof ze oprecht bezorgd was. Ik hoorde gezucht achter me en iemand begon te mopperen over het getreuzel.

'Want ik heb geen behoefte aan moeilijkheden. Dat weet je.'

Ik boog me voorover en zei zachtjes: 'Ik wil alleen even van je toilet gebruikmaken.'

Ze keek me wantrouwend aan, maar knikte toen kort. We wisten beiden dat ik niet naar de wc hoefde, maar ze boog zich opzij om de doorgang open te klappen, zodat ik naar achteren kon.

'Bedankt, Zelda,' zei ik, terwijl ik langs haar over de rubberen matten op de vloer de keuken in stapte, waar enorme pannen met saus stonden te prutteln en massa's Stromboli-broden werden gebakken. Had ik maar tijd om te lunchen.

'Je weet waar het is,' riep ze me achterna, terwijl ze me met haar ogen volgde.

Ik zwaaide geruststellend. Ze schudde het hoofd toen ik de gang in ging en naar buiten de binnenplaats op liep. De drie honden van Zelda begroetten me luidruchtig en sprongen enthousiast tegen me op. Via het ventilatiesysteem van Veniero's op Eleventh Street waaide me een zoete gebaksgeur tegemoet. Ik liep naar de luiken in de grond, trok er een open om de trap te bereiken die naar de kelder leidde en trok het boven me dicht, de honden klaaglijk jankend achterlatend. Ik kwam uit in de op-slagruimte waar Zelda haar voorraad bewaarde – blikken olijfolie, krat-ten met knoflook en zakken meel, op eindeloos lange rekken langs de muur. Het was er donker en ik deed geen moeite het licht aan te knippen. Op de tast schuifelde ik langs de muur tot ik vond wat ik zocht. Een deur die naar een tunnel leidde. Deze tunnel liep achter de gebouwen aan de noordkant van Five Roses en kwam uit op Eleventh Street. Ik ontgrendel-de de deur en schrok even terug van het gapende zwarte gat voor me. Ik wist nog dat het een lange tunnel was, donker en koud. Ik zocht naar een lichtschakelaar, maar vond een zaklantaarn die aan een haak hing. Ik pakte de lamp, deed hem aan en scheen de duisternis in. Het schijnsel was flauw en zwak en begon al snel te flikkeren, alsof het er ieder moment mee op kon houden. Het was doodstil.

Ik pakte het mobieltje dat ik van Jake had gekregen en liet het op de grond vallen. Dylan vermoedde dat er een soort zendertje in zat, zodat ze al mijn gangen konden volgen. Ik hoopte dat ze zouden denken dat ik van een uitgebreide lunch bij Five Roses zat te genieten en dat ze te laat achter de waarheid zouden komen.

Waarom deed ik dit? Ik had een deal met de CIA gesloten en mijn ge-zonde verstand zou me moeten zeggen dat ik me eraan diende te houden. Op dat ogenblik had ik je waarschijnlijk niet duidelijk kunnen maken waarom ik het deed. Nu heb ik meer inzicht in mijn daden. Maar die middag werd ik bevangen door het gevoel dat ik Max nooit zou kunnen vinden als ik niet aan hen zou ontsnappen. Hij zou weten dat ik in de ga-ten werd gehouden. Hij zou weten dat hij uit mijn buurt moest blijven. Ik kende hem goed genoeg om te weten dat hij niet in zo'n voor de hand lig-gende val zou lopen. Als ik alleen was, had ik een kans hem te vinden. Wat er dan zou gebeuren wist ik niet.

Weifelend stond ik bij de ingang van de tunnel. De dreigende duister-nis werd me bijna te veel en de atmosfeer leek geladen met slechte voor-tekens. Even wilde ik me omdraaien en dezelfde weg teruggaan als ik was gekomen, niet dat aardedonker in lopen, maar ik vermande me en begon te rennen in het zwakke schijnsel van de zaklantaarn dat slechts een halve meter vóór me verlichtte. Mijn ademhaling werd rustiger toen de stra-lenbundel op de metalen deur aan het eind van de tunnel viel. Ik rukte aan de grendel en merkte dat hij vast zat. Er zat geen beweging in, en ik kreeg het steeds benauwder. Ik voelde hoe de duisternis zich aan me opdrong en even wilde ik gaan gillen, omdat ik het niet kon opbrengen door de tunnel terug te gaan. Eindelijk schoof de grendel opzij en ik stormde de straat op.

Ik werd verblind door het felle buitenlicht. Een voorbijsnellende vrouw op skeelers keek me bevreemd aan. Ik liet de deur achter me dicht-vallen en draaide me om om hem te bekijken. Er zat geen knop of deur-kruk aan de buitenkant. Al zou ik het willen, dan nog zou ik hem niet open krijgen. Er schoot een steek van schuld en angst door me heen over wat ik zojuist had gedaan en wat ik op het punt stond te doen.

Ik had met Dylan afgesproken bij de benedeningang van het Food Em-porium in het Union Square-station van de ondergrondse op Fourteenth Street. We namen de trein naar het appartementengebouw van Max. Dutch met zijn eeuwig koele en neutrale blik bracht ons boven. Wat moest hij niet van me denken, vroeg ik me – niet voor het eerst – af, toen we de lift binnenstapten en hij me toeknikte. Wat dacht hij dat ik in het appartement van Max kwam doen? Maar zijn gezicht was een masker, zoals altijd. Het was eenvoudiger de gevoelens van de waterspuwers bo-ven de ingang van het gebouw te raden.

Eenmaal binnen draaide ik me om en keek Dylan aan. Ik legde mijn hand op zijn borst om hem tegen te houden.

'Voor we verder gaan, wil ik weten wat je van plan bent. Waarom help je me?'

Hij haalde zijn schouders op. 'Ik heb geen geheimen voor je, Ridley. Ik ben altijd eerlijk geweest over wat ik van Max wil. Ik wil, net als jij, dat hij verantwoording aflegt voor zijn daden. Ik heb het je al eerder gezegd, ik ben niet uit op wraak. En ik wil je beschermen, ervoor zorgen dat je niets overkomt. Dat is alles. Echt.'

Hij pakte mijn hand vast en ik moest denken aan de laatste keer dat ik de hand van Jake zo had vastgehouden. Mijn maag kneep samen bij de herinnering. Ik knikte. Ik geloofde hem. Maar we weten allemaal dat dat niets betekent.

We liepen de gang door, die volhing met ingelijste foto's van mijn familie en mij. Jake had me erop gewezen dat het hele appartement min of meer een tempel was die aan mij was toegewijd, dat ik op alle foto's in het middelpunt stond. Ik zag Dylans blik langs de wanden glijden en bedacht dat hij hetzelfde had gezegd. Ik geneerde me voor wat ik nu een galerij van leugens vond – mooie plaatjes met glimlachende gezichten van mensen, wier levens waren gebouwd op drijfzand, op het punt verzwolgen te worden. Mijn moeder en mijn vader waren leugenaars, mijn broer was een junk die weer over straat zwierf (ik had nog niet eens tijd gehad daarover na te denken), mijn oom was in werkelijkheid mijn vader en een moordenaar en zo'n zware crimineel dat hij wereldwijd werd gezocht. En toch hingen we daar, aantrekkelijke mensen die lachten, verjaardagen vierden, naar dansuitvoeringen en naar de dierentuin gingen. Daar zat ik op de schouders van Max, lag ik in de armen van Ben, werd ik door mijn moeder gevoerd, probeerde ik me tijdens het verstoppertje spelen onzichtbaar te maken achter een boom, terwijl Ace me zocht. Al mijn mooie leugens.

Dat zei ik tegen Dylan.

'Nee,' zei hij, terwijl we Max' slaapkamer binnengingen. 'Niet alleen maar leugens. Er ligt evenveel waarheid als onwaarheid in besloten.'

Ik moest denken aan wat mijn vader over Max had gezegd, dat de man die we hadden gekend net zo echt was als zijn duistere kant. Ik wist niet of ik dat wel geloofde.

'Ik heb nooit geweten wie mijn ouders waren, dat ontdekte ik pas na hun dood,' zei hij, toen ik niet reageerde. 'Maar ze werden me er niet minder om.'

'Ze logen over hun werk, omdat dat moest, om jou te beschermen. Dat is iets anders.'

'Dat weet ik. Maar het is ook hetzelfde. Leugens zijn leugens. Jouw ouders dachten vast ook dat ze moesten liegen om jou te beschermen. Ze hebben veel fouten gemaakt, maar ze hielden van je.'

Ik knikte. Ik geloof dat ik nog nooit iemand mijn ouders had horen verdedigen. Ik was hem er dankbaar voor, al deed hij het waarschijnlijk alleen opdat ik me beter voelde. Ik deed het licht aan in de slaapkamer en liep naar de nis met planken. De kleine aardewerken asbak die ik een eeuwigheid geleden voor Max had gemaakt stond nog op dezelfde plek als waar ik hem had achtergelaten. Ik tilde hem op en even dacht ik dat ik me het sleutelgat had verbeeld. Maar het was er. Ik haalde het sleuteltje uit mijn zak en stak het in het slot. Ik draaide het om.

De hele plank kwam ongeveer vijftien centimeter omhoog, waardoor een lade zichtbaar werd. In de lade lag een dikke, lichtbruine envelop.

Vrijwel onmiddellijk zag ik de ironie ervan in, want alles was begonnen met een soortgelijke envelop. Ik wilde hem pakken, maar voelde een kleine aarzeling. Alle zenuwuiteinden in mijn lichaam tintelden, mijn instinct zei me het te laten. Maar je kent me intussen beter.

'Waar wacht u op?'

Zo sprak Dylan normaal niet, dus keerde ik me naar hem toe. Hij keek naar iets achter mij en stak zijn hand naar me uit. Ik draaide me snel om en zag twee donkere gestalten in de deuropening staan. Ik keek naar Dylan en verwachtte dat hij zijn pistool zou trekken, maar hij pakte me vast en trok me naar zich toe. Daarna ging hij voor me staan.

'Ik heb geen pistool meer,' fluisterde hij. Ik begreep dat hij zijn wapen had moeten inleveren bij zijn ontslag. Dat beloofde niet veel goeds.

'Nou, juffrouw Jones, waar wacht u op?'

Toen de eerste man het licht binnenstapte, deinsde ik verrast terug. Het was Dutch, de portier. Hij had zijn piekfijne uniform afgelegd en was geheel in het zwart en had een angstwekkend vuurwapen in zijn hand. De man die bij hem was kende ik niet, maar hij zag er bijzonder onaangenaam uit, met zijn dikke, zware wenkbrauwen, diepliggende donkere ogen en een akelig litteken van mond tot oor. Ook hij droeg een wapen. Het was niet eerlijk. Had ik de CIA maar niet zo snel laten vallen. Wedden dat zij wapens zat hadden?

'Ik snap het niet, Dutch,' zei ik ongelovig.

'Natuurlijk niet,' antwoordde hij, niet onvriendelijk.

Het viel me zwaar bang voor hem te zijn. Ik kende hem al van kinds af aan. Ik weet nog goed dat ik als tiener in Max' box in het souterrain naar een oud skateboard van Ace aan het zoeken was (later brak ik mijn pols op het trottoir, waardoor Max en ik grote moeilijkheden kregen met mijn ouders). Het was al laat, rond een uur of tien, en ik liep Dutch tegen het lijf. In het souterrain bevonden zich een locker en een kleedruimte waar de portiers konden douchen en zich konden omkleden. Hij was helemaal opgedoft, hij droeg een shirt van zilverlamé en een zwarte broek en zijn haren waren strak naar achteren gekamd. Ik denk dat hij op het punt stond om uit te gaan. Ik was gechoqueerd dat hij een leven buiten het gebouw bleek te hebben, want ik had hem nog nooit ergens anders gezien. Ik herinner me dat hij zich wat opgelaten voelde. Waarschijnlijk vanwege de glimmende disco-uitrusting – we hebben het hier over de jaren tachtig.

'Goedenavond, juffrouw Jones,' had hij gezegd met zijn gebruikelijke lichte buiging.

'Goedenavond, Dutch,' had ik geantwoord, maar ik had hard op de binnenkant van mijn wang moeten bijten om niet in lachen uit te barsten. Hij was heel snel verdwenen.

Boven had ik onder kinderlijk gegiechel het hele verhaal aan Max verteld.

'Iedereen heeft zo zijn geheimen,' had hij met een flauwe glimlach gezegd. 'Knoop dat goed in je oren, kind.'

Zijn woorden van toen bleken veelbetekenend, profetisch bijna.

'Juffrouw Jones, willen u en uw vriend de handen zo houden dat ik ze kan zien?'

Zelfs nu was hij o zo beleefd. Op zijn gezicht lag nog steeds die professioneel vriendelijke uitdrukking, als een kanten sluier over metaal. Ik kreeg een gespannen gevoel op mijn borst en mijn armen tintelden van de adrenaline. Het gezicht van Dylan was als graniet.

'En omdraaien, alstublieft,' zei hij, nadat we zijn bevel hadden opgevolgd.

'Ik moet zeggen,' ging hij verder, terwijl hij onze handen met stevige plastic strips vastbond, 'dat u het ons een stuk eenvoudiger hebt gemaakt door uw gevolg van u af te schudden.'

'Dutch.' Er klonk een trilling door in mijn stem die ik verafschuwde. 'Wat heeft dit te betekenen?'

'Maakt u zich geen zorgen,' zei hij zachtjes. Er volgde een explosie van witte pijn. Toen niets meer.

Ik werd wakker op mijn buik, met mijn handen op mijn rug gebonden. Mijn jukbeen bonkte voortdurend tegen de geribbelde metalen vloer van een bewegend voertuig. Dylan lag in dezelfde houding naast me, maar hij leek nog buiten bewustzijn. Uit een akelige snee in zijn lip liep een dun stroompje bloed. Het zag eruit alsof het gehecht moest worden – als we de avond zouden overleven.

Ik hoef je vast niet te zeggen dat mijn hoofd aanvoelde alsof het door een drilboor werd bewerkt. Ik vroeg me af hoe erg een lichaam toegetakeld moest worden voordat het de geest gaf. Voor iemand die nog nooit gewelddadig was bejegend, als kind nooit was geslagen, had ik het de laatste jaren goed voor mijn kiezen gehad.

Ik keek tegen het achterhoofd van Dutch aan, die naast de bestuurder zat. Ja, ik was bang. Natuurlijk. Maar ik werd ineens ook heel erg kwaad. Ik begon mijn handen los te wringen, met als gevolg dat ik de strips alleen maar strakker trok. Erg pijnlijk.

'Dutch,' protesteerde ik luid. 'Wat heeft dit te betekenen?' Ik kon geen betere vraag verzinnen.

Hij reageerde niet, draaide zich niet eens om. Dat maakte me nog kwader.

'Help!' gilde ik, toen het bestelbusje stilstond voor een stoplicht. 'Help ons!'

Het had geen zin, dat wist ik. Niemand zou me horen. Maar ik wilde het toch proberen. Ik bleef maar gillen.

Na het een paar minuten te hebben aangehoord draaide Dutch zich om. 'Juffrouw Jones,' zei hij, en zette zijn pistool tegen het hoofd van Dylan. 'Houd alstublieft uw kop. Ik krijg er hoofdpijn van.'

De hulpeloosheid van Dylan bracht me meteen tot zwijgen.

'Ik dacht dat je voor Max werkte,' zei ik zwak.

'Ooit, ja,' zei hij. 'Sinds zijn verscheiden is het salaris niet zo geweldig meer. Anderen bieden meer.'

'Je hebt hem verraden,' zei ik en probeerde verontwaardigd te klinken.

Hij wierp me een medelijdende blik toe. 'Wie niet?'

'Ik heb niemand verraden,' zei ik.

Hij glimlachte alleen maar en even zag ik zijn ware gedaante: een koelbloedige moordenaar. Ik vroeg me af wat voor rol hij had vervuld voor Max. Die van lijfwacht? Huurmoordenaar? Misschien wel allebei. Ik vroeg het hem. Het feit dat hij antwoordde hield niet veel goeds in voor mijn toekomst.

'Ik ruimde de rotzooi achter hem op. Smerig werk, dat kan ik u verzekeren. Uw vader wilde zijn handen niet vuil maken. Niet op die manier.'

Ik wierp een blik op Dylan. Hij had zijn ogen geopend en keek me aan. Hij schudde zijn hoofd, voor zover dat ging.

'Niets meer vragen,' fluisterde hij. Ik begreep de wijsheid van die waarschuwing, maar ik was dat stadium al gepasseerd. Ik had het gevoel dat het slecht met ons zou aflopen, tenzij de CIA zou ontdekken wat er met me was gebeurd.

'Uw vriend is een goede raadgever,' zei Dutch.

'Het spijt me,' zei ik tegen Dylan.
'Het is jouw schuld niet,' zei hij.
Maar dat was het wel.

Het bestelbusje reed een grote, kale ruimte binnen, achter ons viel een zware metalen deur dicht. Ze hielpen ons aan de achterkant de bus uit en we gingen een ijzeren trap op. Door een stevige deur kwamen we in wat een verlaten fabriek of pakhuis leek. De contouren van de ruimte waren moeilijk waar te nemen, er stonden hoge stapels dozen en de muren waren met graffiti beklad. Door de hooggeplaatste ramen, die zo vies waren dat de aanslag bijna als verduistering werkte, viel nog net een beetje licht naar binnen. Het geluid van onze voetstappen werd door de muren en het hoge plafond weerkaatst. Er hing een sterke geur van schimmel en stof. Mijn slijmvliezen zwollen op.

Ik probeerde te bedenken waar we konden zijn. Er stonden nog oude fabrieken in East Village, in Tribeca (hoewel de meeste waren verbouwd tot trendy appartementen). Een andere mogelijkheid was het Meatpacking District. Ik had geen idee, want ik was volkomen gedesoriënteerd. Ik wist niet eens hoe lang we hadden gereden. Het leek me dat we niet verder dan de buitenwijken konden zijn, of misschien in Jersey. Het was zo'n afgesloten, zo'n afgezonderde ruimte dat we net zo goed op de maan konden zijn. Ik probeerde straatgeluiden op te vangen en hoorde alleen maar stilte. Ik vroeg me af hoe lang het zou duren voor ze onze lichamen zouden vinden als we hier gingen sterven. Ik dacht aan Bens laatste woorden en had met hem te doen. Ik stelde me voor hoe het voor hem moest zijn als ik zou verdwijnen en nooit gevonden zou worden. Of als mijn lijk uit de East River zou worden opgevist. Ik voelde me op dat moment eerder schuldig dan dat ik vreesde voor mijn leven. En ik besefte dat Dylan gelijk had gehad. Mijn ouders hadden vreselijke fouten gemaakt, maar ze hielden van me. Dat was ook iets waard. Meer dan ik tot nu toe had beseft.

We moesten gaan zitten in twee identieke, harde metalen stoelen die tegen de muur aan de andere kant van de ruimte stonden. Ze hadden verdomme niet eens de moeite genomen hun identiteit te verbergen. Dat was een erg slecht voorteken. Dylan en ik keken elkaar aan toen ze onze benen aan de stoelpoten vastbonden. Ik wist niet wat er door zijn hoofd ging, maar hij keek niet angstig. Hij keek... geduldig.

'Wat heet dit te betekenen, Dutch? Wat wil je?' vroeg ik, toen zijn partner ons, naar mijn mening onnodig hardhandig, had vastgebonden.

Hij wierp me een koele blik toe. 'Ik wil wat iedereen wil, juffrouw Jones. Ik wil Max Smiley.'

Ik slaakte een zucht. 'Dan zal ik je vertellen wat ik iedereen heb verteld. Ik weet niet waar hij is.'

Hij kwam dichterbij en hield zijn platte mobieltje omhoog. Het leek op het toestel dat de CIA me had gegeven. Hij gebruikte de camera in het toestel om een ongetwijfeld weinig flatteuze foto van me te maken. Hij gaf het mobieltje aan de andere man, die een laptop begon op te starten op een provisorische tafel, gemaakt van een plank die op twee plastic kratten rustte. Een oude verfemmer diende als stoel.

'Jij was het,' zei ik. 'Jij hebt dat luciferboekje neergelegd. Jij hebt ervoor gezorgd dat zijn geur in het appartement hing. Jij hebt de douche laten lopen.'

'Volgens instructie,' zei hij met een onderdanig knikje.

'Instructie van wie?'

'Van Max,' zei hij, alsof dat voor de hand lag.

'En je weet niet waar hij is?'

Het gezicht van Dutch' partner gloeide rood op in het licht van het computerscherm.

'Stuur je hem een foto van me, zodat hij me komt halen? Dat doet hij echt niet,' zei ik. Ik wist dat ik mijn mond moest houden, maar ik was niet meer te stuiten. Misschien waren het de zenuwen. 'Voor wie werk je nu? Die griezel van een Boris Hammacher?'

Dutch draaide zich naar me toe met dezelfde gezichtsuitdrukking als altijd: koel, observerend, afstandelijk. 'Juffrouw Jones, ik vraag het nog eenmaal: houd uw kop.'

'Hij is verdwenen. Niemand zal hem ooit vinden. Ik niet. De CIA niet. En zeker zo'n zielige klootzak als jij niet,' zei ik. Wat was er met me aan de hand? Wat dacht ik wel?

Zonder een spier te vertrekken hief hij zijn pistool op en schoot Dylan in zijn been. Dylan gaf een brul van pijn en verrassing, een oerkreet die zo verschrikkelijk was dat ik hem nooit zal vergeten. Ik kreeg over mijn hele lijf kippenvel van woede en pure angst. Ik herinner me dat ik ook gilde. Maar ik weet niet meer wat ik schreeuwde. Tevergeefs probeerde ik me los te rukken.

'Juffrouw Jones, wees alstublieft stil,' zei Dutch op afgemeten en beleefde toon. Het was duidelijk dat hij door zou gaan met schieten tot ik stil was. Ik keek naar Dylan en probeerde mijn stoel in zijn richting te schuiven. Hij was bleek en er lag een grimas van pijn op zijn gezicht. Ik keek naar de wond in zijn been en zag dat hij zwaar bloedde, maar dat het bloed er niet uit gutste. Ik hoopte met heel mijn hart dat de kogel geen slagader had geraakt.

'Dylan,' zei ik en mijn hele lijf schokte van het snikken. 'Dylan.'

Hij zei niets. Zijn ogen hadden een afwezige blik en ik vroeg me af of hij in shock begon te raken. Ik was bijna hysterisch.

De man achter de computer verbond de telefoon met een usb-kabel en begon op het toetsenbord te tikken.

'Gebeurd,' zei hij na een ogenblik.

Dutch liep naar Dylan en trok de riem uit zijn broek. Hij sloeg de riem om Dylans been boven de wond en trok hem stevig aan. Dylan kreunde en zijn hoofd klapte opzij.

'We houden uw vriend nog even in leven om zeker te zijn van uw medewerking,' zei Dutch, terwijl hij wegliep.

De twee mannen lieten ons alleen met het rood gloeiende computerscherm. De deur viel met een klap achter hen dicht.

'Dylan,' zei ik. 'Dylan, geef antwoord.'

Hij kreunde zachtjes. Ik slaagde erin mijn stoel te verschuiven tot ik nog maar een paar centimeter van hem verwijderd was. Ik hoorde hem ademen.

'Het gaat best, Ridley,' zei hij.

Daarna zei hij niets meer. Urenlang was ik alleen met mijn gedachten, terwijl ik probeerde mijn polsen en enkels los te wrikken en het beetje licht dat door de vuile ramen naar binnen viel tot duisternis vervaagde.

21

Van alle fouten die ik heb gemaakt is het achterlaten van dat mobieltje in de tunnel onder Five Roses me waarschijnlijk het duurst komen te staan. Ik zei het al, op dat moment had ik geen idee waarom ik het deed. Ik was ervan overtuigd dat het de enige weg naar Max was, dat hij nooit in zo'n voor de hand liggende val zou lopen. Maar ik vraag me af of dat de echte reden was. Ik vraag me af of ik eigenlijk geen zelfmoordneigingen had.

Dat bedoel ik niet letterlijk. Ik wilde geen overdosis slaaptabletten innemen of van Brooklyn Bridge springen. Misschien was ik op zoek naar de dood van mijn Ik. Misschien probeerde ik Ridley Jones helemaal af te branden om te zien wat er uit de as zou herrijzen. Het kwam niet bij me op dat een verrijzenis uit zou kunnen blijven. Dat dood dood was.

In het donkere pakhuis, waar Dylans ademhaling het enige geluid was dat ik kon horen, zag ik met ziekmakende helderheid hoe de komende paar uur zich zouden voltrekken. Over niet al te lange tijd zouden ze ons komen halen. We zouden achter in het busje naar een afgelegen plek worden gebracht. Op de plaats van bestemming zouden we worden vermoord. Het kon niet anders. Zodra ze Max te pakken hadden, of als hij niet op me af zou komen, waren we niet langer van nut, maar wel tot last, en dat was bepaald niet in ons voordeel.

'Ze gaan ons vermoorden,' zei ik tegen Dylan, die alweer een poosje bij bewustzijn en helder was.

'Waarschijnlijk wel,' beaamde hij. 'Je bloedt. Hou op met dat geworstel.'

Mijn handen waren gevoelloos. Maar mijn enkels hadden meer ruimte gekregen. Voor mijn enkels hadden ze alleen touw gebruikt. Maar de plastic strip om mijn polsen gaf geen millimeter mee. Hij trok zich almaar strakker, net zo lang tot de bloedtoevoer naar mijn handen werd afgekneld. Het deed aanvankelijk erg pijn, maar op een gegeven moment had ik geen gevoel meer in mijn handen, alleen een brandend gezeur om mijn polsen, wat volgens mij kwam van het harde plastic dat in mijn huid sneed. Ik voelde de kleverige warmte van mijn bloed.

Toen ging de deur open, een rechthoek van licht aan de overzijde van de ruimte. Dutch en zijn partner liepen op ons af. De man met het litteken richtte een groot, plat vuurwapen op ons, terwijl Dutch op me af liep met een akelig uitziend stuk gereedschap in zijn hand. Voor ik kon reageren stond hij al achter me. Ik zag dat Dylan zijn hals strekte en met een van pijn vertrokken gezicht zijn stoel dichterbij probeerde te schuiven.

'Ik heb iemand gekend die zijn handen bijna amputeerde in zijn pogingen deze strips los te trekken,' zei Dutch, terwijl hij het plastic rond mijn polsen losmaakte met wat hij in zijn hand had. Ik voelde het bloed weer naar mijn handen stromen, het deed gewoon pijn. Ik hield ze voor me. Ze waren zo wit als papier en voelden niet aan alsof ze van mij waren. Er zaten akelige sneeën in mijn polsen.

'Daar kom je nu pas mee,' zei ik. Mijn aanstaande dood maakte me brutaal en sarcastisch.

Dutch gniffelde zacht. 'Ik heb u altijd zo graag gemogen, juffrouw Jones.'

Ik dacht dat hij zou gaan zeggen hoezeer het hem speet dat hij dit moest doen, maar die klucht werd ons bespaard. Hij was een man die nergens om gaf, die zijn diensten aanbood aan de hoogste bieder. Hij had niet de neiging dat te verbloemen – wat verfrissend zou zijn geweest als het niet zo angstwekkend was.

Hij gaf me het gereedschap, dat eruitzag als een forse draadtang. 'Maak uw vriend los en help hem overeind.'

Ik gehoorzaamde. Dylan viel bijna om en hing zwaar tegen me aan. Ik kon zijn gewicht hebben, maar gemakkelijk was het niet. Het duurde even voor ik doorhad dat de bijna-valpartij een truc was geweest om iets in mijn jaszak te laten glijden. Aan het gewicht en de vorm te voelen was het een zakmes. Ik kon me niet voorstellen dat het mesje van veel nut zou zijn. We keken elkaar even recht in de ogen. Ik zag totaal geen angst in zijn gezicht, eerder iets uitdagends. Zijn blik vroeg me dapper te zijn en hoop te hebben, twee dingen die me een poosje geleden al in de steek hadden gelaten. Ik probeerde ze weer uit mijn binnenste op te diepen.

Ooit, heel lang geleden, was ik een optimist geweest. Ik probeerde dat gevoel weer terug te halen, terwijl we langzaam de zware metalen deur passeerden en de trap af liepen naar de klaarstaande bestelbus.

Er is geen eenzamer en wanhopiger plek op aarde dan Potter's Field, de akker van de pottenbakker. Het ligt op Hart Island in de Bronx en je kunt er komen met een veerboot over de Long Island Sound, die vanaf City Island vertrekt. Op Hart Island ligt de stedelijke begraafplaats, waar de berooiden en naamlozen van New York ter aarde worden besteld, opeengestapeld in genummerde graven die door gevangenen worden gedolven. Het is een kaal, lelijk eiland met slechts hier en daar een boom en meanderende betonnen paden. Het gras staat er hoog. In de zomer bloeien er blauwe asters. Op het eiland bevinden zich ook een paar gebouwen – een ziekenhuis, een tuchtschool, een vervallen oud huis – ooit met een functie voor de stad, maar nu verlaten.

Ik heb het altijd een fascinerende plek gevonden met zijn miljoen anonieme doden. Waarom weet ik niet. Ik had ergens gelezen dat van de naamlozen een foto werd gemaakt en vingerafdrukken werden afgenomen, waarna ze met al hun kleren en bezittingen en overlijdensakte werden begraven, zodat ze konden worden geïdentificeerd als er nabestaanden kwamen opdagen. Ik vond dit zo'n onzegbaar eng en droevig gegeven, dat het me altijd is bijgebleven.

Om een of andere reden had ik altijd de wens gekoesterd de begraafplaats een keer te bezoeken, gewoon om te kunnen zeggen dat ik er was geweest. Ik heb zelfs ooit geprobeerd toegang te krijgen, toen ik er op de universiteit over wilde schrijven. Maar de enige levenden die op Potter's Field mochten komen waren de medewerkers van het mortuarium van de stad New York en gevangenen met hun bewaarders, en van die regel wordt niet afgeweken.

'Het is geen bezienswaardigheid,' zei de vrouwelijke voorlichtingsambtenaar bij wie ik mijn verzoek had ingediend. 'We moeten respect hebben voor de eenzame overledenen.'

Ik was gefrustreerd en geërgerd geweest dat ik geen toestemming had gekregen. Nu moest ik terugdenken aan haar woorden, 'de eenzame overledenen.' Bedenk wat je wenst, dacht ik, toen we uit het busje de aanlegsteiger op stapten.

'Toen heeft Judas, dien Hem verraden had, ziende dat Hij veroordeeld was, berouw gehad, en heeft de dertig zilveren penningen den over-priesters wedergebracht... en tezamen raad gehouden hebbende, kochten zij daarmede den akker des pottenbakkers, tot een begrafenis voor de vreemdelingen,' zei Dutch met een akelige grijns.

Ik had al eerder gehoord dat de benaming Potter's Field vermoedelijk afkomstig was uit het Evangelie van Matteüs. Als hij ons angst probeerde in te boezemen, lukte dat, maar ik gunde hem niet de voldoening van een reactie.

Ik hielp Dylan de bus uit. Ik verdacht hem ervan zijn lichamelijke zwakte te overdrijven – dat hoopte ik tenminste. Zijn ogen stonden hel-der en hij leunde minder zwaar op me dan de twee andere mannen moe-ten hebben gedacht. Maar een van de twee hield ons steeds onder schot.

'Bent u godsdienstig, juffrouw Jones?' vroeg Dutch, toen hij de achter-portieren achter ons dichtsloeg. Het rook naar eb en ergens klapperde een lijn in de wind. Ik zag dat er aan het eind van de steiger een witte speedboot lag afgemeerd. Ik voelde de kou door mijn veel te dunne leren jasje snijden en in mijn spijkerbroek en schoenen kruipen.

Ik antwoordde niet. Ik was niet in de stemming voor kletspraatjes.

'Nee,' zei hij. 'Dat had ik ook niet verwacht.'

Ik wist niet waar dit op sloeg.

We liepen de steiger af. Het eiland lag als een onheilspellende donkere vlek in de verte, aan de overkant van de Sound. Een ideale plek om je van twee lijken te ontdoen. Ik pakte Dylan nog steviger vast. Hij kneep even terug en toen wist ik zeker dat ik op hem kon rekenen. Dat voelde wat be-ter.

'Waarom hier?' vroeg ik Dutch, toen ik Dylan aan zijn partner had overgedragen. Dutch hielp me op galante wijze aan boord van de boot door mijn hand vast te houden en mijn arm te ondersteunen. Het was al-lemaal zeer beleefd, zeer beschaafd.

'Om ontelbare redenen,' antwoordde hij. 'Allereerst vind ik het een prachtige naam. Maar ook om andere, meer praktische redenen. Hier kunnen we goed zien of we worden gevolgd en of uw vader alleen komt.'

'En het is een goede plek om je van lijken te ontdoen,' zei ik.

'Uw lot ligt in de handen van Max, niet in de mijne,' zei hij.

'Dus als alles goed gaat, laat je ons vanavond naar huis gaan?' vroeg ik op een toon waarin hopelijk doorklonk dat ik er niets van geloofde.

Hij verwaardigde zich niet antwoord te geven. De andere man nam plaats achter het stuurwiel en startte de motor, die onaangenaam hard klonk en de nacht vervulde met een diep gorgelend geluid en benzinedampen.

'Maar voor wie werk je nu?' schreeuwde ik boven de herrie uit.

Geen antwoord.

'Wat zat er in de envelop?'

Geen antwoord.

Je ziet dat ik mijn lesje niet had geleerd. En ik begon Dutch langzamerhand op de zenuwen te werken. Ik leek wel een vroegrijp kind, eerst o zo schattig, maar na een poosje zo irritant als wat. Ik kon het niet helpen. Ik was opgefokt van de zenuwen en de angst, agressief uit onmacht en zo brutaal als de hel omdat ik dacht dat we hoe dan ook aan ons einde zouden komen op Potter's Field. Het maakte me razend dat ik nooit zou weten wat er in die envelop had gezeten. Ik dacht erover Dylan vast te pakken en samen het water in te springen. Maar dat was zwart en stroperig als teer, om van de kou maar te zwijgen. Ik moet je bekennen, zo dapper was ik niet.

Na een onaangenaam ruwe en ijskoude overtocht bereikten we het eiland. Het aanleggen ging moeilijk en de boot sloeg hard tegen de steiger. Dutch' pistool werd bijna uit zijn hand geslagen en hij kafferde zijn partner uit, die zonder iets te zeggen de boot vastlegde en Dylan de steiger op trok. Dutch hielp me uit de boot, met het pistool in mijn rug. De tijd van beleefdheden was voorbij. Van nu af aan was het menens.

Geesten gaan subtiel te werk. Niets bewijst dat beter dan een nachtelijk bezoek aan een begraafplaats op een eiland. Geen kreunende spoken, geen handen die uit versgedolven graven omhoog reiken. Wat Hart Island zo angstaanjagend maakte, was datgene wat op een vreemde manier ontbrak. De stilte was het eerste dat me opviel: de stilte van dodenakkers, waar niets leefde. Het was een zware, drukkende stilte, omgevingsgeluiden ontbraken. Elk geluid dat je maakte leek honderdmaal versterkt; mijn eigen, angstige ademhaling leek wel een turbomotor.

En dan de duisternis. De maan ging schuil achter een dik wolkendek, slechts een vage grijze gloed verlichtte de nacht. Er bestaat geen echte duisternis meer in de moderne wereld, zeker niet voor stadsbewoners. Straatlantaarns, koplampen, reclameverlichting, televisieschermen, bouwlampen, het zoekt elkaar op en vormt een eeuwige vlam die de duisternis voor altijd uitbant. De stad baadt altijd in het licht, het schijn-sel is zo helder dat we de sterren nauwelijks kunnen zien. De enige licht-jes die je op Hart Island kon zien waren ver weg. Hier heerste de duister-nis, die, stevig genesteld in schaduwen, elke vreemde vorm pikzwart maakte.

We liepen over een kaal pad. In de verte tekenden de verlaten gebou-wen zich dreigend af. Het geluid van onze voetstappen weerkaatste in de nacht toen we een bocht maakten en een steile helling opgingen naar een van de gebouwen – de verlaten tuchtschool waarover ik had gelezen. Hij leek een beetje doorgezakt in het midden. Dutch stak plotseling een hand op en we hielden halt.

'Er is iets niet in de haak,' zei hij.

Hij draaide rond zijn as en tuurde met samengeknepen ogen de nacht in.

'Waarom denk je dat hij me komt halen?' zei ik. 'Denk je dat hij zich-zelf opoffert om mij te redden? Dan zit je er goed naast.'

Hij antwoordde niet, maar aan de blik die hij me toewierp kon ik zien dat hij er geen moeite mee zou hebben me te vermoorden als het mo-ment daar was. De minuten gingen traag voorbij in het donker en de kou. Dylan begon zwaarder aan te voelen en mijn rug deed pijn van de in-spanning om hem te ondersteunen. De blik in zijn ogen, vaag en afwezig, beviel me niets.

'Je hebt zijn liefde voor me overschat.'

'Ik denk het niet,' zei hij, terwijl een langzame glimlach zijn gezicht openspleet. Hij knikte in de richting van het gebouw. Daar stond een donkere, slanke gestalte, steunend op een stok. Mijn hart begon als een gek te bonzen, mijn keel werd droog en mijn handen trilden.

'Max,' zei Dutch luid en liep op hem toe. 'Goed je weer te zien.'

Dutch' partner trok me met een ruk weg van Dylan, die op de grond in elkaar zakte. De man sloeg zijn dikke arm om mijn keel en drukte de loop van zijn wapen tegen mijn hoofd. Mijn handen vlogen instinctief naar zijn arm. Ik klauwde naar hem en begon te worstelen om lucht.

'Sta stil,' siste hij fel. Toen dacht ik aan het zakmes. Ik liet mijn hand in mijn zak glijden en knipte het kleine lemmet open. Als ik terugdenk aan wat er daarna gebeurde, lijkt het alsof de tijd vertraagde.

Van de donkere gestalte boven aan de heuvel kwam een lichtflits en klonk het geluid van een schot. Ik zag Dutch naar achteren klappen, vooroverbuigen en met een logge beweging op zijn knieën vallen. Even bleef hij als verstard in deze vreemde houding zitten, daarna viel hij opzij. Ik haalde mijn hand uit mijn zak en stak het mes met alle kracht die ik in me had in de keel van de man die me vasthield. Het enige wat ik voelde was angst, en een verschrikkelijk verlangen mijn longen vol lucht te zuigen. Met een hoge gil liet hij me los en deinsde achteruit, zijn hand tegen zijn keel, terwijl het bloed tussen zijn vingers door gutste. Het was niet om aan te zien.

Dylan, die ik als verloren had beschouwd, sprong onmiddellijk boven op hem. Hij rukte het wapen uit zijn hand en gebruikte het om hem met een harde klap tegen zijn schedel uit te schakelen. Metaal op bot, een afschuwelijk geluid. Ik zag het pistool van Dutch op het betonnen pad liggen en raapte het op. Het lag koud en zwaar in mijn hand. Ik stak het in de broeksband van mijn spijkerbroek.

Ik keek op naar de donkere gestalte op de heuvel en gilde: 'Max!'

Hij draaide zich om en liep snel weg. Ik liep in zijn richting.

'Ridley!' hoorde ik Dylan roepen. Ik keek om en zag dat hij me achterna strompelde. 'Laat hem gaan. Laat hem toch gaan.'

Ik zette het op een lopen.

22

'Ridley, doe het niet. Je zult er je leven lang spijt van hebben.'

De stem komt van achter me. Ik draai me met een ruk om en zie iemand die ik nooit meer had verwacht te zullen zien. Jake.

'Dit gaat jou niet aan,' gil ik en draai me weer om naar Max.

Op dat moment besef ik waarom ik eigenlijk achter hem aan zit, wat ik eigenlijk wil doen als ik hem heb gevonden. Die gedachte maakt me onpasselijk, ik ga er bijna van over mijn nek. Hij blijft dichterbij komen. Met gebogen hoofd snelt hij door de plekken waar het licht binnenvalt. Hij ziet niet – of het kan hem niet schelen – dat ik een pistool op hem gericht houd. Onwillekeurig ga ik een paar passen achteruit.

'Ridley, doe niet zo stom. Doe dat pistool weg.' De stem achter me klinkt wanhopig, breekt van emotie. 'Je weet dat ik je hem niet kan laten doodschieten.'

Mijn hartslag reageert op de angst in zijn stem. *Waar ben ik mee bezig?* De adrenaline giert door mijn lijf en bezorgt me een droge mond. Ik kan niet schieten, maar ik kan het pistool ook niet laten zakken. Ik wil gillen van angst en woede, van frustratie en verwarring, maar alles blijft steken in mijn keel.

Als hij eindelijk zo dichtbij is dat ik hem kan zien, staar ik naar zijn gezicht. En zie iemand die ik absoluut niet herken. Ik snak naar adem als een brede, wrede glimlach over zijn gezicht trekt. En dan dringt het tot me door.

'O god,' zeg ik en laat mijn pistool zakken. 'O, nee.'

Dan, heel even, zie ik hem. Ik kijk in zijn ogen en zie mijn oom Max, de man die me altijd vond en terugbracht. Hij bestaat nog steeds in de ogen van deze vreemde. Eén ogenblik verliest het gezicht zijn wreedheid en het kleine meisje in me verlangt naar hem, wil niets liever dan op hem af rennen. Zonder nadenken laat ik mijn pistool zakken en strek ik mijn hand naar hem uit. Even kijken we elkaar recht in de ogen. Dan leeft de nacht op met licht en geluid. Hij draait zich om en rent weg.

Plotseling lopen er allemaal mannen in gevechtstenue om me heen. Met getrokken wapen rennen ze de vluchtende gedaante van Max achterna. Hij heeft zijn stok weggegooid en hij rent sneller dan ik ooit voor mogelijk had gehouden. Jake pakt mijn arm stevig vast. Zijn gezicht is bleek en staat strak van woede.

'Blijf hier!' schreeuwt hij tegen me. Ik kan zien dat hij buiten zichzelf is van woede. 'Verdomme, Ridley, waag het niet je te verroeren!'

Daarna is hij ook weg. Allemaal zitten ze Max achterna. Dylan komt achter me staan en ik keer me naar hem toe.

'Ik kon het niet,' zeg ik. Pas als ik die woorden heb uitgesproken, besef ik dat ik mijn vader niet had willen *vinden*, maar dat ik hem had willen doden. Ik had niet gewild dat hij zijn leven in hechtenis zou voortzetten om de CIA te helpen een einde aan de vrouwenhandel te maken. Ik had hem uit deze wereld willen wegsnijden als een kankergezwel, alsof ik me op die manier kon bevrijden van alles wat ik van hem in me had, goed of kwaad. Ik had gedacht het te kunnen, omdat ik zijn dochter was. Maar weer had ik me vergist.

'Natuurlijk niet,' antwoordt Dylan. Hij neemt mijn gezicht in beide handen. 'Jij bent niet zoals hij. En dat zul je nooit worden ook.'

Ik hoor de rotorbladen van een helikopter en het geluid van schoten. We lopen snel op het geluid af en als we buiten komen zien we een zwarte helikopter opstijgen in de nacht. Ik zie Max achter het glas en denk aan zijn wolfachtige grijns. Hij heft een hand op en wijst naar zijn hart om vervolgens naar mij te wijzen. Dan weet ik dat ik hem nooit meer zal zien. De helikopter verdwijnt in de verte en ik vraag me af wat er is gebeurd met de man van wie ik hield, zo die al ooit bestond.

Jake en zijn mannen blijven zinloos op de helikopter vuren, ook al is hij al ver buiten bereik. Jake staat te schreeuwen in een mobieltje als zijn oog op mij valt. Hij rent op me af.

'We krijgen hem vanavond te pakken, Ridley. Hij komt niet ver.'

Ik weet niet of dit een dreigement is, of een belofte. Hoe dan ook, het kan me niet schelen. Ik keer me om naar Dylan. Ik wil Jake nooit meer zien.

'Jullie tweeën zijn zo verdomde stom,' zegt Jake, terwijl hij bij ons komt staan. Zijn gezicht is vlak voor dat van Dylan. 'Hoe kon je dit doen?'

Dylan duwt hem van zich af. 'Ga weg, man.'

Even denk ik dat ze gaan vechten. Ik hoor de woede en frustratie in hun stem. Maar het loopt met een sisser af. Het doet pijn als je zo dicht bij datgene bent wat je hebt nagejaagd en het je dan toch nog ontglipt. Zonder dat je er iets aan kunt doen. Niemand begrijpt dat beter dan ik.

Als ik om me heen kijk naar het vlakke, dode eiland en omhoog naar de verdwijnende lichten van de helikopter van Max, voel ik woede noch teleurstelling. Voor het eerst sinds ik weet dat ik de dochter ben van Max, voel ik me vrij.

23

Wie was Max Smiley? Zelfs nu ben ik er nog niet helemaal achter. Hij was iemand die van gedaante veranderde, hij was wie hij moest zijn om de boel te beheersen. Hij was de nachtmerrie van Nick Smiley, de beste vriend van Ben Jones, mijn geliefde oom. Hij was een moordenaar, een weldoener, een projectontwikkelaar, een misdadiger die er direct en indirect verantwoordelijk voor was dat talloze vrouwen als slavin werden verkocht of vermoord. Hij was een man van wie ik hield en een man die ik haatte. Hij was een man die ik vreesde en iemand die ik helemaal niet heb gekend. Dit was hij allemaal tegelijkertijd. Hij was mijn vader.

Het idee dat we elkaar zouden vinden en dat hij verantwoording af zou leggen voor wat hij mij en zoveel anderen had aangedaan, dat hij berouw zou tonen, zich zou aangeven en een soort boetedoening zou doen – dat was de droom van een kind. Een kind dat door een ouder onrecht is aangedaan zal zijn hele leven wachten tot dat onrecht erkend wordt, tot de ouder bevestigt dat de pijn echt is, dat hij spijt heeft en het goed wil maken. Het kind zal altijd blijven wachten, zal niet in staat zijn verder te leven, niet in staat zijn te vergeven, tenzij iemand dat verleden erkent. Die machteloosheid gaat gepaard met een verschrikkelijke woede.

Uit die woede kwam een nog duisterder, maar even kinderlijke droom voort – een droom waarvan ik me pas bewust werd toen ik het pistool in mijn hand had. Jake had natuurlijk gelijk: ik had het niet in me. Ik had niet genoeg van Max in me. Ik had het mezelf nooit kunnen vergeven. Het brave meisje met haar huiswerk af en haar pyjama aan, dat was ik echt. Trouwens, als ik hem had gedood, zou hij niet minder mijn vader zijn geweest, het zou de stukjes van hem die in mij leefden niet hebben gedood. Zijn geest moest uit me verdreven worden, dat was het.

Dat zat ik allemaal te overdenken, terwijl ik in mijn eentje in de zoveelste verhoorkamer zat. Ze leken allemaal hetzelfde, deze kamers met hun harde tl-licht en nephouten tafels, hun harde metalen en plastic stoelen. Ik was opmerkelijk kalm gezien het feit dat ik geen idee had wat er met me zou gebeuren. Het was mogelijk dat ik gearresteerd zou worden – heel goed mogelijk. Ik had niet eens een advocaat. Tegen mijn vader hadden ze gezegd dat ze hem eindeloos konden vasthouden, dat er andere regels golden als het de nationale veiligheid betrof. Ik zag het helemaal voor me, hoe ik, gekleed in een grijze overall, over de hele wereld van de ene naar de andere geheime CIA-gevangenis werd getransporteerd. Toch voelde ik me merkwaardig kalm. Waarschijnlijk omdat ik mijn ontkenningsmechanisme weer had ingeschakeld.

De deur ging open en Jake kwam binnen. Hij zag er vreselijk uit, zijn gezicht stond strak. Hij had donkere wallen van vermoeidheid onder zijn ogen. Ik moest even slikken toen ik hem zag. Wat ik voelde? Het is zo ingewikkeld. Ik was vreselijk boos, voelde me verraden en, ja, liefde voelde ik ook nog.

Hij ging tegenover me zitten. 'Hij is weg. We zijn hem kwijtgeraakt.'

Ik knikte. Het verbaasde me niets.

'We konden de satellietcamera's niet op tijd in werking stellen. Hij is ergens geland en weggereden in een auto... nemen we aan.'

Ik zei niets. Ik wist niet precies wat ik ervan moest denken. Ik klemde me zo stevig vast aan de tafel dat mijn knokkels er wit van werden. Ik dwong mezelf te ontspannen. Mijn gevoelens voor Jake waren ingewikkeld, maar die voor Max waren honderden malen ingewikkelder.

'Hoe heb je dit kunnen doen, Ridley? Wat wilde je bewijzen?'

'Ik wilde niets bewijzen, ik...' zei ik. De rest van de zin hield ik binnen.

'Je wilde hem doodschieten,' zei Jake doodgemoedereerd.

'Ja. Nee. Ik weet het niet,' zei ik. 'Dat dacht ik.'

Hij schudde zijn hoofd. Hij keek zo afkeurend, dat ik hem wel had kunnen slaan.

'Kijk niet zo naar me,' zei ik en ik voelde mijn gezicht gloeien van woede. 'Jij bent de kampioen leugenaar. Wat jij hebt gedaan is honderd keer erger. Hoe kun je daarmee leven?'

'Ik deed gewoon mijn werk,' zei hij slapjes.

We zaten als twee uitgebluste kemphanen tegenover elkaar. Hij keek als eerste weg, maar we verloren allebei. Toen reikte hij onder de tafel en ik hoorde hem twee schakelaars omzetten. De lichten in de ruimte achter de spiegel gingen aan en ik zag dat er niemand was.

'We zijn met z'n tweeën, Ridley. Ik heb de opnameapparatuur uitgezet.'

Ik wist niet wat hij wilde.

'Wat? Ga je me in elkaar slaan? Me martelen om iets uit me te krijgen?'

'Nee,' zei hij, terwijl hij naar zijn handen keek. 'Ik wil dat je weet dat er meer tussen ons was dan leugens.'

'Ik denk niet dat dat nu van belang is, Jake.'

'Het is van belang. Het is van belang voor mij. Ik heb van je gehouden, Ridley. Dat is de waarheid. Ik wil dat je dat begrijpt. Ik hou nog steeds van je.'

Ik keek hem aan en ik zag dat hij er behoefte aan had dat ik hem geloofde. Op een of andere manier moest ik denken aan mijn ontmoeting met Christian Luna, een man die geloofde dat hij mijn vader was. Ik weet nog hoe hij mij probeerde te overtuigen, hoe wanhopig graag hij wilde dat ik begrip had voor wie hij was en wat hij had gedaan. Hij wilde dat ik hem vergaf. Maar het ging allemaal over hem – over wat hij wilde, waar hij behoefte aan had om met zichzelf in het reine te komen.

'Werd je daarom zo afstandelijk op het laatst?'

Hij knikte.

'Je wist dat het kritieke moment dichterbij kwam, dus trok je je terug, zodat het minder pijn zou doen als ik eenmaal begreep wat er was gebeurd. Je trok je net ver genoeg terug om afstand te kunnen nemen, maar je bleef bij me om me te kunnen manipuleren.'

Hij liet het hoofd hangen.

'Je bleef bij me om met me naar bed te kunnen gaan.'

Hij keek snel op. 'Dat was allemaal echt. Elke keer, Ridley.'

Ik hoorde een lichte trilling in zijn stem. En ik geloofde dat het echt was geweest. Maar daar ging het niet om. De verschrikkelijke leugen waarop onze relatie dreef was als een donkere rivier die al het andere meesleurde. Ik zou hem nooit kunnen vergeven... vooral omdat ik geloofde dat hij alleen van me kon houden op zijn manier. Dat zei ik hem ook.

Hij knikte, rechtte zijn rug een beetje tegen de stoelleuning. Zijn gezicht stond wanhopig, aan zijn strakke mond en aan de trilling in zijn ooghoeken zag ik hoe verdrietig hij was. Ik voelde spijt over elke leugen die tussen ons had bestaan. We hadden zo lang bij elkaar kunnen blijven, misschien wel voor altijd. Maar dat was in een ander leven, in een ander universum van mogelijkheden dat niet meer bestond.

'Luister,' zei ik, terzake komend. 'Wat er ook verder met mij gebeurt, ik wil dat men weet dat Dylan Grace er niets mee te maken had. Hij werd erin meegesleurd omdat ik eigenwijs was en hij heeft me van een wisse dood gered.'

Hij keek me aan en glimlachte.

'Grappig,' zei hij. 'Hij zei precies het tegenovergestelde – dat hij jou erin had meegesleurd, dat hij je had overgehaald die telefoon te dumpen en hem te helpen Max te vinden.'

'Hij probeert me alleen maar te beschermen. Het was mijn schuld. Mij treft alle blaam.'

Jake slaakte een zucht en stond op. Hij liep naar het raam en keek de lege observatieruimte tegenover ons in. Ik kon zijn weerspiegeling zien in het donkere glas. 'De waarheid is dat mij alle blaam treft.'

'Jou? Waarom?'

'Als ik je dit defecte toestel niet had gegeven,' zei hij, terwijl hij het mobieltje uit zijn zak haalde dat ik in de tunnel onder Five Roses had gedumpt, 'dan waren we je nooit kwijtgeraakt. En dan had Dutch Warren je niet zomaar kunnen ontvoeren.'

'Maar het was niet...' zei ik. De blik in zijn ogen legde me het zwijgen op. Ik had het door.

'Het was mijn taak je te beschermen en daar ben ik niet in geslaagd. Het spijt me dat je bijna eindigde als permanente bewoner van Potter's Field.'

Ik huiverde bij de gedachte.

'Jij hebt je aan de deal gehouden,' zei hij. 'Het is niet jouw schuld dat het op deze manier is afgelopen.'

'En Dylan?' vroeg ik.

'De deal staat nog steeds.'

Hij stond nog steeds met zijn rug naar me toe, maar ik zag dat hij me in de spiegelruit bekeek.

'Voor wie werkte hij?' vroeg ik.

'Dutch Warren? We denken dat hij voor ene Hans Carmichael werkte, een van die mensen die op zoek waren naar Max. Het gerucht gaat dat de dochter van Carmichael een heroïnehoertje was en dat Max haar zo'n tien jaar geleden in Londen heeft vermoord. Sinds die tijd zon hij op wraak.'

Ik knikte en vroeg me af of er ooit een einde zou komen aan de lijst misdaden van Max. 'Werkte Boris Hammacher voor dezelfde man?'

'Dat vermoeden we.'

'En de man die me in het Londense ziekenhuis probeerde te vermoorden?'

'Ik betwijfel of ze je meteen gedood zouden hebben,' zei hij. 'Maar de man die door Dylan werd gedood in Londen was ook een handlanger van Carmichael, dus je kunt rustig aannemen dat ze je in Londen probeerden te ontvoeren en dat het dankzij Dylan Grace is mislukt.' Ik meende iets van afgunst in zijn stem te horen, maar misschien wilde ik dat horen.

Hij liep terug naar de tafel en ging tegenover me zitten. Ik merkte dat ik naar zijn handen keek en dacht hoe sterk en teder ze altijd over mijn lichaam waren gegaan. Dat is altijd zo raar als een relatie uit gaat: alle lichamelijke intimiteit wordt meteen herroepen. Ik zou deze handen nooit meer vasthouden, ze zouden nooit meer het recht hebben over mijn huid te dwalen. Lichamelijk en emotioneel was hij als een vreemde, hoewel ik kort geleden nog van hem had gehouden.

Hij legde het mobieltje op tafel.

'Deze dingen kosten een vermogen en ze doen het nooit als je ze nodig hebt,' zei hij met een glimlach die mijn hart brak.

'Oké,' zei hij. 'Laten we nog even alles doornemen, dan kun je gaan.'

'Waarom doe je dit?' vroeg ik hem. Het bevreemdde me, aangezien ik in mijn eentje alles had verpest waar hij jarenlang naartoe had gewerkt.

Weer die glimlach. 'Vanwege wat we hebben gehad, Ridley. Snap je?'

Ik zei niets, maar keek hem nog even in de ogen. Daarna knikte ik langzaam.

Hij startte de geluidsband met de schakelaar onder de tafel. Ik vertelde hem alles wat er was gebeurd, in het appartement van Max en op Potter's Field. Hij stelde af en toe een vraag, maar het ging tamelijk snel. Toen we klaar waren, stond hij op.

'Het spijt me, Ridley,' zei hij. Ik kon zien dat hij het meende. Ik vond het ook spijtig.

'Jake,' zei ik, toen hij naar de deur liep, 'heb je de envelop gevonden?' Ik had hem verteld dat ik dacht dat ze hem op de boot hadden achtergelaten.

Hij knikte en bleef staan met zijn hand op de deurkruk. Ik voelde mijn hart overslaan en mijn maag kneep samen. Zoals gewoonlijk wilde ik het even graag wel als niet weten. Ergens hoopte ik dat er iets voor mij in zat. Ik weet het, ik ben hopeloos.

'Wat zat erin?' vroeg ik ten slotte.

'Dat is vertrouwelijk, Ridley.'

'Jake, ik moet het weten.'

'Bestanden,' zei hij. 'Computerbestanden.'

'Met daarin?'

'Hij heeft iedereen verraden met wie hij illegaal zaken heeft gedaan. Er zitten namen in, banktransacties, foto's. Een team agenten zou er maanden, zo niet jaren, over doen om zoveel gegevens bij elkaar te krijgen.'

'Waarom heeft hij dat gedaan?'

'Het is eigenlijk geniaal. Alles wat we van hem wilden is nu beschikbaar – namen, data, mogelijke getuigen. Genoeg materiaal om een paar zware jongens voor de rechter te brengen.'

'Wordt de zoektocht naar Max dan minder urgent?'

'Hij is nog steeds een van de belangrijkste mensen die we willen opsporen. Maar het natrekken van deze aanwijzingen zal wel prioriteit krijgen, ja.'

Ik zweeg. Ik wist niet wat ik moest zeggen.

'Het ging nooit alleen om hem. Dat heb ik je steeds gezegd,' zei Jake.

'Zat er iets in over Project Kinderhulp?'

Hij aarzelde en knikte kort. 'Daar kan ik je natuurlijk niets over vertellen.'

'Natuurlijk niet,' zei ik. Ik wist niet eens of ik wel iets wilde weten over Project Kinderhulp. Wat had ik eraan als ik wist wie het vuile werk had opgeknapt? Ik vroeg me af hoeveel van die kinderen een goed tehuis hadden gevonden en hoeveel er in de hel waren beland. Het was te veel om te overzien. Ik voelde de vertrouwde verlamming over me heen walsen, de vertrouwde mist in mijn hoofd ontstaan. Wat kon ik eraan doen?

Ik dacht aan mijn vader, aan Ben. Waarom had hij me dat sleuteltje gegeven? Had hij me niet gebruikt om Max te laten ontkomen? Was dat opzet geweest of had hij me willen laten zien wie Max in werkelijkheid was? Of had hij gewoon de instructies van Max uitgevoerd? Dat moest tot later wachten.

'Was er iets voor mij bij?'

Jake schudde het hoofd. Zijn gezichtsuitdrukking maakte me duidelijk dat hij niet kon geloven dat ik, na dit alles, nog iets van Max wilde horen.

'Ga naar huis, Ridley,' zei Jake, de laatste boodschap van Max aan mij herhalend. Ik wist niet of hij het met opzet zei of niet. Maar ik volgde zijn raad op.

24

Het bos achter het huis van mijn ouders lag er nog net zo bij als in mijn herinnering. Het was koud en daar was ik, zoals gewoonlijk, niet op gekleed. Over een uur zou de zon opkomen. Er was al een zilverachtig licht aan de horizon te zien. Als kind was ik bang geweest voor dit bos, in het donker veranderden de dunne zwarte bomen in heksen, de stenen in kobolds en de struiken in boemannen. Vannacht liep ik tussen de kale bomen door en was ik nergens bang voor. Ik zag het licht op de veranda van de buren branden toen ik over de bedding van de beek stapte, die 's winters altijd droog stond.

Het lag er nog net zo bij als we het lang geleden hadden achtergelaten, toen het het middelpunt vormde van onze fantasiespelletjes. De hut die Ace en ik hadden gebouwd bleek verbazingwekkend klein toen ik ernaast stond. In mijn herinnering was hij veel groter, wel zo groot als een auto, maar deze had meer het formaat van een koelbox, misschien ietsje groter. Ondanks de geringe afmetingen leek het scheve bouwwerk stevig overeind te staan. Het hoorde in dit bos en in mijn herinnering, daar had het een vaste plaats.

Ridley, ga naar huis.

Ik kroop naar binnen en ging op de koele, natte aarde zitten. Het paste nét; ik moest me wel opvouwen. Het was alsof ik de geluiden van de zomers uit mijn jeugd hoorde: tjirpende krekels, kwetterende mussen bij zonsopgang, in de verte de treinen van en naar de stad. Maar deze winternacht was het stil. En ik voelde heel goed hoe ver ik van mijn jeugd af stond, van het meisje dat zich verstopte, om gezocht, gevonden en thuisgebracht te worden.

Het lichtte op, het wit van de envelop dat tussen de rottende houten latten stak. Het papier was nog schoon en droog, dus het lag er nog niet zo lang. Op de voorkant stond mijn naam geschreven. Ik trok hem tussen de latten vandaan, scheurde hem open en haalde er een velletje papier uit.

Dag kind,

Wat een puinhoop, hè? Ik vraag me af wat je van me denkt, als je dit leest... Haat je me? Ben je bang voor me? Ik zou het niet weten. Ik vlei mezelf met de gedachte dat je genoeg mooie herinneringen aan me hebt om me niet te verachten. Maar misschien is dat niet zo.

Het enige wat ik je wil zeggen is dit: geloof niet alles wat je hoort.

Ik ben tekortgeschoten tegenover jou, dat weet ik. Je zult het wel met me eens zijn dat het beter voor je was geweest als je nooit had geweten dat ik je vader was. Ben is een veel beter mens. Een beter mens en een betere vader dan ik ooit had kunnen zijn. Dat is een goede beslissing geweest. Je bent van slechte komaf, mijn kind. Je stamt af van slechte mensen, met een slecht verleden. Ik heb je voor die wetenschap proberen te behoeden. En terecht... want je bent een helder licht, Ridley. Dat heb ik je al eerder gezegd. Houd dat vast, ondanks alles wat je nu weet van mij en van je grootouders. Je kunt het.

Ik ken je goed genoeg om te weten dat je naar antwoorden zoekt. Als kind al wilde je een begin, een midden en een gelukkig einde. Weet je nog hoe boos je werd toen we Gejaagd door de wind *keken? Je kon niet geloven dat Rhett Scarlett in de steek zou laten na alles wat er was gebeurd. En al die jaren dat je met Ace in contact bent gebleven. Hij was een junkie, heeft je gebruikt, zichzelf te gronde gericht, maar je bleef hem opzoeken, gaf hem geld en probeerde hem te helpen. (Dacht je dat ik dat niet wist? Er is weinig van je dat ik niet weet.) Je wilde altijd alles heel maken, alles rechtzetten. Je hebt altijd geloofd dat jij daar de aangewezen persoon voor was. Dat eigenzinnige zelfvertrouwen maakt je voor een deel tot wie je bent, en dat vind ik een mooie eigenschap. Maar in mijn geval lukt het je niet. Ik ben te ver heen... en dat was ik al voor je werd geboren.*

Ik ga geen opsomming geven van de dingen die ik al dan niet heb gedaan. Sommige dingen die ze van me zeggen zijn waar en andere dingen niet. Ik kan je vertellen dat ik geen goed mens ben geweest, hoewel ik wel wát goeds heb gedaan met mijn leven. Maar het is al vroeg fout gegaan, onherroepelijk fout. De enige die ooit iets goeds in me heeft gezien was Ben, en later jij. Daar ben ik altijd dankbaar voor geweest, hoewel je nu waarschijnlijk denkt dat ik je liefde niet verdiende. En dat is waarschijnlijk waar.

Tegen de tijd dat je dit leest, als dat al ooit het geval zal zijn, ben ik weg. Ik vraag je één ding nooit te vergeten: wat ik ook heb gedaan, wie ik ook ben, wat je ook van me bent gaan denken, ik heb altijd meer van jou gehouden dan van mijn eigen leven. Ik ben je vader en niets kan dat veranderen. Al zou je me vermoorden, dan ben ik het nog.

Lang geleden zaten we samen op deze plek en toen heb ik je gezegd: onze harten zijn verbonden met een gouden ketting. Ik vind je altijd terug. Dat is vandaag nog even waar als toen.

Hoe dan ook, kind, het spijt me dat ik je dit heb aangedaan. Raap de brokstukken van je leven bij elkaar en ga verder. Pieker niet over het verleden en over je afkomst. Ga gewoon verder.

En wees lief voor je ouders. Ze houden van je.

Altijd de jouwe,

Max

Ik bleef een tijdje zitten met die brief in mijn hand en bedacht hoe voorspelbaar ik voor hem moest zijn, omdat hij had geweten dat ik ooit naar deze plek zou terugkeren. Of hoe nauw de band tussen ons moest zijn, omdat hij had geweten dat hij een brief voor me kon achterlaten en dat ik die zou vinden. *Ridley, ga naar huis.* Dat had hij dus bedoeld. Ik moest niet naar mijn huis gaan. En ook niet naar het zijne. Maar naar het huis van mijn jeugd, waar hij altijd mijn geliefde oom Max was geweest. Hij had bedoeld dat ik naar de plek moest gaan waar ik van hem had gehouden. Het was een trieste thuiskomst.

Toen hoorde ik iets bewegen in de struiken. Ik hield mijn adem in, probeerde me nog kleiner te maken. Het gekraak werd luider en kwam dichterbij.

'Ridley, ben jij dat?'

'Pap?'

Ik keek door het raampje en zag Ben staan. Hij droeg schoenen onder zijn pyjama en ochtendjas.

'Ik was wakker,' zei hij, terwijl hij naast me hurkte. 'Ik hoorde je auto en zag je over het gazon van de achtertuin lopen. Wat doe je hier in hemelsnaam?'

'Ik had het gevoel dat ik hier zou vinden wat ik zocht.'

Hij stak zijn hand naar binnen en raakte mijn gezicht aan. Hij keek me aan op een manier alsof hij dacht dat ik gek aan het worden was.

'Heb je het gevonden?'

'Ik heb *iets* gevonden.'

Ik gaf hem de brief, die hij las in het toenemende ochtendlicht. Ik vertelde hem wat er was gebeurd sinds Dylan Grace me voor het eerst op straat had aangehouden. Ik vertelde hem over Potter's Field en dat ik Max had gezien. Ik vertelde hem niet dat ik onbewust het duistere plan had gehad hem die avond te doden en dat ik domme en roekeloze dingen had gedaan om zover te komen.

'Waarom heb je me dat sleuteltje gegeven?' vroeg ik. 'Wist je wat er in die la lag?'

Hij haalde zijn schouders op. 'Hij zei dat je het nodig had, dat je zou weten wat je ermee moest doen. Dat alles verloren was en dat jij en ik moeilijkheden zouden krijgen vanwege de dingen die hij had gedaan. Hij zei dat het onze "Ga niet naar de gevangenis"-kaart was.'

Ik vertelde hem wat er in de la had gelegen en met welk resultaat het aan de CIA was overgedragen. Hij leek niet ontsteld, zelfs niet verbaasd. 'Max was iedereen altijd een stap voor,' zei hij. 'Een echte straatvechter, zijn hele leven al. Ik speel het spel volgens de regels. Hij is een rauwdouwer. Max Smiley is onverslaanbaar.'

Er klonk onvervalste bewondering in de stem van mijn vader. Ik vroeg me af of *hij* gek geworden was.

'Begrijp je wel wat ik je zeg, pap? Begrijp je wie hij was?'

'Ik begrijp wie ze denken dat hij is. Maar je weet wat er in de brief staat: "Geloof niet alles wat je hoort."'

'Hij heeft het bewijs geleverd, pap.'

'Hij heeft ze gegeven wat ze nodig hadden, zodat ze hem met rust zouden laten. Dat is niet hetzelfde.'

Als mijn vader aan het ontkennen sloeg, was er geen doorkomen meer aan. Hij had slechts een flintertje van Max willen zien, een snippertje van wie hij was, en daar klampte hij zich aan vast. Hij wilde de volledige persoon niet zien. Misschien was hij wel bang.

'Wat is dat toch, pap? Hoe heeft hij je al die jaren aan zich weten te binden?'

'Door hetzelfde als ik voor jou voel, Ridley. En voor je moeder. Zelfs voor Ace. Liefde.'

Ik had verwacht dat mensen zouden veranderen. Ik had verwacht dat Max zou erkennen wat hij had gedaan. Ik had verwacht dat Ben zou erkennen wie Max echt was en wat voor effect al hun ontelbare leugens op mij hadden gehad. Ik had verwacht dat Ace van de drugs af zou komen en een normaal leven zou gaan leiden. Misschien is *verwacht* niet het goede woord. *Gehoopt* is beter, maar even zinloos. Je kunt niet hopen dat anderen veranderen, je kunt het alleen bij jezelf proberen. En dat is hard werken.

Ik liet mijn vader achter in het bos en stak het gazon over. Ik voelde de dauw optrekken door mijn schoenen en zag hoe de zon de ramen van het huis van mijn ouders goud kleurde. De lucht was koud en de hemel roze. Ik zag mijn moeder voor het slaapkamerraam naar me staan kijken, net als een jaar geleden. Sinds die tijd was er hier niets veranderd – behalve voor mij. Dat bedoelen ze waarschijnlijk als ze zeggen dat je nooit meer naar huis terug kunt gaan.

Epiloog

Nee, ik ben niet met Dylan Grace gaan samenwonen. Ik was wel zo verstandig te beseffen dat ik tijd nodig had om Ridley Jones te leren kennen, na alles wat ik had doorgemaakt, na al die gedaanteverwisselingen. Met vallen en opstaan was ik erachter gekomen dat ik niet alleen de dochter van Ben en Grace, of de dochter van Max en Teresa Stone was, maar dat ik het allebei was. En bovenal, dat ik zelf iemand was, iemand die haar eigen weg door het leven probeerde te banen. Aangeboren, aangeleerd, vrije wil – het speelt allemaal een rol. Uiteindelijk gaat het allemaal om keuzes. Grote, kleine... je kent mijn riedeltje zo langzamerhand wel.

Dylan en ik hebben iets met elkaar. Ik vind het grappig dat zijn achternaam hetzelfde is als de voornaam van mijn moeder. Het is zo'n vrouwelijke naam en hij is zo'n stoere bink – die tweespalt is wel cool. Er is veel meer cools aan Dylan Grace. Hoe dan ook, we gaan naar de film, we gaan uit eten, we gaan naar musea... maar bovenal praten we.

'Al die tijd dat ik je moest observeren,' zei hij onder het eten bij ons eerste avondje uit. 'Ik werd er gek van dat we niet met elkaar konden praten.'

Hij doet alsof hij niet alles van me weet en we besteden hele nachten om erachter te komen of we iets gemeenschappelijks hebben, behalve onze obsessie voor Max en de neiging dodelijk gevaar en wilde actie op te zoeken. En ik snap dat het nogal overbodig is om te zeggen, maar de vonken vliegen ervan af.

We liepen op Fifth Avenue, na wat galeries in Soho te hebben bezocht, en ik bedacht hoe goed het allemaal was tussen ons. Volgens mij vond hij de meeste kunst die we die dag hadden gezien behoorlijk lelijk, maar hij zei er niets van. Met een beker warme chocolademelk van Dean & Deluca in de hand staken we Washington Square over en liepen we langs Eighth Street. Ik zag mezelf in een etalageruit. Eerder die week was ik naar de kapsalon van John Dellaria geweest om mijn haar weer te laten verven in een kleur die dicht bij mijn natuurlijke kleur lag, maar het was nog wel kort en piekerig. Ik had er niet meer zo'n moeite mee, maar ik wilde het wel weer laten groeien. Terwijl ik naar mezelf keek, zag ik nog iemand in de ruit. Een magere man in een lange jas, aan de overkant van de straat, leunend op een stok.

Ik draaide me om. Een onbekende. Het was Max niet.

Dit gebeurt vaak en het zal wel zo blijven, hoewel ik weet dat hij nooit meer naar me op zoek zal gaan. Hij is bij me. Hij zal altijd bij me zijn. In de duistere krochten van mijn geest had ik gedacht dat ik me van hem zou kunnen bevrijden, maar nu weet ik dat hij me mijn leven lang dag en nacht zou hebben achtervolgd, als ik dat had gedaan.

Er zijn nog steeds dingen die me dwarszitten; sommige dingen die gebeurd zijn zal ik nooit begrijpen. Ik denk niet dat ik me ooit de reis in het vliegtuig volledig zal kunnen herinneren, of hoe ik van de Cloisters in dat vliegtuig ben gekomen. Het paspoort in mijn tas was vals geweest, het mijne lag onaangeroerd op zijn plaats toen ik thuiskwam. En al dat geld in mijn tas? Dat was ook niet van mij. Het enige voordeel is dat ik er wat coole nieuwe kleren aan overgehouden heb.

'Waar denk je aan?' vroeg Dylan, toen we bij het stoplicht stonden te wachten. Ik zal wel een tijdje stil geweest zijn.

We vermeden het over Max te praten. Potter's Field brachten we geen van beiden ter sprake – hoe we die avond niet kregen wat we zochten en dat ook nooit zouden krijgen.

'Ik vroeg me af of je ooit het gevoel hebt gehad dat iets je is ontnomen. Je zocht naar gerechtigheid voor je ouders en voor de vrouwen die Max heeft vermoord en dat is niet gelukt. Hij is ontkomen. Doet dat geen pijn? Denk je er veel aan?'

Hij schudde het hoofd. 'Hij is niet ontkomen.'

Ik keek hem aan en vroeg me af of hij meer wist dan ik. Ik kon zijn ogen achter de zonnebril niet zien. Hij gooide zijn lege beker in een metalen afvalbak.

'Ik ben gaan geloven dat je je daden met je meedraagt. Het kwaad dat hij heeft aangericht moet als een kankergezwel aan hem vreten. Ooit zal het hem te gronde richten.'

Ik wist niet of ik het daarmee eens was. Ik moest denken aan mijn ge-sprek met Nick Smiley.

Hij voelde geen wroeging, had Nick gezegd. *Ik zag het aan de manier waarop hij naar me keek. In ander gezelschap keek hij o zo droevig, maar als we alleen waren zag ik die ogen van hem en dan wist ik het zeker. Hij had zijn moeder vermoord en zijn vader beschuldigd en tegen hem getuigd. In feite had hij ze allebei vermoord. En ik geloof niet dat hij er een nacht min-der om heeft geslapen.*

'Ik doel niet op berouw,' zei Dylan, die de twijfel van mijn gezicht kon aflezen. 'Ik wil alleen maar zeggen dat gerechtigheid dieper zit dan oor-deel en straf. Karma, weet je wel?'

Ik knikte. Ik wilde er niet over bekvechten. Als hij een manier had ge-vonden om vrede te hebben met het feit dat de man die zijn ouders had vermoord nog vrij rondliep en waarschijnlijk een goed leven leidde, dan ging ik hem niet op andere gedachten brengen. Hij was blijkbaar verder in zijn ontwikkeling dan ik.

Ik zal niet tegen je liegen. Ik heb wakker gelegen over het feit dat Max ontkomen is, dat zijn lusten waarschijnlijk niet zijn afgenomen. Zijn bal-lingschap zou hem eerder nog wellustiger maken. Ik weet zeker dat je een bevredigender einde had verwacht – de boef is gepakt en ondergaat zijn gerechte straf. Ik leef nog lang en gelukkig. Zou het niet fantastisch zijn als we alle mensen en omstandigheden die ons verdriet bezorgen konden veranderen? Maar zo gaat het meestal niet in het leven. Sommige dingen zijn zoals ze zijn, hoezeer je je er ook tegen verzet. Het gaat erom daar vrede mee te hebben, er het beste van te maken en verder te leven, ook al betekent dat, zoals in mijn geval, dat je altijd om blijft kijken.

Ik gooide mijn beker ook in een afvalbak en Dylan pakte mijn hand. In een beladen stilte liepen we naar het Flatiron Building.

'En hoe zit het met jou?' vroeg hij. Hij schoof zijn zonnebril omhoog en zette hem op zijn hoofd. Hij richtte zijn grijze ogen op me. 'Is dat soms wat jij voelt, Ridley? Heb jij het gevoel dat je iets is ontnomen?'

Dat moest ik even laten bezinken. Ik dacht aan het laatste oogcontact met Max, toen hij omhoog werd getild in zijn helikopter, aan zijn brief. Ik zou me altijd afvragen waar hij was, of hij me op een of andere manier in de gaten hield.

'Dat niet,' zei ik. 'Ik voel me opgejaagd.'

Ik zag dat mijn antwoord hem droevig stemde. Hij sloeg zijn arm om me heen en drukte me de rest van de wandeling dicht tegen zich aan.

Ik ben lang bezig geweest met het overdenken van mijn fouten. Je bent het vast met me eens dat de lijst lang en kleurrijk is. Maar mijn grootste dwaasheid was wel dat ik geloofde dat ik Max thuis zou kunnen brengen. Die fout vergeef ik mezelf. Want op het ogenblik dat ik hem zag verdwijnen begreep ik het pas: in de dood is de geest thuis.

Dankwoord

Het mag waar zijn dat schrijvers hun werk in eenzaamheid verrichten. Maar mijn werk zou zeker achter gesloten deuren blijven zonder het netwerk aan mensen die in mij geloven en mij steunen. Hier zijn ze, met hun vele goede eigenschappen:

Mijn man, Jeffrey, hoort me al jaren dezelfde lezingen houden en dezelfde vragen beantwoorden – en niet alleen thuis. Ik heb nog nooit opgetreden in een boekwinkel, op een congres, bij een lezers- of schrijversgroep zonder dat mijn man in het publiek zat. En dat is nog het minste wat hij doet. Hij is de beste echtgenoot, vriend, recensent, lezer, organisator en – sinds kort – de beste vader die je je maar kunt wensen. En hij kan koken! Ik prijs mezelf elke dag gelukkig met hem.

Mijn agent, Elaine Markson, en haar assistent, Gary Johnson, zijn mijn reddingslijnen in de schrijverswereld. Vanaf het moment – nu bijna zeven jaar geleden – dat ik deel ging uitmaken van de Elaine Markson Literary Agency, is Elaine mijn eerste lezer geweest, mijn voorvechtster en mijn vriendin. Gary zorgt ervoor dat ik alles op orde heb, houdt mijn humeur op peil en houdt me op de hoogte van alle roddels uit het vak. Ik probeer elk jaar weer iets nieuws te bedenken om te zeggen, maar ik kom altijd uit op hetzelfde: zonder hem ben ik nergens.

Als ik een altaar zou kunnen oprichten om mijn redacteur Sally Kim te vereren, dan zou ik dat doen. De relatie schrijver-redacteur is zo broos en zo cruciaal. Schrijvers zijn grillig en breekbaar; in de verkeerde handen kunnen ze gekwetst en gedemoraliseerd worden. In de juiste handen bloeien ze op en worden ze beter in hun vak. Sally verstaat de kunst me op een lieve manier de weg te wijzen zonder te dwingen, suggesties te doen zonder voor te schrijven, een betere schrijver van me te maken en me te laten denken dat het allemaal mijn eigen verdienste is. Ze is een mede-samenzweerster, therapeut, voorvechtster en vriendin.

Het is de droom van elke schrijver uitgegeven te worden bij een uitgever als Crown/Shaye Areheart Books. Ik kan me geen heerlijker en veiliger en liefdevoller thuis voorstellen. Mijn welgemeende dank gaat uit naar Jenny Frost, Shaye Areheart, Tina Constable, Philip Patrick, Jill Flaxman, Whitney Cookman, Jacqui LeBow, Kim Shannon, Kira Stevens, Roseann Warren, Tara Gilbride, Christine Aronson, Linda Kaplan, Karin Schulze en Kate Kennedy... om slechts enkele namen te noemen. Ieder van hen heeft zijn speciale bijdrage geleverd aan mijn werk en ik kan hen niet dankbaar genoeg zijn.

Speciaal agent Paul Bouffard begrijpt hoe ik denk. We denken hetzelfde. Hij is mijn bron voor alles wat legaal en illegaal is. Met zijn uitgebreide ervaring op het gebied van federale wetshandhaving is hij een rijke bron van informatie; hij kent bijzonderheden en spannende anekdotes die steeds weer mijn verbeelding prikkelen, hij is een onvermoeibaar klankbord en, evenals zijn vrouw Wendy, een goede vriend.

Mijn familie en vrienden moedigen me aan als het goed gaat en slepen me erdoorheen in mindere tijden. Mijn vader en moeder, Joseph en Virginia Miscione (het Houston Team) zijn onvermoeibare supporters en cheerleaders. In elke boekwinkel in Houston die ik heb bezocht, zei een verkoper of manager tegen me: 'O, ja! Je moeder is nog geweest om het stapeltje van je boeken bij de kassa te zetten!' Telkens als mijn broer, Joe Miscione, mijn boeken in een winkel ziet liggen, maakt hij een foto met zijn mobieltje die hij naar me mailt. Mijn vriendin Heather Mikesell heeft elk woord gelezen dat ik heb geschreven sinds we elkaar bijna dertien jaar geleden hebben leren kennen. Ik ga af op haar inzichten – en op haar scherpe redactieoog. Mijn oudste vriendinnen, Marion Chartoff en Tara Popick, geven me ieder op haar eigen manier, wijsheid, steun en humor. Ik ben ze om meer redenen dankbaar dan ik hier kan opnoemen.